D1102431

MARCAS

Éric Giacometti a été journaliste au *Parisien*. Il est aussi le scénariste de la bande dessinée *Largo Winch*. Jacques Ravenne est écrivain. Maître franc-maçon, il est spécialiste des manuscrits anciens. La série autour du commissaire Marcas qu'ils ont créée ensemble s'est vendue à plus de trois millions d'exemplaires à travers le monde.

Paru au Livre de Poche :

ÉRIC GIACOMETTI
JACQUES RAVENNE

Marcas

ROMAN

JC LATTÈS

Une nouvelle réalité

Chères lectrices, chers lecteurs,

Pour le retour d'Antoine Marcas, nous vous avons préparé une surprise : la réalité augmentée. Une nouvelle expérience littéraire, interactive, qui vous permet d'aller plus loin dans l'univers de ce thriller. À travers des vidéos, des témoignages, des dossiers, menez à votre tour l'enquête. Sur les pas de notre commissaire franc-maçon.

Et si le cœur vous en dit, ultime surprise, retrouvez-nous en interview chez… vous !

Un grand merci à notre amie Karine Papillaud et à Patrick Vallélian, directeur général de Sept.ch SA, société éditrice du site sept.info, de *Sept mook* et des *Cahiers de Sept*, à l'origine de cet outil fabuleux. Découvrez le mode d'emploi sur la page de droite.

Bon voyage.

Éric et Jacques.

© Éditions Jean-Claude Lattès, 2021.
ISBN : 978-2-253-94013-5 – 1re publication LGF

Vivez une expérience immersive unique

Votre lecture enrichie de contenus inédits en réalité augmentée sur votre smartphone ou tablette. Comment y accéder ? Mode d'emploi.

1

Téléchargez gratuitement
l'application Sept sur App Store
ou Google Play.

2

Lancez l'application Sept
scannez la couverture
et les images présentes dans le livre,
indiquées par le logo Sept.

3

**Les contenus supplémentaires démarrent
immédiatement** ou des boutons interactifs
apparaissent en surbrillance en attendant
vos clics.

« Les Français, où qu'ils cherchent,
ont besoin de merveilleux. »

Charles DE GAULLE.

« Dis-moi, là où se trouve un initié,
n'y a-t-il pas déjà plus qu'on ne peut
savoir ? »

Ernst JÜNGER,
Le Contemplateur solitaire.

Prologue

Paris
Palais de l'Élysée
Il y a quelques années

C'était une journée scintillante de mai où le gris des toits se rêvait en arc-en-ciel. Juste en face de l'entrée du palais de l'Élysée, rue du Faubourg-Saint-Honoré, une foule compacte et joyeuse attendait l'homme envoyé par la providence et les urnes pour sauver la France. Le cortège du futur président de la République devait arriver d'un instant à l'autre. Comme tous les cinq ans, le cérémonial de passation des pouvoirs suivait son cours immuable. Après être descendu de voiture, l'élu allait entrer dans la cour d'honneur, puis monter les marches du perron, accueilli par le titulaire encore en poste pour une fraction d'éternité. Ensuite, les deux hommes se retireraient pour échanger sur les dossiers clés. D'un président à l'autre.

Un frisson parcourut la masse serrée. Il arrivait. Le cortège venait de tourner à l'angle de la place Beauvau, siège du ministère de l'Intérieur. En République, la police et le pouvoir ont toujours été voisins de palier. L'escouade

11

réglementaire de six motards avançait lentement, le premier en tête, suivi de ses cinq collègues en pointe de flèche devant la Renault aux vitres fumées. Le cortège ralentit alors qu'il longeait les murs du saint des saints. Les cris fusaient de plus belle. Une brassée de drapeaux tricolores ondulait sous le soleil. Les badauds tentaient d'apercevoir leur champion, ne distinguant qu'un profil sombre à l'arrière du modeste carrosse. À l'intérieur, le futur président et sa conseillère échangèrent un regard.

— Comment te sens-tu ? demanda la jeune femme brune au visage délicatement ovale.

Ses yeux clairs paraissaient briller.

— Ma chère Léa… Comme un astronaute qui découvre la Terre vue de l'espace. C'est merveilleux. Ce soir, je m'endormirai président.

La conseillère jeta un regard vers les admirateurs de plus en plus excités. Des jeunes, des retraités, des Français de toutes origines qui criaient leur joie.

— Ils attendent beaucoup de toi.

— Je ne les décevrai pas.

Le futur président observait la foule à travers la vitre, comme des poissons dans un aquarium. Il pouvait discerner les traits de leurs visages exaltés. Tous ces inconnus faisaient partie des douze millions de Français qui avaient glissé son nom dans une urne, le dimanche précédent. Il fixa au hasard un barbu d'une trentaine d'années qui agitait un drapeau en riant. Son visage rayonnait de bonheur.

— Je leur apporte de l'espoir. Une denrée dont ils étaient privés depuis trop longtemps.

— Tu n'es plus en campagne, murmura en souriant la conseillère. Tu as réussi ton pari.

— Mais je le pense vraiment. Regarde ces gens, ils croient réellement que je vais changer leur vie. La rendre enfin merveilleuse.

— De la naïveté…

— Une naïveté indispensable. L'être humain a besoin de s'émerveiller. C'est aussi essentiel que l'air, l'eau, la terre, le feu… Les quatre éléments fondamentaux.

Il posa la main sur le poignet de Léa avant qu'elle ne réplique.

— Et ce n'est pas du lyrisme, mais du symbole. Et toute société en a besoin. D'ailleurs, c'est bien une idée des francs-maçons, non ?

La conseillère ne releva pas l'ironie de son interlocuteur. Il n'avait jamais vraiment compris pourquoi elle s'était fait initier. Excepté pour se procurer un réseau. Et encore. Les francs-maçons ne lui avaient été d'aucune utilité pour enjamber les marches du pouvoir à ses côtés. Elle soupira.

— Parfois, je me demande si tu penses vraiment ce que tu racontes.

Le lauréat jeta un dernier regard à la foule et murmura :

— Va savoir…

La Renault tourna pour franchir le porche et s'arrêta devant l'immense tapis rouge déployé tout au long de la cour du Palais, jusqu'aux marches du perron. Le plus jeune futur président de la Ve République ouvrit la portière mais, au moment de descendre, il prit le bras de Léa.

— Un ultime conseil ?

— N'affiche pas ton sourire conquérant quand tu

salueras ton prédécesseur devant les photographes. Aie le triomphe modeste.

— Pas un avis de communicante, Léa.

— Alors, prends ton temps quand tu remonteras la cour, savoure chaque seconde. Chaque pas que tu feras, chaque inspiration te mènera vers ta destinée. La plus haute. Jamais plus tu ne connaîtras un tel instant de grâce. Je t'envie.

— C'est à toi que je le dois.

— Je sais. Mais, quand nous nous reverrons, je t'appellerai monsieur le Président.

— Seulement en public…

Il lui offrit son plus beau sourire et sortit de la voiture, le cœur battant. Tout autour de lui, la cour était noire de monde. Armée de photographes sur la gauche, fanfare sur la droite. Familiers et invités agglutinés le long du porche. Un homme en costume gris, le chef du protocole, s'avança et lui tendit une main ferme.

— Soyez le bienvenu, monsieur. Le président vous attend.

Le nouvel élu salua le commandant militaire de l'Élysée alors que la fanfare de la garde républicaine entamait une marche dont les premières mesures lui parurent bien martiales. Il cligna des yeux, inspira une longue bouffée d'air, puis entama sa montée vers les portes du pouvoir. Au soleil, le rouge du tapis lui paraissait presque incandescent. Combien de fois avait-il vu cette cérémonie, à la télévision, puis en tant que simple conseiller présidentiel ? Il s'était toujours demandé ce que ces hommes, touchés par la grâce électorale, avaient ressenti à cet instant précis. Tout se bousculait dans sa tête. Il se sentait à la fois seul et puissant. Fragile et invincible. À presque quarante ans, il portait sur ses minces épaules tous les espoirs d'un peuple.

À l'extrémité du tapis, debout sur les marches, se tenait l'autre. Celui qui allait repartir dans moins d'une heure. Au fur et à mesure qu'il se rapprochait, son visage se dessinait plus finement. Le futur président fixa la silhouette. Il passa sous la mitraille de la haie de photographes. Les journalistes à sa gauche, les militaires à sa droite. Au fond de lui, il n'aimait ni les uns ni les autres.

Il pouvait maintenant parfaitement distinguer le visage de son prédécesseur. Que se passe-t-il dans la tête de celui qui retourne dans les ténèbres ? Dans cinq ans, ce sera peut-être lui qui sera à cette place, celle du vaincu ? Avec un autre prétendant. Il chassa cette pensée négative et afficha un visage serein, mais pas trop radieux. Il ne fallait pas exposer sa joie. Rester maître de ses émotions. Comme celui qui n'était plus qu'à quelques mètres. Le front dégarni, le visage empâté, le sourire trop large pour être franc.

— Soyez le bienvenu, lança le président, une nouvelle fois, je vous félicite pour votre victoire.

— Merci, monsieur le Président, c'est la victoire de la République.

— Ah… Vous incarnez déjà à vous seul la République ? Félicitations, vous progressez vite.

Le nouvel élu ne répondit pas au trait cinglant de son interlocuteur. Les deux hommes se serrèrent la main longuement, puis se tournèrent vers les photographes et les caméras afin de les laisser immortaliser ce moment.

Le président lui prit le bras avec plus de fermeté qu'il ne l'aurait pensé.

— Suivez-moi dans le salon d'or, c'est au premier étage. Nous avons des choses à nous dire.

La pendule dorée, style Napoléon III, sonna quatre heures trente. Il s'était écoulé un peu plus d'une demi-heure, pendant laquelle les deux hommes assis l'un en face de l'autre avaient échangé sur les questions urgentes en cours. Situation économique, terrorisme, échanges internationaux… Leurs conseillers respectifs avaient préparé les dossiers, deux jours plus tôt, pour accélérer la passation des pouvoirs. Le lauréat était lui aussi un homme de dossiers, son intelligence aiguisée ne laissait aucune place à l'imprécision. Quant à la transmission des codes nucléaires, il avait été étonné de son aspect presque banal. Une valise, des codes, un protocole.

— Je crois que nous avons fait le tour de la question, lança le président encore en exercice. Voulez-vous un rafraîchissement avant de me raccompagner ? Un alcool ? Je cache un petit armagnac de premier choix. Il m'a aidé à prendre bien des décisions difficiles.

— Avec plaisir. Je ne conduis pas.

L'autre sourit et alla chercher une bouteille dans un placard.

— Il y a cinq ans, j'étais assis à votre place, piaffant à l'idée de prendre ce poste. C'était une belle journée ensoleillée comme aujourd'hui… J'ai l'impression que c'était hier. Les humains voient le temps passer, le temps voit les humains passer.

Le lauréat avala son armagnac et le reposa sur la table. L'impatience le gagnait. Il espérait que son interlocuteur aurait la décence d'abréger ses souvenirs et ses maximes existentielles. Mais le protocole exigeait qu'il fasse bonne figure, jusqu'au moment où il le raccompagnerait pour son départ ultime. C'était toujours le passeur de flambeau qui restait le maître du temps.

— Je me revois contemplant tout ce luxe. Toutes ces dorures m'éblouissaient…

Le président lapait son armagnac avec lenteur, comme pour faire durer le plaisir. Il finit par poser son verre à son tour.

— Je vous ennuie, désolé.

— Pas du tout, mentit le nouvel élu.

— Je vous souhaite de réussir dans toutes vos ambitions. Ce n'est jamais facile d'exercer cette fonction.

— Je ne doute pas d'avoir bientôt une majorité forte et soudée à l'Assemblée, qui me permettra de faire passer les réformes d'avenir dont ce pays a besoin. Les Français sont prêts.

— Je ne le crois pas. Nos compatriotes s'enthousiasment à chaque élection, ils veulent croire aux changements mais, au fond de leur cœur, ils n'en veulent pas. Je parle d'expérience. Le désenchantement, c'est comme les rides, ça arrive plus vite qu'on ne le croit.

— Et moi, je veux rendre l'espoir aux Français. Qu'ils s'émerveillent à nouveau.

Le président le regarda fixement, presque étonné.

— Émerveiller les Français… J'y ai cru moi aussi. Ça ne dure pas longtemps. Le vent tourne. Vous verrez. C'est d'ailleurs une excellente transition pour vous transmettre le cinquième rituel.

— Pardon?

— Le cinquième rituel. Depuis le général de Gaulle, chaque président le transmet à son successeur. Comme pour le code du feu nucléaire. Toujours à la fin de la passation des pouvoirs.

Le nouvel élu fronça les sourcils. Jamais personne n'avait évoqué cette consigne. Et en plus, il connaissait par cœur le parcours hors du commun de De Gaulle, l'homme de l'appel du 18 Juin, le chef de la France libre, le père fondateur de la Ve République. Un géant qui projetait encore sa lumière sur l'histoire de France. Et ses zones d'ombre aussi. Le lauréat avait lu ses Mémoires et il ne se souvenait pas d'un récit sur un cinquième rituel.

— Comment se fait-il que je n'en aie jamais entendu parler ?

— Personne n'est mis dans la confidence, excepté les présidents et leurs conseillers les plus proches. Pas de trace écrite, aucun dossier, aucun fichier.

— Vous m'intriguez…

— Avant de vous exposer ce qui va suivre, je tiens à préciser un élément important. Je vous le dis claire-ment : je n'y ai jamais cru une seule seconde. Je suis un esprit rationaliste. La mystique de la patrie ne fait pas partie de mon ADN. Je n'ai jamais été comme de Gaulle, persuadé qu'il avait été choisi par la providence en 1940 pour incarner la France libre face à Pétain.

— Et fonder notre Ve République en 1958 ! Un grand homme, répondit le lauréat qui lui aussi croyait en la providence.

— Je ne fais pas partie de ses admirateurs béats… Bref, le général a exigé que ses successeurs se trans-mettent ce cinquième rituel.

L'horloge tinta de nouveau. À l'extérieur, le soleil se voila subitement, comme si un drap sombre était tombé sur l'Élysée, plongeant le salon dans une quasi-pénombre.

— Ce dont je suis obligé de vous parler va vous paraître bien étrange venant de la bouche d'un président. Je vais vous révéler la nature de ce cinquième rituel, mais c'est un secret qui n'est que partiellement découvert et je n'ai pas le mot de la fin. Libre à vous de le trouver ou pas. Voilà, tout remonte à juin 1940, la France est vaincue par l'Allemagne nazie, Paris est occupée, la République vit ses derniers jours. C'est alors qu'un certain Charles de Gaulle va surgir presque de nulle part…

La berline démarra sous les applaudissements de la foule. Debout sur le tapis rouge, le nouveau président agita une dernière fois la main alors que la Renault franchissait le porche pour disparaître dans la rue. C'était fait. Il était devenu le nouveau président. Du moins symboliquement. Pour la partie protocolaire, il devait revenir au Palais pour recevoir les insignes de Grand-Croix de la Légion d'honneur, puis attendre que le président du Conseil constitutionnel le désigne officiellement dans le grand salon. Mais ce n'étaient que des détails.

Là, maintenant, au milieu de la cour du Palais, aux yeux des Français et du monde, il était le nouveau président. Une onde de joie infinie le submergea. Son esprit allait à toute allure : des échanges pendant la passation, il avait déjà intégré tous les dossiers sensibles. Mais, curieusement, il ne pensait qu'à une seule chose.

Le cinquième rituel. Qui mène à un secret.

Deux fois, il avait fait répéter son interlocuteur tant

cela dépassait l'entendement. Un secret si incroyable qu'on aurait pu le croire sorti de la bouche d'un fou, d'un illuminé.

Pas d'un président.

Mais il allait prendre cette révélation très au sérieux. Contrairement à son prédécesseur, il allait le découvrir.

Comme de Gaulle, il avait toujours été intimement persuadé d'avoir été choisi par le destin, par la providence. Par une force supérieure, dont lui importait peu le nom. Cette force venait de se manifester à nouveau. Et cette fois, elle avait un nom.

Le cinquième rituel.

PREMIÈRE PARTIE

« Celui qui cache un secret est maître de sa route. »

Proverbe arabe.

1

Dordogne
Turnac
Été 1214

Il y avait longtemps que Clamonda attendait ce moment. Le matin des premières moissons, quand le sifflement sec des faucilles résonnait dans les champs. Dès l'aube, hommes et femmes quittaient le village pour faire tomber les épis de blé sous le soleil naissant de l'été. Ce jour-là, les enfants étaient abandonnés à leur sort et, aussitôt les adultes disparus, se volatilisaient dans la campagne. La plupart s'enfonçaient en bande chahuteuse dans les bois. Mais Clamonda avait une autre idée. Ce qui l'attirait c'était la rivière. La Dordogne, rapide et souple, qui s'ébattait entre les falaises. Cette eau, à la peau noire comme un animal mystérieux, la fascinait. Durant tout l'hiver, elle l'avait contemplée de loin : le soir, quand le soleil couchant la transformait en un miroir de feu, le matin, quand elle se métamorphosait en une brume vorace. La Dordogne était vivante, elle en était certaine. Sinon, pourquoi les prêtres édifiaient-ils autant d'églises sur chaque rebord de falaise ? C'est parce qu'ils avaient peur de la rivière. Peur qu'elle ne se réveille.

Clamonda tendit l'oreille. Même la forge de son père était muette. Le père Taillefeu, comme on l'appelait, était lui aussi parti aider aux champs. Tout autour d'elle, le village était silencieux, les maisons désertes jusqu'au soir. Seuls dans les étables, les bœufs tapaient des sabots, agacés par le bourdonnement incessant des mouches qui leur piquetaient l'échine. Clamonda savait bien qu'aller à la Dordogne était interdit. Lors des veillées, près de la cheminée, les vieux radotaient sans fin des récits d'enfants descendus jusqu'à la rivière et jamais revenus. S'approcher de l'eau, c'était comme enlacer la mort. Et on ne savait pas quel était l'ennemi le plus périlleux : des loups qui hantaient les rives ou des tourbillons sous la surface de l'eau. Mais Clamonda s'en moquait bien, elle dévalait déjà le sentier pierreux qui courait sous la pénombre des buis. À chaque nouveau tournant, à travers les branches des chênes verts, elle voyait grandir la Dordogne qui, irrésistiblement, l'appelait.

Bientôt, elle surgit sur un talus au-dessus d'une longue plage de galets polis. La rivière était là, avec ses longues algues vertes, fouettées par le courant, qui semblaient des cheveux de fées sous la surface de l'eau. Tout autour d'elle s'élevaient de hautes falaises, percées de creux profonds d'où s'échappaient, dans un bruit d'ailes froissées, des vols de corbeaux sombres et méfiants. Il n'y avait aucun signe de vie humaine, ni le bruit familier des travaux de la terre, ni la silhouette rassurante d'un clocher. Seule la masse sombre du château de Castelrouge, niché comme un rapace sur sa falaise, barrait l'horizon vers le couchant. Pour la première fois, Clamonda se dit que la rivière n'était peut-être pas le lieu féerique de toutes ses imaginations. Mais le courant qui battait le bord de la plage ne cessait de l'attirer. Elle ôta ses sabots, qui résonnaient sur les galets, et s'avança à pas discrets. Tout ce qu'elle voulait, c'était toucher de sa main d'enfant cette eau qui sourdait de la montagne pour se perdre au loin dans la mer. Puiser de sa vivacité, de sa force.

Comme elle atteignait le bord, elle s'arrêta face à l'eau qui stagnait devant les galets. Elle se pencha, ensorcelée par son reflet. Jamais elle n'avait vu son visage.

Elle était aussi brune que la nuit, avec de longues tresses qui encadraient ses joues rosies par l'air vif du matin. Ses yeux surtout la fascinaient. Elle ne savait pas qu'ils avaient cette couleur grise, veinée de vert tendre. Envoûtée par cette jeune femme qu'elle découvrait, elle ne fit plus attention à la rivière, au cri des oiseaux dans le ciel et à ce bruit imprévu sur la rive, semblable à un tronc qui s'échoue. Elle contemplait ce nez mutin qu'elle partageait avec sa sœur, ses pommettes hautes, ses lèvres qui ourlaient ses dents d'une lumière rose… Un instant, la surface de l'eau se rida, effaçant son image. Quand elle réapparut, Clamonda eut la surprise de voir son visage comme criblé de taches de rousseur, avant de disparaître de nouveau sous un flot sombre.

Étonnée, elle plongea sa main dans l'eau.

Quand elle la retira, elle était poisseuse de sang.

Rameuté par Clamonda, tout le village était sur le bord de la rivière. Les femmes tenaient les enfants la tête tournée, enfoncée dans les jupes. Les plus âgées, tombées à genoux, imploraient déjà le ciel. Mais la plupart regardaient surtout leur mari, leur père, leur frère, tous figés dans la terreur.

Aucun homme n'avait encore osé s'approcher du bord de l'eau, là où le cadavre venait de surgir. Il avait fini sa course entre deux galets, offrant son cou sectionné à tous les regards. Les os avaient été tranchés net, mais les muscles, eux, avaient été extirpés un à un, comme les nerfs et les tendons. Et quelqu'un s'était amusé à les nouer ensemble pour former une sorte de guirlande monstrueuse.

— C'est la fille du forgeron qui l'a trouvé.

— La fille de Taillefeu ?

Mais une voix s'imposa :

— Ce n'est pas un homme qui a fait ça.

Tous pensaient au Grand Rôdeur, le surnom du Malin, dont on disait que, depuis peu, il avait fait du Périgord son territoire de chasse.

— Tais-toi, voilà le Noir qui arrive.

Descendant péniblement le chemin escarpé, le prêtre du village venait de surgir, le visage rougi par l'effort, tordant déjà ses bras comme chaque fois qu'il allait parler.

— Ne restez pas là ! Retournez à vos moissons !

— Le diable est parmi nous, siffla une voix, et tu es incapable de le chasser !

Le prêtre s'avança brusquement, dévisageant chacun de ses paroissiens. Lequel avait osé le défier ? Il soutenait chaque regard, mais connaissait la réponse. Tous en étaient capables. Depuis des mois, son influence était battue en brèche. Chaque dimanche, son église se vidait un peu plus. Tout ça à cause de ces maudits hérétiques qui parcouraient le pays. S'il ne frappait pas les esprits, il allait définitivement perdre toute autorité sur le village.

— Dieu est plus grand que tout et peut tout !

— Alors qu'il le prouve !

Une femme le saisit par l'épaule et le poussa brutalement vers la rivière qui se teintait de sang.

— Le Grand Rôdeur est à l'œuvre, il décapite les corps pour s'emparer des âmes. Alors, sauve-nous ou sois maudit !

Le prêtre n'avait fait qu'entrevoir le cadavre. Maintenant, il le fixait de près, meurtri, enfoncé, tuméfié, laminé de plaies vives comme si une bête de proie s'était acharnée à le dévorer par lambeaux. Il en était certain, seul le diable avait pu commettre pareille orgie macabre.

— Dieu, je t'en supplie, protège ton pasteur et son troupeau. Écarte de nous la colère du Malin, son désir de nuire, sa folie des ténèbres...

Il s'était retourné devant ses paroissiens, les bras dressés, implorant à voix haute l'intervention du Très-Haut. Il savait que Dieu était capable de tous les prodiges. Et il lui en fallait un, là, tout de suite.

— Toi à qui appartiennent la Puissance et la Gloire, terrasse le Mal, ici et maintenant ! Qu'un signe de Toi vienne confondre ton éternel Ennemi !

Stupéfié par sa propre audace, le prêtre ferma les yeux. Un hurlement répondit à sa prière.

Dieu s'était manifesté, il en était sûr.

Confiant, il se retourna vers la rivière.

Le cadavre n'était plus seul. Un autre venait de surgir. Une femme dont il ne restait plus que le souvenir. Son visage avait été comme nettoyé de l'intérieur. Mais le pire était le collier de chair qu'on lui avait glissé autour du cou. Ce qui avait été ses yeux, ses lèvres, son nez pendait sur sa poitrine comme un chapelet obscène et maudit.

Château de Castelrouge

De l'étroite meurtrière du donjon, Alix de Turenne regardait les paysans qui remontaient le cours de la rivière. Ils suivaient le chemin des morts. Bientôt, ils seraient sous la falaise du château et il ne leur faudrait pas longtemps pour comprendre d'où venaient les corps. Pas longtemps non plus pour se demander où était passé ce groupe de pèlerins qui, la veille, revenait du sanctuaire de Rocamadour en descendant la Dordogne. En attendant, ils restaient là, comme un troupeau ahuri, fascinés par la vue des cadavres. De vrais animaux. Mais la nuit les ferait déguerpir : les fantômes leur faisaient plus peur que la mort.

Alix quitta le poste de guet et remonta à l'étage par l'escalier à vis. Sa chambre était la pièce la plus agréable du château. Directement située sous la plate-forme crénelée, elle ouvrait par des fenêtres à double colonne sur la Dordogne et la campagne avoisinante. La lumière du soleil levant éclairait à foison les murs peints de scènes de chasse et de jardins luxuriants.

C'est son mari qui, pour leur mariage, avait fait percer ces fenêtres dorées de lumière dans les murs du vieux donjon et fait décorer la chambre de peintures ruisselantes de couleurs. Une preuve de l'amour fou qu'il lui portait. C'est aussi lui qui avait fait graver, sur une table de pierre, un jeu d'échecs. Les pièces de leur dernière partie étaient encore là. Une partie inachevée, car Bertrand avait dû partir pour la guerre. Une guerre dont il n'était pas revenu.

Alix maudissait ces croisés, ces barbares du Nord qui, à l'appel du pape, déferlaient entre Bordeaux et Toulouse, tuant et pillant au nom de Dieu, menant une guerre sainte, ponctuée de massacres et de bûchers, pour extirper l'hérésie cathare. Alix ricana. Les cathares ! Des doux illuminés qui avaient eu la mauvaise idée de proclamer que l'Église devait être pauvre et qu'on devait d'abord aimer les hommes pour aimer Dieu. Le pape, lui, ne connaissait qu'un seul amour : la force.

Et Bertrand en était mort. Accroché par ses adversaires à un cheval au galop jusqu'à ce qu'il n'ait plus de visage, de mains, de corps. Juste une bouillie fumante abandonnée au festin des corbeaux.

Alors quand Alix avait vu passer sous son château les pèlerins avec leur croix brandie comme un trophée, elle avait rendu à Dieu ce qu'il lui avait pris.

Et elle n'avait pas fini.

Nul ne savait depuis combien de temps le château de Castelrouge était construit. Sans doute depuis une éternité, tant on trouvait, dans les grottes qui parsemaient la falaise, de ces étranges pierres aux rebords effilés comme des rasoirs, de ces ossements fantomatiques de bêtes inconnues. Les grottes étaient la sève obscure, la véritable puissance de Castelrouge! Chaque seigneur savait qu'on pouvait raser le château jusqu'au dernier mur, personne ne pourrait venir à bout de ses profondeurs de pierre d'où il resurgirait toujours plus haut, plus fort. Au fil des siècles, les grottes avaient été agrandies, aménagées, reliées pour servir de forteresse ultime. On y avait installé des arsenaux, des réserves, des salles de garde, mais aussi un dédale de couloirs, de coursives, de culs-de-basse-fosse où l'on pouvait se perdre à jamais. Seule Alix ne s'y égarait pas. Chaque fois qu'elle descendait dans les profondeurs, elle avait l'impression de revenir à sa propre source. Elle posait les mains sur les parois minérales et sentait battre le cœur invisible du château qui lui communiquait sa force souterraine. Plus elle s'enfonçait dans le sol, plus elle se sentait elle-même, comme délivrée du monde d'en haut où régnaient la haine et la peur. Pourtant, là où elle allait, jamais la violence n'avait été aussi concentrée et atroce.

C'est au dernier sous-sol que se trouvait le cachot seigneurial. Une longue salle voûtée dont le sol humide et sableux se situait au niveau de la rivière. Une idée retorse d'un des premiers seigneurs de Castelrouge : pendant l'été, les rats se glissaient entre les pierres et se révélaient un moyen de torture implacable ; durant l'hiver, c'était la Dordogne en crue qui envahissait le cachot et réglait définitivement le sort des prisonniers.

C'est là qu'Alix avait enfermé les pèlerins. À la vérité, il n'en restait plus que deux. Un moine qu'elle avait gardé comme dernière victime et une femme avec son bébé, les seuls qui lui avaient inspiré de la pitié. Le cachot était divisé en deux parties : l'une servait de lieu de détention, l'autre de vengeance. Pour les pèlerins, cet endroit était devenu l'ultime cauchemar. Même l'enfer ne pouvait être pire.

Chaque fois qu'Alix y entrait, elle voyait en songe le corps de son mari démembré, son sexe arraché, son visage effacé. Dieu avait permis cette abomination, Dieu aimait le sang et la souffrance des hommes, alors elle aussi allait lui rendre hommage en lui sacrifiant ses fidèles.

Le moine était attaché sur une planche rugueuse dont les échardes lui pénétraient l'échine. Il avait les mains liées en arrière, révélant des aisselles suintantes de peur. Une odeur ignoble stagnait dans le cachot comme un avant-goût du cadavre qu'il se sentait devenir. Il ne comprenait rien. Il avait quitté le sanctuaire de Rocamadour deux jours avant, parmi un groupe de pèlerins, et il se retrouvait là, nu et enchaîné, après avoir vu tous ses compagnons de route se faire massacrer par un démon fait femme. Dieu les avait abandonnés, lui et sa mission.

À l'entrée du cachot, un garde se figea devant Alix qui venait de descendre les dernières marches.

— Allez voir la mère et son fils, donnez-leur à boire, je m'occupe du moine. Quand ce sera fini, vous jetterez son corps ou ce qu'il en reste par la fenêtre basse.

Le visage casqué du garde ne marqua aucune réaction. Il avait vu ce qu'avaient fait les croisés venus du Nord, violant des femmes dans les églises, empalant des nourrissons dans leur berceau. Tout ça au nom de Dieu. La châtelaine de Castelrouge pouvait bien massacrer un prêtre, ce n'était que justice. Alix entra dans le cachot et, sans un mot, saisit la corde qui emprisonnait les mains du moine et tira violemment. Sous la traction, le moine roula au sol.

— Je vous conseille de vous lever, annonça Alix en montrant une dague de chasse à sa ceinture.

Le moine s'exécuta et se retrouva pendu par les mains, la poitrine collée contre le mur humide.

— Ne me touchez pas, je suis un homme d'Église !

— Raison de plus.

Alix appliqua la pointe de sa dague juste au-dessous de la nuque de sa victime. Elle allait l'ouvrir de haut en bas puis, après avoir fendu sa chair, le dépecer lentement.

— Vous ne pouvez pas, je suis un homme de Dieu.

— Raison de plus pour souffrir.

Elle enfonça la lame et commença de trancher minutieusement. Elle était à mi-hauteur de la colonne vertébrale quand la porte s'ouvrit d'un coup, interrompant les hurlements du moine. Le garde apparut.

— La fille avec son enfant, elle m'a filé entre les doigts !

Alix eut un rictus contrarié. Cette idiote lui gâchait son plaisir. Maintenant, elle devait en finir rapidement avec l'*homme de Dieu*. Elle déchira un long pan de chair et découvrit l'arrière de la cage thoracique. Se servant du pommeau de sa dague comme d'un marteau, elle brisa une à une les côtes en dessous de l'omoplate, dévoilant la masse gluante du poumon gauche. Son poing entra dans la poitrine chaude et saignante, s'ouvrit brusquement et saisit le cœur encore battant.

Puis elle tira.

La jeune femme bondissait, pieds nus, sur la plage de galets, son enfant dans les bras, quand elle aperçut un groupe de villageois figé devant un corps empalé sur une branche de saule.

— Je vous en supplie. Aidez-moi !

Alix venait d'atteindre l'enceinte qui dominait la Dordogne. Par l'ouverture d'un créneau, elle aperçut la silhouette qui courait. Elle saisit une arbalète, arma la corde et posa un carreau dans la rainure de tir.

— Je vous en supplie. Sauvez au moins mon bébé !

La jeune femme tendait les bras vers les villageois, mais aucun ne bougea. La pointe du carreau se ficha dans son dos avec un sifflement glacé. Transpercée, elle tomba à genoux. Avant que sa bouche ne se remplisse de sang, elle lança :

— Soyez tous maudits ! Soyez maudits à jamais.

Elle roula morte sur les galets, abandonnant son enfant aux flots voraces de la rivière.

De nos jours
Paris, 13ᵉ arrondissement
En loge
Samedi soir

Une lumière sombre et bleutée nappait le temple de part en part, donnant l'impression que la nuit régnait en maître. La myriade de points lumineux argentés piquetée au plafond dessinait avec précision les grandes constellations d'une nuit d'été. Au fond, à l'Orient, un triangle lumineux plaqué au mur resplendissait d'une teinte orangée, vive comme un soleil naissant. Et sous cet astre symbolique trônait la vénérable de la loge des Trois Sœurs. Assise derrière un bureau de métal vif-argent, elle observait ses frères et ses sœurs assis de chaque côté des travées. Figés telles des statues de marbre, ils écoutaient dans un silence respectueux l'oratrice invitée de la tenue. Malgré leur posture muette, la vénérable savait identifier les signes qui trahissaient celles et ceux que la lecture de la planche impatientait. Pieds qui tapotaient le sol, mains gantées crispées sur les cuisses et, surtout, regards qui virevoltaient plus qu'à l'accoutumée.

Pourtant cette fois, ils semblaient tous subjugués par l'oratrice. C'était une femme aux cheveux blancs et soyeux, coupés court, à la soixantaine alerte et au regard vif. Ses paroles coulaient, souples et précises, sa pensée procédait de la même clarté. La rectitude incarnée.

— Je veux terminer cette planche par une découverte toute récente. Elle concerne le symbole majeur de la lumière. Quand je parle des quatre lumières symboliques, chacun, ici, sait de quoi il s'agit. La lumière solaire, flamboyante qui irradie d'elle-même, la lumière lunaire qui n'est que le reflet resplendissant de la première, la lumière lointaine, mais qui semble éternelle, des étoiles. Et bien sûr, la plus importante, celle de la conscience, celle que découvre en lui l'initié tout au long de sa progression initiatique. Et pourtant… Il existe une cinquième lumière.

Assis au premier rang, Antoine Marcas buvait ses paroles, ravi qu'Hélène l'ait invité ce soir. Ça faisait plusieurs mois qu'ils ne s'étaient pas revus à cause de ces foutus confinements à répétition. Il se massa machinalement l'arrière du crâne et tâta la dépression en forme de gouttière dissimulée sous ses cheveux toujours aussi épais. L'œuvre de la femme qui parlait devant lui. Il devait une fière chandelle à cette chirurgienne de l'hôpital Bichat. Elle lui avait sauvé la vie deux ans auparavant quand on l'avait transporté aux urgences, baignant dans son sang, le crâne défoncé par un illuminé devant le siège du Grand Orient[1]. Elle l'avait opéré

---

1. Voir *Conspiration,* JC Lattès, 2017.

juste à temps, juste avant que la pression du sang ne soit devenue fatale et anéantisse son cerveau. Le docteur Hélène Seyès l'avait ensuite accompagné tout au long de sa rééducation. Trois mois d'angoisse où il s'était senti pareil à un légume. Et c'est au détour d'une conversation qu'ils s'étaient découverts frère et sœur, quelques jours avant qu'il ne reprenne du service actif en pleine pandémie de Covid. Mieux, il avait découvert en elle une érudite à la culture maçonnique sidérante. Sa passion pour l'histoire de la fraternité l'élevait au niveau des rares spécialistes de la question, tous des hommes, qu'elle dépassait parfois par ses analyses d'une rigueur implacable.

Assise au plateau de l'orateur, Hélène marqua une pause pour jauger son auditoire, puis reprit d'une voix plus forte :

— Il existe une autre clarté, plus inquiétante, dont j'ai découvert l'existence dans des archives, récemment retrouvées, de la loge Athanor, une loge sauvage, c'est-à-dire non reconnue par les instances officielles, qui fonctionnait peu avant la Révolution. Ses membres, malheureusement anonymes, se passionnaient pour l'alchimie, comme d'ailleurs certains esprits les plus éclairés de l'époque. Dans ce document que j'ai pu transcrire et analyser en partie, il est curieusement fait mention d'une cinquième lumière. *La lumière des ténèbres*. Jamais je n'en avais entendu parler. Comme si les mots étaient impuissants à la décrire. Mais… peut-être voulez-vous la voir ?

Devant les frères et les sœurs médusés, elle adressa un signe de tête à la vénérable. Soudain, le temple plongea dans l'obscurité totale. Le soleil à l'Orient s'éteignit comme par magie. Même les veilleuses indiquant la sortie de secours avaient été désactivées. Une voix angoissée résonna dans la pénombre.

— *La voici !*

Marcas sursauta. Pour la première fois, on entendit des exclamations dans les travées. Jamais Antoine n'avait assisté à une tenue dans l'obscurité totale. La voix de l'oratrice retentit, d'un coup, dans les ténèbres.

— La nuit initiatique, vous croyez la connaître ? Vous pensez à celle qui a précédé votre entrée en maçonnerie. Et pourtant…

Hélène laissa passer un moment de silence.

— Selon le texte rédigé par nos frères des temps passés, les ténèbres ne seraient pas simplement une suppression momentanée de lumière, comme lorsque l'on appuie sur un interrupteur, mais une véritable énergie à part entière. Exactement comme ces trous noirs qui rôdent dans les replis du cosmos. Une lumière opaque, invisible, mais qui baigne en permanence notre monde sensible autant que notre conscience. Profanes ou initiés. Cette lumière du mal, ce soleil de la nuit, engendrerait tous les tourments et les malheurs qui s'abattent sur l'humanité depuis des millénaires.

Antoine l'écoutait avec attention. Cette idée d'une lumière obscure le fascinait. Il avait traversé beaucoup trop d'épreuves ces dernières années pour ne pas s'interroger sur la véritable nature du mal. Une énergie partout présente et qui, parfois, s'incarnait en chair et en os.

— Elle est là tout autour de nous. Elle vous enveloppe déjà. Inspirez et expirez… et sa sombre majesté est en vous.

La puissance des paroles inquiétantes de l'oratrice semblait se décupler. Antoine se sentait vibrer, cela faisait une éternité qu'il n'avait pas été surpris lors d'une tenue.

— Cette loge organisait un rituel très particulier pour que ses initiés puissent comprendre la nature réelle de cette lumière. La tenue se déroulait dans le noir, comme maintenant... Et en plein milieu surgissait un événement imprévisible.

L'oratrice cessa de parler. Un silence total s'abattit dans la pénombre, seulement troué par quelques grincements de chaise. Antoine entendit la porte du temple s'ouvrir et des raclements sur le sol comme si on traînait quelque chose. Un cri brisa le silence. C'était une voix de femme. Une voix gorgée d'angoisse.

Non... Pitié... Je vous en supplie...

Antoine se raidit, l'expérience devenait désagréable.

Ne vous emparez pas de moi... Je ne veux pas...

Il y avait quelque chose de profondément troublant dans ce qui était en train de se dérouler. Bien évidemment, tout cela n'était qu'un simulacre. Dans aucun rituel maçonnique, jamais personne ne s'était retrouvé plongé dans ce genre d'ambiance. Marcas n'était pas le seul à éprouver un certain malaise. Des murmures de réprobation jaillissaient déjà des travées. On entendit alors le bruit d'une lame que l'on tirait d'un fourreau. Antoine était tétanisé.

— Non !

Le hurlement de terreur de la femme le fit bondir de son siège au moment même où la lumière réapparut. Le pavé mosaïque était vide. Nulle trace de la femme ni de son agresseur.

Antoine se rassit, confus, et poussa un soupir de soulagement intérieur. Son regard, comme celui de l'assistance, se tournait vers l'oratrice qui continua d'une voix plus calme :

— Merci à votre vénérable de m'avoir permis d'installer de petits haut-parleurs Bluetooth le long du pavé mosaïque pour créer cette atmosphère angoissante. Une mascarade, mais qui était aussi au centre du rituel de l'époque. Bien sûr, cette fameuse loge n'assassinait personne, elle payait simplement des actrices pour jouer les victimes dans l'obscurité. Une mise en scène macabre, mais redoutablement efficace.

Malgré lui, Antoine sourit. Il s'était fait avoir comme un débutant. Mais Hélène n'en avait pas terminé.

— Mes chers frères et sœurs, soit *la lumière des ténèbres* existe bien, et cela doit nous faire réfléchir à la nature réelle du mal, qui serait une puissance active capable de s'incarner en nous. Soit cette lumière du mal n'a existé que dans l'imagination de ces frères d'antan, qui se sont perdus dans leur quête de la vérité. Et seul l'imaginaire nous conduit à des sentiments négatifs tels que ceux que vous avez éprouvés.

L'oratrice fit une pause avant de reprendre :

— Ou alors, derrière l'expérience du mal se cache une autre vérité. Et il faut franchir les ténèbres pour la découvrir.

La tension était retombée d'un cran dans l'assemblée. Le débat allait bientôt commencer, quand l'oratrice terminerait sa planche par l'expression consacrée : *j'ai dit*. La vénérable ferait alors rituellement circuler la parole.

Mais Antoine savait déjà qu'il ne poserait pas de questions.

Ce n'était pas nécessaire.

Pour lui, la réalité du mal était une évidence.

Une évidence qui finissait toujours par se manifester.

3

Dordogne
Domme
Été 1214

L'abbé de Sarlat descendit de cheval, le dos moulu, les côtes rompues. La sente qui montait en lacet jusqu'à la ville de Domme avait dû être taillée par le diable : étroite, caillouteuse, vertigineuse. On croyait s'y rompre le cou à chaque instant. Sans compter toute cette soldatesque qui envahissait le chemin : soudards avinés, nobliaux crottés, ribaudes édentées, une véritable cour des miracles qui accompagnait Simon, le chef des croisés, dans toutes ses conquêtes. Un fléau pire qu'une invasion de criquets.

Le camp s'étendait sur le belvédère de Domme au pied des fortifications. L'abbé ne comprenait pas une seule des langues beuglées sous les tentes, car si les seigneurs venaient combattre avec leurs propres soldats, le gros des troupes était formé de mercenaires vendus au plus offrant. Et si on y parlait le breton aussi bien que le picard, on y comprenait en revanche une seule langue : celle du pillage et de la mort.

L'abbé chargea son serviteur d'aller mener son cheval loin du tumulte du camp. Au nom de Dieu, la croisade avait vraiment rassemblé tout ce que l'humanité comptait de pire dans le royaume de France pour envahir et dévaster les riches terres du Sud. L'abbé se signa : il n'était pas là pour juger. Et puis, si ces soldats pouvaient en finir avec les cathares, ces fous qui voulaient que l'Église soit pauvre et humble, le prix à payer ne serait jamais trop élevé. Le maître de l'opulente abbaye de Sarlat n'allait quand même pas manger dans une écuelle en bois pour faire plaisir à des hérétiques. Mais, pour l'instant, il avait un autre problème. Au loin, perché sur sa falaise, le château de Castelrouge s'élevait comme une forteresse imprenable au-dessus de la Dordogne. La tête de Satan était là et il fallait la trancher.

— Père abbé, le seigneur Simon va vous recevoir.

Un des gardes à la porte du castrum – la partie fortifiée de la ville – venait de l'appeler. L'abbé le suivit à pas lents. Ce fameux Simon qu'il allait rencontrer était précédé d'une terrible réputation. Depuis qu'il avait pris la tête de la croisade, ce cadet du Nord avait noirci son blason d'un flot de sang. Pas une ville où il n'ait fait passer de vie à trépas tous ceux qui lui résistaient, pas un hérétique qui n'ait fini en fumée pour avoir refusé de revenir à la vraie foi catholique. Simon était l'épée de Dieu sur terre et elle ne restait jamais longtemps dans son fourreau. D'autant qu'à chaque cité conquise, chaque château enlevé, Simon en devenait le seigneur de droit. Bientôt, ce nobliau du Nord allait devenir le plus puissant aristocrate du Sud.

L'abbé franchit le pont de bois sur les douves pour entrer dans le castrum où les chefs croisés s'étaient installés. Les rues étroites bruissaient d'hommes en armes dont le fracas de métal rebondissait sur les façades désertes. Des débris de meubles, de vaisselle, jonchaient le pavé, mais pas de cadavres. Dès l'annonce de l'arrivée de Simon, les habitants de Domme avaient abandonné leur maison, redoutant plus encore que les exactions des soldats le vol serré de ces rapaces sans pitié : les inquisiteurs. Ces hommes en noir chargés de traquer et d'éliminer tout écart à la loi de Dieu. L'abbé de Sarlat lui-même baissait la tête quand il croisait ces vautours au regard charbonneux. Rien qu'en les voyant, on se sentait déjà coupable.

Un bruit sourd le fit sursauter. Une partie du sommet crénelé du donjon venait de s'écrouler dans un nuage de poussière. Des soldats, tête nue à cause de la chaleur, achevaient de faire tomber les pierres restantes. Bientôt, il ne subsisterait plus rien de l'orgueilleux donjon de Domme. Partout où Simon était vainqueur, il faisait raser les fortifications rebelles. Rien ne devait s'élever entre lui et le soleil de sa gloire.

— Entrez, messire abbé.

Le chef des croisés l'attendait dans la chapelle, assis sur un simple tabouret. À côté de lui, debout, se tenait le légat du pape. Le visage émacié, les mains osseuses jointes sur la poitrine, les yeux profondément enfoncés dans le visage, il ressemblait à un cadavre sorti de son linceul. Tout le contraire de Simon dont la carrure large et la chevelure drue respiraient l'énergie débordante. Mais l'abbé de Sarlat savait qu'il ne fallait pas se fier aux apparences.

— Ainsi, vous avez demandé à me voir à propos d'une femme…, commença le chef des croisés en laissant le soin à son interlocuteur de finir sa phrase.

— Oui, reprit l'abbé. Alix de Turenne. On a retrouvé de nombreux pèlerins morts sous son château. Toutes les campagnes sont en effroi devant pareils agissements dignes du diable. La foi du Christ ne peut plus être bafouée impunément.

Simon se taisait. Prudent. Les Turenne étaient une famille puissante en lisière du Périgord, il n'avait aucun intérêt à s'en faire des ennemis.

— Vous êtes certain que ces pèlerins n'ont pas été victimes de brigands qui les ont occis pour les dépouiller ?

— Les voleurs tuent parfois, mais ils ne mutilent jamais.

L'abbé ouvrit l'aumônière qu'il portait à la ceinture et en tira un collier d'oreilles empalées sur un cercle de métal.

— Nous n'avons pas encore réussi à retrouver toutes les têtes qui vont avec…

Simon eut un geste de répulsion. Tuer, piller, violer, brûler était inévitable en temps de guerre. Torturer, mutiler, non. Il fallait être habité par le mal pour se livrer à pareille démence.

— Le château de cette diablesse est loin d'ici ?

— Une matinée de marche. Il suffit de l'assiéger et de l'affamer. Il tombera comme un fruit mûr.

Le chef des croisés observait l'abbé dont le visage rebondi ressemblait à un cul de cochon confit. Sans doute espérait-il qu'une fois le château tombé, les terres conquises soient données à son abbaye. Les moines adoraient s'emparer des biens des hérétiques, mais il n'en était pas question.

— Les pèlerins qui ont disparu venaient bien de Rocamadour? intervint le légat d'une voix aussi écorchée que les traits de son visage.

— Oui. Un périple difficile au milieu d'une terre rebelle. Les temps sont risqués pour le saint sanctuaire menacé de toutes parts. Les religieux ne cessent d'affronter l'hérésie qui est de plus en plus agressive.

— Justement, n'y avait-il pas un moine parmi les pèlerins?

L'abbé ne se demanda pas d'où le légat connaissait ce détail, mais se signa frénétiquement.

— Un saint homme qui est mort en martyr! Son corps a été retrouvé sur les rochers en bas du château. Il avait été dépecé... et son cœur atrocement arraché.

— C'en est trop, tonna Simon, il faut en finir avec ce repaire du diable. Dès demain, je me mettrai en route et ce château maudit ne me résistera pas.

Le légat reprit la parole:

— N'y a-t-il eu aucun survivant parmi les pèlerins?

— Une mère a réussi à s'échapper de cette forteresse de l'enfer. Mais elle a été aussitôt tuée. Un carreau d'arbalète. Quant à son enfant, la Dordogne l'a emporté.

— Et qu'avez-vous fait des morts?

— Nous les avons enterrés chrétiennement, messire

le légat. Même si nous n'avons pu tous les reconstituer dans leur intégrité. Il manque des mains surtout…

— Et le moine ?

L'abbé de Sarlat marqua un temps d'hésitation.

— Quand ils ont vu son corps mutilé sur les rochers, les paysans ne s'en sont approchés que pour fuir aussitôt. Vous savez, il y a beaucoup de rumeurs qui courent. On parle de malédiction…

Face au regard glacé qui le transperça, l'abbé se reprit aussitôt.

— … bref, quand j'ai voulu récupérer le corps du moine de Rocamadour pour l'enterrer dignement, il n'y était plus. Alix, la diabolique, avait dû le reprendre. Sans doute ne l'avait-elle pas assez torturé ?

— Peut-être, commenta le légat avant de se tourner vers Simon. Seigneur comte, je souhaite être présent quand vous attaquerez le château de Castelrouge.

— Vous avoir à nos côtés, c'est la certitude d'avoir Dieu parmi nous.

Le légat baissa la voix comme il le faisait toujours quand il voulait donner plus de poids à ses paroles.

— Et je ne saurai trop vous conseiller d'abattre ce château pierre par pierre. On dit qu'il est bâti sur des grottes profondes, c'est là que se niche le mal. Il faudra le chasser. Je m'en chargerai avec les frères de l'Inquisition.

L'abbé se garda bien de demander ce que comptait faire le légat pour débusquer le diable de Castelrouge, mais il avait obtenu ce qu'il était venu chercher : bientôt le corps d'Alix de Turenne pourrirait dans les ruines de son château et son âme brûlerait en enfer.

— Dites-moi, n'avez-vous pas parlé de malédiction ? demanda le légat d'un ton suspicieux.

L'abbé de Sarlat faillit secouer la tête, mais il avait bien prononcé ce mot fatidique. Un mot qui pouvait attirer l'Inquisition comme un aimant.

— Ce ne sont que des superstitions de paysans incultes. Ils parlent d'un fantôme. L'âme errante de cette pauvre mère qui a été tuée au pied du château.

Le comte Simon se leva. Les revenants ne l'intéressaient pas.

— Père abbé, retournez à votre abbaye de Sarlat et priez donc pour le salut de cette malheureuse. Moi, je vais m'occuper du château de Castelrouge.

L'abbé comprit que l'audience était terminée. Il salua et se retira. Dans son dos, il sentait les yeux acérés du légat fouiller sa nuque jusqu'aux vertèbres. Jamais il ne souhaitait revoir ce regard.

4

Paris, 13ᵉ arrondissement
Au soleil d'Austerlitz
Samedi soir

Antoine reposa son verre de bourgueil sur le ton-
neau de chêne qui servait de table d'appoint à l'entrée
du restaurant. Il avait laissé la dizaine de frères et de
sœurs dans l'arrière-salle pour sortir fumer une cigarette. Il était onze heures et la rue était encore bondée.
Ça criait et s'interpellait joyeusement. Comme partout
en France, les Parisiens passaient leurs soirées dehors
depuis des semaines, ivres d'une liberté retrouvée. On
voyait même des enfants et des têtes argentées déambuler avec leur tribu familiale, comme dans les pays du
Sud. Cela faisait bientôt deux mois que le maudit virus
avait été maté et chacun voulait profiter jusqu'à plus
soif de ces moments de bonheur.

Une main se posa sur l'épaule d'Antoine. Il se
retourna, Hélène était devant lui, un verre de blanc à
la main.

— Je peux me joindre à toi ?

— Avec plaisir.

La chirurgienne observait elle aussi les badauds et avala une gorgée.

— Avant le Covid, je pestais contre tous ces Parisiens, dit Hélène. Je supportais mal cette ville bruyante et mal embouchée. Mais maintenant, je les trouve presque sympathiques.

— Presque ?

— Oui, n'exagérons pas. Ils forment tout de même un troupeau non négligeable d'abrutis. Le Covid n'a hélas pas muté suffisamment pour se fixer sur les récepteurs de la connerie. Et toi, comment ça va ? Combien de temps a passé depuis ton agression ?

Antoine prit son verre et le vida d'un trait.

— Presque deux ans.

— Tu ne devais pas quitter le service du trafic des œuvres d'art ?

— Si, on m'a détaché à la direction centrale de la police. J'interviens sur des missions ponctuelles.

— Ça n'a pas l'air de te rendre heureux ?

— Je ne vois plus trop à quoi je sers. Plus d'enquêtes. Ni officielles ni parallèles. Je me demande si je ne vais pas démissionner et passer dans le privé. Genre responsable de la sécurité d'une grosse boîte. Je trouve la vie assez fade en ce moment. Comme la maçonnerie.

— Sérieux ?

— Oui, c'est peut-être le virus… Je suis allé en tenue après mon agression, mais le cœur n'y était pas. Perdre des heures à écouter des planches recopiées sur Internet sur l'étoile flamboyante et l'équerre, ça devient lassant. Entrer dans un temple ne me procure plus d'émotion

49

comme avant. Je me demande parfois pourquoi je suis toujours maçon.

— Tu as perdu ton émerveillement des premiers jours ?

— Oui… Peut-être que ça reviendra,

— Et ton amie rencontrée aux États-Unis ?

— Terminé depuis un bon bout de temps. Elle n'a pas supporté ma période basses eaux après mon retour parmi les vivants. Elle voulait absolument un gamin et moi pas. Du coup, elle a sympathisé avec son prof de piano et ils ont fait plus que des gammes ensemble. Mais c'était une chouette fille. J'espère qu'elle sera heureuse.

Hélène le regarda avec tendresse et passa la main sur sa joue râpeuse.

— Avec ton air de chien battu, tu es craquant. Si je n'étais pas attirée par les femmes, je te consolerais avec plaisir.

— Je n'ai pas besoin d'être consolé. En fait, c'est bizarre, je ne suis pas déprimé. Loin de là. Non, j'ai juste une sensation de vide. Peut-être que c'est un effet secondaire de ta trépanation d'orfèvre.

Elle perdit son sourire, son visage se fit plus grave.

— Et tes… petits soucis d'absence ?

— Tu veux dire mes crises d'angoisse… N'aie pas peur de mettre tes mots sur mes maux.

— Oui.

— Ça va. Elles ont disparu. Plus rien depuis cinq mois. Je me reconstruis.

Machinalement, il porta à nouveau la main sur sa nuque. Après son réveil du coma, il avait plongé dans une série de crises de panique. Il ne pouvait s'empêcher de se retourner à tout bout de champ pour voir si on ne le suivait pas pour le frapper. Un comble pour un flic censé protéger les autres.

— En tout cas, merci de m'avoir invité pour ta planche, reprit-il. C'était culotté d'éteindre les lumières en pleine tenue. Et cette loge sauvage Athanor, belle découverte. Tu as trouvé ça où ?

— Dans un lot d'archives du XVIIIe siècle qu'a récupéré mon obédience. Il y avait cette pépite et quelques autres, mais je n'ai pas fini de tout dépouiller. Tu sais que certains sont venus me voir pour me demander si je n'avais pas inventé cette histoire de toutes pièces. Ils trouvaient totalement incongrue l'idée que des maçons travaillent de midi à minuit sur le mal. Pas des histoires de corruption ou autres trafics d'influence, non, je veux dire le mal sur un plan initiatique.

— Le mal... vaste sujet...

— Je n'ai pas développé, mais pour ces frères, certains lieux peuvent être aussi imprégnés de cette lumière. Ce qui expliquerait ces histoires de maisons hantées, de demeures où l'on ne se sent pas bien, de lieux maudits... Une fois que cette irradiation maléfique y a pénétré, il est très difficile de la chasser.

— Un bon exorcisme et n'en parlons plus, ricana Marcas. Désolé, mais je suis trop rationnel pour croire à ces balivernes. Je trouve quand même fascinante cette idée que le mal soit une lumière en elle-même. Ça ouvre des abîmes de réflexion philosophique. Ton érudition me bluffe, ma sœur.

— Quand ces curieux frères parlaient du mal, ils pensaient à bien autre chose que de simples crimes. Pour eux, tous les malheurs qui s'abattaient sur le genre humain depuis des millénaires proviendraient de cette énergie sombre. Catastrophes, épidémies, guerres, famines… On pourrait ainsi dire que l'épidémie de Covid, qui a tué des millions de personnes, serait la résultante de cette obscure clarté du mal.

— *Cette obscure clarté…* c'est bien Racine ?

La chirurgienne éclata de rire.

— Non. Corneille. Tu n'es pas tombé loin.

— Tu y crois ?

— Sur le plan symbolique, c'est intéressant. Dans la réalité, je reste sceptique. Excepté les catastrophes naturelles, l'homme est seul responsable de son malheur. Pour le Covid, qui nous dit que ce virus n'est pas une création en laboratoire qui a mal tourné ou un effet du changement climatique ?

Antoine sourit à son tour.

— Désolé, mais à mon tour d'être méfiant. J'ai du mal avec les théories qui flirtent avec le complotisme… Mais dis-moi : tu as laissé entendre que tu avais trouvé autre chose dans tes manuscrits ?

— Oui, rien de noir. Plutôt une légende, une sorte de conte inachevé. Cette loge Athanor conduisait ses recherches à l'orée de la Révolution. Elle était composée de frères brillants, possédés par l'esprit des Lumières, mais aussi férus d'occultisme. Un mélange explosif. Je crois que…

Elle fut interrompue par le crissement des pneus d'une voiture qui pila net devant eux. Le conducteur n'avait pas vu la jeune femme en robe jaune fluo qui traversait un peu rapidement la rue. Le type au gros cou bien épais passa la tête hors de la fenêtre et lui hurla une insulte où il était question d'une partie de son anatomie. La femme se planta devant la voiture et brandit un doigt d'honneur. En quelques secondes, deux hommes jaillirent de la voiture. Le conducteur, un colosse en survêtement rouge, le tee-shirt au bord de la suffocation, incapable de contenir les kilos de muscles comprimés. Et son passager, tout aussi carré, mais plus âgé, le regard ivre.

— Ça va se gâter, murmura la chirurgienne.

Le type se dressa devant la fille et l'empoigna par le col de son blouson. Elle paraissait comme une gamine dans ses mains.

— Salope ! Excuse-toi.

La fille ne tremblait pas, bien au contraire. Elle le défiait.

— Tu vas faire quoi, mon gros ? Me frapper devant tout le monde ? C'est courageux. T'as pensé aussi à muscler ton cerveau ?

— Ta gueule. Je vais te claquer.

Antoine n'avait pas raté une miette de la scène. Il reposa son verre et se leva de son siège en soupirant.

— Le boulot reprend…

— Fais attention, Antoine. Ils n'ont pas l'air commodes.

Marcas ignora l'avertissement. Depuis son coma, c'était la première fois qu'il était confronté à une agression. Il fallait qu'il sache s'il allait paniquer à nouveau. Si la saloperie reviendrait dans son cerveau. La saloperie, c'était le mot qu'il avait trouvé quand il l'évoquait devant la psy.

Il marcha vers eux pour s'interposer.

— Vous devriez la lâcher, lança-t-il d'une voix polie.

Les deux hommes tournèrent la tête vers lui, le visage rouge.

— Barre-toi, minable.

— Non, Marcas.

— Quoi ?

— Mon nom n'est pas minable, mais Marcas. Lâchez cette fille. Je suis…

Il ne put terminer sa phrase, le type plus âgé lui avait décoché un coup de poing dans le ventre. Antoine valsa en arrière contre la table où se trouvait la chirurgienne. Les verres volèrent en éclats. L'agresseur ricana, les poings sur les hanches, pendant que son copain tenait toujours la fille.

— J'ai bien dit *minable*.

Personne ne bougeait dans la rue. Hélène releva Antoine qui reprenait son souffle avec peine.

— Je viens de me prendre un concentré de lumière noire dans l'estomac, lâcha Marcas en toussant. Il a été plus rapide que je ne pensais, l'alcoolo, j'ai perdu la main…

— J'appelle tes collègues. Ces types sont des brutes !

— Non !

Antoine sentit son énergie décupler. La saloperie ne s'était pas manifestée. Il se planta devant son agresseur, les poings serrés.

— T'en as pas eu assez ? ricana l'autre.

— J'en veux encore.

Le type lui décocha un crochet mais, cette fois, il ne fut pas assez rapide. Antoine se pencha sur le côté pour l'esquiver et le fit basculer vers l'avant. Le gratifiant au passage d'un coup de genou au visage. La brute chuta à terre.

— Finalement, j'ai pas perdu la main tant que ça, lâcha-t-il en faisant craquer ses jointures.

L'agresseur tenta de se relever, mais Antoine lui envoya à toute volée un pied dans les côtes. Son adversaire hurla de douleur.

— Je sais, c'est pas beau de frapper un homme à terre, confessa Antoine. Mais ça défoule.

Le colosse abandonna la fille et vint à la rescousse de son camarade. Cent vingt kilos de muscles fonçaient sur Antoine. Ce dernier passa la main dans sa veste et brandit son arme au nez du type.

— Police ! Pas de chance, mon gros.

Le bodybuildé stoppa net sa course.

— On lève les mains bien haut. Agresser un membre des forces de l'ordre, ça va prendre dans les deux ans ferme. Et je parle même pas de la fille…

Cette dernière se planta devant Antoine.

— Je ne vous ai rien demandé ! Laissez-le tranquille !

Marcas se tourna vers elle, stupéfait.

— Quoi ?

— Je veux pas de l'aide d'un putain de flic. Je pouvais m'en sortir seule, j'ai toujours une bombe lacrymo sur moi.

Le type en survêtement baissa les bras. Antoine ne comprenait plus rien. La fille découvrit une cicatrice qui courait sur sa joue droite, jusqu'à l'oreille.

— Tu vois cette merde ? Ce sont tes potes CRS qui me l'ont faite pendant une manif. Je l'aurai à vie.

— Je suis désolé, mais cet homme vous menaçait.

La fille secoua la tête et, d'un geste brusque, balança un coup de pied entre les jambes du colosse. Alors qu'il se pliait en avant, elle lui mit un coup de genou dans le visage. Un craquement sec se fit entendre au niveau du nez.

— Tu vois, flic, j'étais assez grande pour m'occuper de lui.

Et elle tourna les talons sous le regard stupéfait de Marcas, les deux hommes allongés gémissant à terre. La chirurgienne posa la main sur l'épaule d'Antoine.

— Eh oui, mon frère, les temps changent, on n'a plus besoin du prince charmant pour se défendre.

— C'est ce que je vois.

Son portable vibra dans sa poche. Il le sortit tout en gardant un œil sur les deux types. Un SMS apparut sur l'écran. Antoine se tourna vers sa sœur.

— Décidément… Je suis réquisitionné pour la manif de demain.

5

Dordogne
Turnac
Été 1214

Depuis le matin, Clamonda Taillefeu voyait passer des troupes devant sa porte. Guerriers vêtus de fer montés sur des chevaux de combat, piétons couverts de la poussière des chemins, archers dégoulinant de sueur, tous traversaient le village de Turnac pour prendre position le long de la Dordogne. Une colonne inlassable de fourmis qui envahissait chaque pouce de terrain. Heureusement, les blés étaient coupés et cachés, car la soldatesque ravageait tout, volant poules et cochons, brisant jusqu'aux bancs de la chapelle pour faire du bois de chauffe. Et puis on disait que, dans la foulée, les inquisiteurs arrivaient. Et cette seule menace terrorisait tout le village. Qui, dans n'importe quelle famille, n'avait pas hébergé, aidé, écouté des cathares ? Qui n'avait pas un père, une fille qui, secrètement, pratiquait les rites des *purs* ? Or, l'Inquisition était sans pitié. On disait qu'à Toulouse elle avait fait déterrer des morts suspectés d'hérésie, pour livrer leurs restes aux chiens.

Cette angoisse générale n'atteignait pourtant pas Clamonda. Non, ce qui la fascinait, c'était de voir le château de Castelrouge encerclé par une véritable marée humaine. Déjà tout le plateau au bout duquel se trouvait la forteresse grouillait d'hommes qui bloquaient les routes, occupaient les hameaux, investissaient la forêt. Une nasse se refermait sur le château pour mieux l'isoler. Encore quelques heures et Castelrouge serait comme une île maudite, coupée du monde des vivants.

Montée sur le point le plus haut du village, sous un boqueteau de noisetiers, Clamonda regardait Castelrouge, campé sur son plateau. D'abord, on ne voyait qu'une masse rocheuse qui semblait le prolongement vertical de la falaise. En continuant à observer, on finissait par distinguer la forme tourmentée d'un château semblable à un rapace prêt à s'envoler. Depuis la découverte des corps, rien ni personne n'en était sorti. Dans le village de Turnac, on disait qu'Alix avait déjà fui et s'était réfugiée dans sa famille, les Turenne. D'autres prétendaient qu'elle n'avait pas bougé, tapie dans les souterrains de son domaine comme une bête féroce dans son royaume de ténèbres. Clamonda contemplait le château. Du donjon ocre et massif, bâti à flanc de falaise, en passant par les deux tours larges et sombres qui défendaient l'entrée jusqu'à la double enceinte crénelée, tout était démesuré. À se demander si la forteresse avait été bâtie pour repousser un adversaire extérieur, ou au contraire pour se protéger d'un ennemi redoutable et souterrain.

Clamonda baissa le regard. Désormais les rives de la Dordogne, en amont et en aval, étaient toutes tenues par les soldats du comte Simon. Sa tente venait d'être dressée au bord des plages de galets. Une oriflamme flottait à son sommet. Sur un fond rouge sang, un blason battu par le vent laissait apparaître un cavalier qui chargeait, une épée à la main. Clamonda plissa les yeux pour mieux voir : un homme à la cuirasse étincelante venait de sortir de la tente.

Simon avait fait abattre tous les noyers jusqu'à la rivière pour pouvoir observer le château qui se dressait sur sa falaise. Lui qui venait des plates campagnes d'Île-de-France était fasciné par ces citadelles du vertige. Par expérience, il savait que la falaise était un obstacle infranchissable, à moins de trouver une grotte naturelle qui permettrait d'accéder aux caves du château. Depuis le matin, il avait envoyé des barques inspecter la base de la falaise, espérant découvrir un conduit secret. Mais il n'y avait rien. Les seules ouvertures se trouvaient en hauteur et elle avait aussi pris la précaution de les murer. Elle avait fait détruire les escaliers en bois qui descendaient jusqu'à la rivière.

— Vous avez pensé à faire monter des grimpeurs, de nuit ?

Le légat venait de le rejoindre sur le bord de la Dordogne. Malgré les galets, il marchait pieds nus. Sans doute en signe d'humilité. Simon montra les sinuosités de la falaise.

— La muraille du château est lisse comme la paume

d'une main. Il n'y a aucune prise et le moindre archer les tirerait comme des lapins.

— Alors il ne reste que l'autre côté pour attaquer : le plateau.

Sous son casque, Simon eut un rictus amer. Le matin même, il était allé voir les défenses du château et il était tombé sur une douve aussi large que profonde. La combler avec des fagots ou des gravats prendrait des jours et des nuits, le tout sous une pluie incessante de flèches qui décimerait son armée.

— Sans machine de guerre pour abattre les murailles, c'est impossible.

— Alors, affamons la bête féroce ! Si elle se sent crever de faim et de soif, elle finira bien par sortir.

— Regardez le donjon et imaginez la même hauteur, mais creusée dans le sol. C'est là que sont leurs réserves de nourriture. Ils peuvent tenir des mois. Pas nous.

— Et l'eau ?

— Un bras de la Dordogne passe sous le château. Ils ont de l'eau jusqu'à la fin des temps.

Le légat huma l'odeur légèrement poivrée de la rivière et son visage se renfrogna. Il n'avait jamais aimé les rivières. Elle lui faisait penser aux femmes, aussi odorantes que traîtres.

— Donc ce château est imprenable ?

— Non…, dit Simon avec un sourire rusé. Nous avons capturé la sœur du capitaine des gardes de Castelrouge. Elle va nous conduire à la tanière de la louve.

Simon avait quitté sa tente, traversé la Dordogne jusqu'à une plage plus en aval où il avait rejoint un épais bois de chênes sur le plateau. Là, l'attendait un groupe de chevaliers qui avaient troqué lances et armures contre des vêtements sombres et des dagues. Au milieu d'eux se tenait Eudeline. Les croisés n'avaient pas mis long-temps à découvrir qu'elle avait récemment accouché de jumeaux. Adorables bambins, dont l'espérance de vie allait singulièrement rétrécir si leur mère ne faisait pas preuve d'un rapide esprit de coopération. Eudeline avait accepté tout ce qu'on voulait.

— Tu as bien compris ? lui redemanda Simon.

Malgré son envie de pleurer, la jeune femme hocha précipitamment la tête.

— Oui, je dois descendre dans la douve par la sente qui est près de la falaise et là, frapper à la porte qui s'ouvre sous le château.

Les hommes de Simon avaient déjà découvert cette porte, mais pas le chemin escarpé qui y conduisait. C'était le seul point de contact du château avec l'exté-rieur. Simon se tourna vers les chevaliers.

— Dès que la porte s'ouvre, je frappe le garde à la gorge pour l'empêcher de crier.

Il montra un épieu de chasse qu'il tenait à la main.

— Puis vous entrez et vous filez vers la grande porte. Vous neutralisez les hommes de guet et vous abaissez le pont-levis. Un groupe de chevaliers jaillira du camp et pénétrera aussitôt dans le château. Ensuite…

Tous les regards s'allumèrent. Alix était réputée riche et belle. Sa famille payerait une bonne rançon. Ça n'em-pêchait pas de s'amuser un peu avec elle avant.

— Tous les accès aux sous-sols du château doivent être investis immédiatement. Et personne n'y pénètre sans moi. C'est bien clair ?

— On ne prévient pas le prélat, demanda un des chevaliers, avec toutes ses rumeurs de diable ?

Simon éclata de rire.

— Ce soir, le diable, c'est nous.

Du dernier étage du donjon, Alix regardait la ligne de camp des croisés, illuminée par des piquets de torches, d'où montait une rumeur incessante. Elle observait avec attention les soldats qui se déplaçaient entre les tentes, les râteliers d'armes qui brillaient sous les flambeaux, les chevaux hennissant dans les prés. Si elle n'avait jamais vu une troupe aussi nombreuse, en revanche, elle n'apercevait aucune machine de guerre. Or, sans elles, Castelrouge était imprenable. Son agresseur le savait. Il pouvait étaler sa force en multipliant la présence de soldats autour du château. La chair humaine ne suffirait pas pour prendre Castelrouge. Le comte Simon allait piétiner dans le sang comme un sanglier dans sa bauge. Alix traversa la pièce et se posta face à la rivière. Là aussi, la rive était constellée de feux de camp. Les croisés avaient même réquisitionné des barques pour patrouiller sur la Dordogne. Mais que croyaient donc ces hommes du Nord ? Qu'elle allait tenter de fuir ? Elle avait perdu le seul homme qu'elle aimait et, pour le venger, elle s'était couverte de sang. Désormais, ni la terre ni le ciel ne serait un asile pour elle. Elle mourrait de faim ou de feu, mais jamais elle ne se rendrait. Elle jeta un dernier regard sur la Dordogne dont la lente coulée semblait faire corps avec la nuit, puis se dirigea vers l'escalier à vis. Elle devait rejoindre son royaume souterrain.

Simon et ses hommes venaient de gagner la lisière du bois où ils se cachaient depuis la tombée du soir. Leurs yeux s'étaient adaptés à l'obscurité et ils voyaient distinctement l'enceinte du château, le rebord de la douve et, le long de la falaise, l'amorce du passage qui y conduisait. Simon attendait le signal de la fille.

Le légat du pape, lui, se trouvait dans le camp qui était situé au bord de la rivière. Le temps que le serviteur le prévienne et qu'il arrive, Simon et les siens auraient déjà fouillé les caves et les souterrains de fond en comble.

Simon était un homme à la fois sincère, mais pas aveugle. La curiosité insistante du légat à propos de ce moine massacré avec des pèlerins avait éveillé sa méfiance. Depuis quand un proche du pape s'intéressait-il à un moinillon inconnu? Sauf que ce religieux venait de Rocamadour, un sanctuaire aussi célèbre que Saint-Jacques-de-Compostelle et qui regorgeait de richesses. Le tout au milieu d'un territoire gangrené par le catharisme…

Et puis pourquoi cette Alix de Turenne avait-elle récupéré le corps de ce moine au lieu de laisser la Dordogne l'emporter? Simon n'eut pas le temps d'y réfléchir : un cri bref de chouette venait de surgir des douves. Le signe.

Chaque fois qu'elle descendait dans les entrailles du château, Alix se sentait étonnamment sereine, comme si elle rentrait chez elle après un long périple. Le premier niveau souterrain correspondait à une vaste grotte aménagée où la Dordogne se laissait voir par des failles dans la falaise. Profitant de ces appels d'air, les seigneurs de Castelrouge y avaient installé un four à pain et même une forge. Dans la partie la plus enfoncée dans le rocher, on avait créé des réserves de nourriture favorisées par la fraîcheur du lieu. C'est en creusant une de ces réserves qu'avait été découvert le second niveau : un dédale de petites grottes dont chacune avait été pourvue de portes solidement barrées, d'assommoirs, de puits dissimulés qui formaient un formidable système de défense. Les assommoirs surtout étaient redoutables : c'étaient des dépôts de pierres patiemment accumulées au-dessus de chaque entrée qui s'effondraient dès qu'on tentait de défoncer les portes. Chaque fois qu'elle traversait ces grottes, Alix ne pouvait s'empêcher de penser à l'orage de pierres suspendu au-dessus de sa tête. La dernière grotte, de très petite taille, permettait de descendre au niveau inférieur. Elle avait été spécialement aménagée par son mari. Si on brisait la porte, ce n'est plus un orage, mais une tempête de pierres qui déferlait dans la grotte, l'obstruant totalement.

Alix avait atteint l'ultime niveau où se trouvait le cachot. Un garde lui ouvrit la porte avant de l'accompagner à l'intérieur. Le moine reposait sur une table de bois gavé de sang. Posé sur le ventre, on ne voyait pas ses blessures.

— Pourquoi l'avez-vous remonté de la Dordogne ?

— Nous avons vu des paysans s'approcher du corps. Une fille a ramassé quelque chose avant de s'enfuir. Alors nous sommes allés vérifier…

Le garde s'approcha de la table et montra du doigt une sorte de petit caillou vitreux posé près du corps.

— Ça brillait au soleil et ça s'échappait du corps, précisa-t-il.

— Remontez dans la cour.

Alix s'approcha et frotta le caillou avec les replis de sa jupe. Comme elle l'examinait, des cris jaillirent de la Dordogne qui baignait la base de la falaise. Elle se dirigea vers un trou de visée creusé dans le rocher. Sur l'autre rive, les soldats, des flambeaux à la main, s'étaient précipités sur la plage et hurlaient en regardant le sommet de la falaise. Précipité de l'enceinte, un corps venait de tomber dans la rivière, provoquant la joie des assaillants.

Comme si rien ne se passait autour d'elle, Alix saisit le cadavre du moine et le retourna. Elle ramassa un silex sur le sol et déchira l'abdomen flasque, dégageant des entrailles que la putréfaction avait déjà gagnées. Au centre brillaient des pierres taillées aussi étincelantes qu'un matin d'été.

Des diamants !

Comme elle tendait la main pour s'en emparer, un fracas de tonnerre résonna dans la cavité. Elle savait que ce n'était pas un orage.

Les croisés venaient de trouver l'entrée des grottes.

Et la mort.

De toutes ses forces, elle espéra que le plafond de pierres s'écroule sur elle, mais rien…

Son destin n'était pas de finir ensevelie.

La mort allait la faire attendre.

Des jours et des nuits.

Jusqu'à ce qu'elle ne soit plus qu'infinis remords et ignoble souffrance.

6

Paris
Palais de l'Élysée
Dimanche matin

— Nous avons eu beaucoup de chance, les services
de police ont évité un horrible carnage… Cette fois des
enfants étaient visés…

La femme aux lunettes cerclées d'acier, dont le visage
s'affichait sur la mosaïque d'écrans plats, ne manifestait
aucune émotion apparente. La procureure du parquet
antiterroriste était réputée pour son sang-froid à toute
épreuve. Le président tapota la table de conférence d'un
index agacé.

— Il y a quand même eu six morts, dont une femme
enceinte. Votre djihadiste alsacien a eu la main lourde…

Le drame s'était déroulé le matin même. Un isla-
miste avait voulu entrer de force dans une école juive
de Strasbourg, armé d'un pistolet semi-automatique et
d'un poignard. Le policier en faction avait eu le réflexe
de se précipiter à l'intérieur pour fermer les portes,

juste avant que le forcené ne pénètre dans les lieux. Dépité, le djihadiste avait lâché une rafale sur la façade, puis s'était éloigné dans la rue en hurlant Allah entre deux salves. Il avait été abattu par une patrouille arrivée en renfort.

— Oui, c'est une tragédie. Mais le bilan aurait pu être plus lourd, répondit la femme d'un ton neutre. Selon les premiers éléments de l'enquête, c'est un solitaire. Il n'avait aucun lien avec des pays du Moyen-Orient.

Le président échangea un regard rapide avec ses deux conseillers à la sécurité intérieure et hocha la tête d'un air grave.

— Je vous remercie, tenez-moi informé.

La procureure disparut de l'écran. La salle réservée aux réunions d'urgence était plongée dans une quasi-pénombre, des colonnes de fumée montaient vers le plafond qui avalait les effluves par des bouches d'aération. Les trois hommes allumaient nerveusement des cigarettes depuis le début de la réunion. Les cendriers se remplissaient au fur et à mesure des nouvelles qui tombaient depuis deux bonnes heures.

— Monsieur le Président, le préfet de police de Paris veut absolument vous parler : il ne peut plus attendre.

Le président jeta un œil sur les écrans. Il restait encore trois entretiens à conduire et il était au bout du rouleau. On ne lui annonçait que des mauvaises nouvelles. Il n'avait pas été élu pour ça.

— Branchez-le.

Le préfet apparut en uniforme à l'écran. Sa mine sombre ne laissait rien présager de bon.

— Monsieur le Président, il s'agit de la manifestation

des gilets jaunes et d'antipasse sanitaire prévue cet après-midi à Paris. Nos services nous ont informés de la présence de black blocs infiltrés.

— Ce n'est pas nouveau, non ?

— La cellule antiémeutes a intercepté des échanges de mails d'individus au profil douteux. Ils semblent déterminés à provoquer des incidents majeurs. Y compris des agressions des membres des forces de l'ordre.

— Vous avez prévenu vos unités ?

— Oui, mais je voudrais savoir jusqu'où nous pouvons monter le curseur de neutralisation. Pour être plus clair : les unités de CRS peuvent-elles riposter proportionnellement à la menace ?

Le président croisa les bras, le visage las. C'était toujours le même cirque depuis son élection.

— Je vais vous faire la même réponse que la dernière fois. Ne pas répondre aux provocations, neutraliser les excités et n'intervenir que s'il y a mise en danger des personnels.

— Ce sera fait.

Le préfet s'inclina et disparut à son tour de l'écran.

Le président se leva, les poings serrés, le regard dur. Le conseiller le plus âgé le regarda arpenter la salle, il connaissait cette tête des mauvais jours. Ça devenait son lot quotidien depuis deux ans.

— Vous avez donné la bonne réponse, monsieur : rester ferme tout en évitant les bavures, tenta-t-il sur un ton qui se voulait apaisant.

Le président se retourna.

— Foutaises ! J'ai fait preuve de lâcheté. Ni vous, ni moi, ni le préfet ne sommes dans cette putain de manif face à des black blocs déchaînés.

— L'opinion nous soutiendrait si la force publique intervenait de façon musclée.

— Soyons sérieux. Vous croyez que ma cote de popularité grimperait avec une bonne charge de CRS ? Je suis sous la ligne de flottaison. Les Français ont perdu confiance. Le désenchantement est partout... La reprise économique traîne les pieds. Personne ne croit plus en rien, excepté les extrêmes des deux bords qui rêvent d'appliquer leurs solutions expéditives. Si j'envoie les CRS casser du black bloc, je ne récolterai que des emmerdements. Les voix que je gagnerai à droite, je les perdrai à gauche. Et merde !

Les conseillers échangèrent un rapide regard.

— Je dois voir le général Vernet. Faites-moi une synthèse des nouvelles des autres préfets en province, dit le président en prenant sa veste sur les épaules. Et aérez cette pièce en sortant.

Il claqua la porte pour emprunter le couloir qui menait directement au salon d'or. Il avait juste envie d'un bon verre de whisky. Son cou était en nage, il dégrafa son col de chemise et sa cravate pour respirer. Son esprit bouillonnait de frustration : quoi qu'il fasse, il se sentait impuissant, tout président qu'il était.

Quand il s'engouffra dans le petit salon, son chef d'état-major se leva, droit comme un piquet. Son uniforme ne présentait pas le moindre pli, aucune imperfection, comme s'il sortait du pressing. Cela agaça le président, conscient de sa chemise tirebouchonnée et de sa veste froissée par des réunions trop longues. Il s'assit sur le divan et indiqua le fauteuil au militaire.

— Restez assis, mon général. J'espère que vous m'apportez de bonnes nouvelles.

— Si l'on veut. La DGSE a localisé deux des plus gros financiers des terroristes au Mali et au Niger. Ils ont assuré la logistique des enlèvements l'année dernière des ingénieurs et des techniciens de la mine de Koba.

— Oui, je m'en souviens. Tous ces pauvres gens égorgés...

— Omar Fekesh et Bechir Mulwadi seront de passage à Beyrouth, mardi prochain, pour rencontrer le représentant d'un marchand d'armes brésilien. Ils seront protégés par des gardiens du Hezbollah, mais le service homo[1] pense qu'il est possible de neutraliser ces deux individus.

— Il faut en discuter, vous voulez un verre ?

— Je ne bois jamais pendant le service.

Le président haussa les épaules et se versa un whisky.

— Général, depuis que j'occupe ce poste, je n'ai jamais rechigné à donner mon feu vert pour l'élimination des ennemis de la France. Je pense que je dépasse d'une courte tête mes prédécesseurs.

— Oui, et je salue votre courage.

— Mais cette fois, c'est non. Je n'ai pas envie d'avoir des représailles sur le territoire. La situation est trop tendue pour que je prenne le risque de subir de nouveaux attentats dans le pays. On a déjà suffisamment de loups solitaires, comme le taré de ce matin à Strasbourg, pour en plus susciter d'autres massacres.

Une ombre fugace voila le visage impavide du général.

---

1. Service dépendant directement de l'Élysée, spécialisé dans l'élimination des terroristes et de leurs soutiens.

— Mais en éliminant préventivement ces deux hommes, nous couperons le financement du terrorisme dans cette région. Je ne vous rappelle pas l'enjeu des mines d'uranium pour l'approvisionnement des centrales nucléaires françaises.

— Pas besoin de le rappeler, en effet. Mais cette fois, c'est niet. Pouvez-vous envoyer un avertissement à ces deux salopards ? Leur faire comprendre qu'on les a identifiés et qu'à n'importe quel moment nos services peuvent leur faire la peau ?

Le général se gratta la nuque, l'air embarrassé. À l'évidence, il n'avait pas anticipé cette réaction.

— Oui, je pense… Vous êtes vraiment certain de vous ?

— N'y revenons plus. Autre chose, général. Si vous n'y voyez pas d'inconvénient, j'aimerais prendre un peu de repos. La journée a été particulièrement éprouvante, entre le terrorisme et les manifs…

— Je comprends. La France vit une période compliquée.

— Ce n'est pas la France qui est compliquée, ce sont les Français. Le général de Gaulle l'avait très bien compris, lui. Bonne soirée.

Le président se regarda dans le miroir. Son visage paraissait gris, même sous la lumière des lustres. Ses cheveux n'avaient pas blanchi, mais ils étaient devenus ternes. Des cernes sombres et boursouflés, témoignages de tant de nuits blanches, lui donnaient dix ans de plus.

— Tu te trouves toujours aussi beau, monsieur le Président ?

Il ne se retourna pas. À part sa femme, c'était la seule

voix féminine qui l'accompagnait presque nuit et jour depuis qu'elle était devenue la secrétaire générale de l'Élysée. Et la seule qui le tutoyait en y ajoutant du président.

— J'ai une sale tête.

— Comme tous les autres avant toi. Du moins ceux qui bossaient vraiment. Tu devrais prendre l'air.

Quand il se retourna, Léa était assise sur le long canapé rectangulaire, les jambes croisées. Elle était toujours aussi belle, comme si le rythme infernal de la vie à l'Élysée ne faisait que l'effleurer. Il s'assit et se servit un second verre.

— Je ne t'en propose pas.

— Tu devrais faire attention avec l'alcool, répondit Léa d'une voix ferme.

— Ça m'aide à tenir et c'est meilleur que les anxiolytiques prescrits par mon médecin.

— Ça te faisait pourtant du bien…

— Non, mon cerveau flottait dans du sirop de guimauve. Une faute professionnelle pour un président.

— Tes prédécesseurs le faisaient bien. Prends du CBD…

— Merci, docteur… En te contemplant sur ce canapé, je me revois le jour de mon intronisation. C'était il y a quatre ans. J'avais le cœur plein d'espérance. Je revois encore le vieux renard qui me faisait la leçon avant de laisser la place. Maintenant, je me rends compte qu'il ne disait pas que des conneries.

— Tous les présidents subissent une érosion de leur popularité. Ce n'est pas nouveau. De plus, les sondages pour les prochaines élections ne sont pas si mauvais que tu crois. Tu as de fortes chances de gagner à nouveau.

— Oui, en jouant sur les calculs électoraux. Fracturer la droite et émietter la gauche. Comme un petit bouti-quier de la IVe République. Où se trouve la grandeur? L'envie d'aller plus haut? J'avais une mission : transformer la France. Où est passé mon destin?

Il jeta un œil à la photographie du général de Gaulle qui ornait l'un des murs. Il l'avait installée le lende-main de son arrivée. L'une des plus connues, celle où il parle devant un micro de la BBC pour lancer l'appel du 18 Juin.

— Et lui, que ferait-il à ma place?

— Il faut arrêter avec ton général, s'agaça Léa. Certes il a réformé la France, mais tu oublies les côtés pas très reluisants du mythe. Les barbouzeries du SAC[1], sa volte-face sur l'Algérie française et son million de rapatriés, son incapacité à comprendre la jeunesse en 68...

— Tous les grands dirigeants ont leur part d'ombre! Ça n'enlève rien à leur lumière.

Elle le regardait s'exalter. Depuis qu'il ne prenait plus ses anxiolytiques, son cerveau jouait aux mon-tagnes russes.

— Tu devrais vraiment prendre du repos, aller dor-mir.

— Pas ce soir, j'ai une manif sur le feu à Paris. Au fait, pourquoi voulais-tu me voir?

Il courba la nuque et passa ses mains sur son visage. Léa se leva pour s'asseoir à ses côtés.

---

1. Service d'action civique, officine de police parallèle com-posée de truands et de militants gaullistes aux méthodes musclées, impliquée dans des scandales dans les années 1960.

— Bon, puisque tu parlais de De Gaulle, tu te souviens du cinquième rituel ?

Le président leva la tête. Son visage marquait l'étonnement. Qui se mua en ricanement.

— Ce que j'aime chez toi, c'est que tu arrives encore à me surprendre. Je me débats avec une montagne de problèmes et tu viens me parler d'une obscure légende. Tu crois que c'est le moment ?

— Je pensais que tu étais fasciné par cette histoire. C'est ce que tu m'as dit à l'époque de la passation des pouvoirs.

— Tu viens de prononcer l'expression adéquate. « À l'époque. » Oui, je croyais à beaucoup de belles histoires. Hélas, j'ai perdu de mon enthousiasme.

La secrétaire générale posa la main sur son avant-bras.

— Je sais. Je te vois te débattre chaque jour. Mais tu te souviens des dernières paroles de ton prédécesseur ? Quand tu m'as raconté cette histoire de cinquième rituel, tu prenais cette légende très au sérieux.

— Oui... Mais au final, les recherches que je t'ai confiées n'ont mené à rien. Conclusion : même les présidents de la République peuvent colporter des légendes urbaines. Si fascinantes soient-elles...

— Je te connais bien. Je sais qu'il reste une part de toi qui aimerait toujours y croire.

Le chef d'État haussa un sourcil fatigué.

— Peut-être... Mais en ce moment, je n'ai pas vraiment le temps de me replonger dans des illusions. Le pays est en feu, j'ai une élection à préparer, qui s'annonce mal barrée. Les dernières ont été catastrophiques...

Il allait se lever mais elle le retint de la main.

— Justement… Et si je te disais que j'ai retrouvé la trace du cinquième rituel.

Le président la fixa, signe qu'elle avait capté son attention.

— Continue.

— C'est une histoire de tablier, de compas et d'équerre, murmura-t-elle, le visage grave.

— Les francs-maçons ! s'exclama le président. Il y avait longtemps que je n'en avais pas entendu parler. Que viennent faire tes frangins là-dedans ?

Léa connaissait l'opinion plus que mitigée de son patron sur le sujet. S'il respectait l'institution et son rôle historique dans l'évolution de la société, il s'en tenait à distance.

— Ma chère Léa, je n'ai jamais réussi à t'imaginer avec un tablier, des gants et un cordon en train d'invoquer ton Grand Architecte de l'Univers. Pour moi ce sont des singeries, du cirque. Dépassé et ringard. Et donc ?

La conseillère ne releva pas la pique, elle le connaissait assez pour savoir que son cynisme n'était qu'un paravent à ses angoisses en inflation.

— Cette fois, il pourrait être à portée de main. Une sœur, amie historienne, m'en a parlé la semaine dernière.

— Du cinquième rituel ? Comment était-elle au courant ?

La conseillère soutint son regard et continua.

— Je ne le sais pas encore, mais je trouverai. En tout cas, elle a eu accès à un livre ou à des documents qui en parlaient. Tu n'imagines pas ma stupeur quand elle a prononcé ces mots. Je te rassure : elle ne savait pas à quoi ça faisait référence. Dieu merci. Mais il fallait absolument que je t'en parle.

Son interlocuteur plissa les paupières, ne laissant deviner que deux pupilles opaques derrière une mince fente.

— À part moi et mes prédécesseurs, personne n'est au courant, répliqua-t-il.

— Ce n'est pas sûr. N'oublie pas que certains conseillers étaient sans doute dans la confidence. Celui qui occupait ton poste te l'a affirmé.

— Tu penses que…

— Oui, et je n'ose imaginer si ce secret tombait en d'autres mains. De mauvaises mains. Il faut prendre des mesures avant que quelqu'un d'autre ne s'en empare.

— Je te sens inquiète ?

— Oui, mon amie est en contact avec beaucoup d'autres spécialistes qui échangent sur des forums privés et elle a la fâcheuse habitude de faire part de ses découvertes avant même de les publier. Jusqu'à aller en parler en loge. C'est dire…

— Le cinquième rituel. Bon sang… Si c'était vrai !

Elle se leva, ses yeux brillaient.

— Oui. Tu pourrais être le premier à réussir là où les autres ont échoué. Celui qui va changer radicalement la vie de dizaines de millions de nos compatriotes. Celui qui va changer le cours de l'histoire de ce pays. Tu aurais entre tes mains le secret cherché par tous les présidents.

— Un nouveau de Gaulle ! Ma destinée…

7

Paris
Quartier des Champs-Élysées
Dimanche après-midi

Le mur jaune ondulait au milieu de l'avenue. Un mur de chair et de gilets en polyester citronnés. Un mur de colère brute. Et des interstices de ce mur s'écoulait un liquide corrosif, sécrétion de rage et de désespoir.

Les manifestants s'époumonaient, leurs cris se brisaient sur les façades haussmanniennes qui bordaient l'avenue Marceau. Calfeutrés derrière leurs rideaux, les rares habitants scrutaient avec effroi ces hordes d'envahisseurs souillant leur belle avenue. Seule exception dans ce concert d'angoisse, un groupe enjoué d'hommes et de femmes vêtus avec soin prenaient l'apéritif tout en observant le bas de la rue. Les hurlements montaient vers eux et se disloquaient comme l'écume sur l'étrave d'un yacht saoudien.

À mort les pourris ! Le pouvoir au peuple ! On crève, ils se gavent !

Un pantin à l'effigie du président de la République se balançait au bout d'une corde fichée sur un manche à balai.

Posté sur le trottoir, debout derrière un abribus pas encore martyrisé, Marcas scrutait la masse de manifestants qui défiait le peloton de CRS, planté sur le bitume à moins d'une vingtaine de mètres. Il grimpa sur une poubelle pour jauger l'ampleur du cortège. Le groupe était dense, mais pas trop étiré. À vue de nez, une centaine d'individus. Par rapport aux manifestations d'avant le Covid, il était frappé par le nombre de femmes et de jeunes. Et surtout par la présence d'infirmières, qui n'étaient pas en reste pour hurler. Leurs visages durs comme des gravats affichaient la couleur. Tous cherchaient l'affrontement. Antoine ne se faisait aucune illusion : le temps du dialogue était révolu. De toute façon, on ne discute pas avec un mur. On le contourne, on le démolit ou on attend qu'il se fissure et s'écroule. En évitant de recevoir des parpaings.

Pourtant ce n'étaient pas ces manifestants qui inquiétaient Antoine. Les jaunes n'étaient pas des casseurs professionnels, ils seraient vite canalisés par les unités de CRS. Non, ce qui le préoccupait, c'étaient les noirs. Les black blocs. Les activistes s'infiltraient dans cette masse canari à une vitesse stupéfiante. Capuches rabattues, lunettes de piscine, masques à filtration, sac à dos en carapace remplis d'outils variés, ils allaient bientôt former une masse critique qui ferait exploser le cortège.

Le policier redescendit de son perchoir et se dirigea vers le capitaine des CRS qui donnait ses consignes à ses deux adjoints. Trois SAM, Sections d'appui et de manœuvre, et deux SPI, Sections de protection et d'intervention, avaient été déployées dans ce secteur. Soit environ quatre-vingts hommes prêts à en découdre. L'officier se retourna et le vit arriver avec une méfiance non dissimulée.

— On dirait que vous n'êtes pas vraiment ravi de ma présence, capitaine, lança Marcas sur un ton conciliant.

— Je ne vois pas pourquoi je devrais l'être, répliqua l'officier au visage anguleux. J'ai besoin de renforts, pas de collègues payés pour me la mettre bien profond si ça dégénère.

— Je ne suis pas ici pour vous empêcher de faire votre travail, répondit Antoine. Ma mission consiste à évaluer la pertinence du dispositif mis en place en fonction de l'évolution des menaces.

Le CRS réajusta ses jambières de protection et jeta un regard circulaire sur la foule de plus en plus excitée.

— Arrêtez avec votre baratin de dernier de la classe de l'ENA. Vous savez comme moi ce qui va se passer. Soit je laisse pourrir et ils vont tout casser. Soit je fais de la pédagogie.

— C'est-à-dire ? demanda Marcas, surpris.

— Je disperse ces braillards à coups de matraque pédagogique. Mais si un connard les filme, on va se retrouver à l'IGPN.

— Mmm… J'ai aperçu des black blocs qui s'infil-traient vers la première ligne du cortège. Ce sont eux qui vont poser problème, pas les autres.

Le chef des CRS ricana.

— Sans blague ! Vous croyez que j'en suis à ma pre-mière manif avec ces connards ? Même chez les gilets, il y a des casseurs. Et pas des amateurs du dimanche. Vous sortez d'où ? D'un cocktail place Beauvau ?

— Non, mais…

— Mais quoi ? Comment voulez-vous les séparer ? Je vais me pointer dans leurs rangs et demander qui sont les méchants et les gentils ?

— Je n'ai pas dit cela.

Antoine réprima un soupir d'agacement.

— Tous ces fumiers de black blocs rêvent de mettre mes hommes en charpie. Moi, je préfère prendre les devants.

— Sauf qu'il y a des manifestants pacifiques qui vont payer les pots cassés.

Le capitaine des CRS lui lança un regard aussi dur que son gilet de Kevlar renforcé.

— Merci pour vos précieux conseils, mais laissez-moi faire mon métier. Vous aurez tout le loisir de pondre votre rapport pendant que mes hommes vont se faire démolir.

Marcas voulut répliquer, mais préféra rompre l'affrontement. Il s'éloigna de l'officier et traversa le cordon de sécurité des boucliers pour rejoindre un collègue de la préfecture de Paris, un jeune lieutenant râblé, qui tirait sur une cigarette. Au moment où il arrivait à son niveau, un sifflement se fit entendre au-dessus d'eux.

La boule d'acier scintilla dans le ciel avant de s'écraser à moins d'un mètre de la chaussure droite de Marcas. Puis elle roula vers le trottoir, pour disparaître dans la bouche d'égout.

— Superbe tir, murmura Antoine sans bouger d'un centimètre. Je ne pensais pas que les black blocs recrutaient sur les terrains de pétanque.

— Vous l'auriez reçue en pleine face, ricana le lieutenant, je serais en train d'appeler les pompes funèbres, sans passer par la case ambulance. Lancée à cette hauteur, une bonne boule de 700 grammes ça vous transforme le crâne en cratère lunaire.

— Vous êtes aussi spécialiste des programmes spatiaux ? demanda Marcas tout en suivant des yeux la foule menaçante.

Une détonation claqua. Une grenade fumigène grosse comme un melon de Cavaillon avait jailli des rangs des manifestants pour exploser devant la compagnie de CRS.

— La charge ne va pas tarder, s'inquiéta Antoine.

Il jeta un œil aux façades des immeubles, beaucoup d'habitants s'étaient postés à leur balcon pour attendre le début du spectacle. Certains pointaient leurs téléphones dans leur direction. Il aperçut même un groupe sur une terrasse qui sifflait des magnums de champagne et observait la rue en contrebas comme s'ils étaient au spectacle, contemplant les gueux qui s'étripaient. Le visage d'Antoine se durcit. Il murmura d'une voix sourde :

— Absurde…

— Quoi ?

— Tout cela est absurde. Les CRS et les manifestants qui vont se racler la couenne doivent gagner les mêmes salaires au rabais… Et là-haut, sur la terrasse, les types en costard et les filles en robe de soirée passent un bon moment aux jeux du cirque.

— C'est pas faux. La feuille de paye d'un CRS et d'une infirmière ça doit…

Il n'eut pas le temps de finir, cinq manifestants en parka noire surgirent des rangs pour balancer une pluie de boulons et de bouteilles enflammées qui s'abattit sur les CRS. Les boucliers parèrent les projectiles, mais une des bouteilles explosa au pied de l'un des gardes mobiles, qui tomba sur le côté. Le capitaine lança un coup de sifflet. Des gaz lacrymogènes jaillirent aussitôt pour exploser aux pieds des manifestants. Un instant, des panaches de fumée blanche masquèrent la masse compacte des CRS qui partaient à l'assaut, carapace et bouclier luisants en tête. Les black blocs, eux, venaient de rentrer dans les rangs pour se mettre à l'abri de la charge. Affolés, les manifestants voulurent s'éparpiller, mais ils étaient trop nombreux.

Marcas assista au choc, le cœur lourd. Les provocateurs avaient encore une fois réussi leur coup. Il repéra un groupe de trois casseurs qui sortaient de la manif, comme si elle ne les concernait pas. L'un d'entre eux brandit une barre de fer et fracassa la devanture d'un magasin de téléphones. Les deux autres s'y engouffrèrent et se servirent de tout ce qu'ils pouvaient dans leurs sacs à dos. Antoine fit signe à son collègue.

— Ces petits malins confondent anticapitalisme et vol à l'étalage. Tu m'accompagnes pour donner à ces petits cons une séance pédagogique de marxisme ?

— Et comment. J'aimerais bien m'en payer un ou deux.

Ils foncèrent vers les trois casseurs. L'un d'entre eux les aperçut et fit signe à ses complices. En un éclair ils décampèrent, mais Marcas et son collègue ne les lâchaient pas. Autour d'eux tout n'était que cris et hurlements. Antoine renversa un gilet jaune qui tentait de lui barrer le passage tandis que son collègue réussit à plaquer au sol l'un des trois voleurs. Les deux autres continuèrent leur fuite. Antoine avait perdu une partie de son avance, mais il était sur leurs pas. Il courait à perdre haleine. La sueur dégoulinait sous sa chemise, son cœur battait à tout rompre et sa gorge se craquelait de sécheresse.

Ça n'avait aucun sens, il aurait pu les laisser s'enfuir, mais il y mettait un point d'honneur. Il voulait aussi se prouver qu'il en était encore capable. Juste au moment où il allait les rattraper, un homme en blouson de cuir brun avec un brassard rouge de la police leur barra le chemin. Les deux casseurs s'immobilisèrent et comprirent qu'ils n'avaient plus d'échappatoire. L'un des deux voulut bondir sur la droite, mais le policier l'avait déjà plaqué contre le mur. Il sortit une courte matraque de sa poche et lui assena des coups dans le ventre et sur les côtes. Le deuxième casseur hurla et se rua sur le flic. Il le frappa à coups de barre de fer dans les mollets, avant de prendre le large. Le policier s'écroula, laissant le premier casseur s'enfuir. Marças n'était plus qu'à une dizaine de mètres, il donnait tout, mais ne tiendrait pas la distance encore très longtemps.

La chance lui sourit. Sa proie voulut éviter de justesse un amas de trottinettes sur le trottoir, et brutalement ralentit sa course. Antoine grilla ses dernières cartouches d'oxygène et se jeta sur lui.

Les deux hommes roulèrent ensemble. Son adversaire essayait de se débattre, mais il était plus frêle qu'Antoine. Ce dernier le retourna et l'immobilisa d'une clé au bras.

— Fin de partie, mon gars. Tu vas prendre pour tes copains. Et enlève ce putain de masque.

Antoine voulut soulever le tissu, mais le casseur se débattait avec l'énergie du désespoir, s'agrippant à son masque de toutes ses forces.

Antoine sentit la rage monter en lui. Ce connard allait payer pour les autres. Il le frappa à la mâchoire au niveau de la pommette droite. Le type hurla.

D'un geste vif, Antoine lui arracha le masque.

— Qui se cache derrière…

Le jeune homme blond le fixait, stupéfait. Les cheveux bouclés hirsutes, la pommette droite tuméfiée, du sang coulait de la commissure de ses lèvres.

Antoine se figea dans l'instant. Des cris et des sifflets retentirent du bout de la rue, il tourna la tête et vit des collègues courir dans leur direction. Il hésita encore quelques secondes, puis lentement se releva, comme si son corps ne lui appartenait pas. Le casseur se redressa, lui jeta un dernier regard et détala avec l'énergie du désespoir.

Antoine resta planté au milieu de la rue. Le capitaine des CRS arriva à son niveau, suivi de deux hommes.

— Ça va, commandant ?

— Oui… J'ai voulu coincer un de ces salopards, mais il m'a échappé.

Le capitaine semblait perplexe.

— J'avais pourtant l'impression que vous lui aviez réglé son compte… On perd la main à rester assis derrière un bureau au ministère.

— Sûrement, murmura Antoine.

— Votre collègue a eu moins de chance. Jambe gauche brisée. Il a été transporté à l'hôpital. On va essayer d'identifier ses deux agresseurs, mais le coin n'était pas sous surveillance caméra. Votre témoignage sera précieux.

Un frisson glacé parcourut Antoine.

— Il m'a échappé au dernier moment, je n'ai pas pu lui enlever son masque.

Soudain, une voix jaillit au-dessus de leurs têtes.

— J'ai tout vu !

Ils levèrent les yeux. Posté à la fenêtre du deuxième étage, un vieil homme aux cheveux enneigés agitait un poing menaçant. Il paraissait aussi vieux que le sapin rabougri qui trônait sur son balcon.

— Vous êtes tous des abrutis incompétents. Ce crétin a laissé partir le voyou.

Le capitaine des CRS et ses deux collègues se tournèrent vers Antoine avec stupéfaction.

— C'est vrai, commandant ?

— Non… Il s'est débattu et a réussi à m'échapper.

— Menteur ! éructa le vieux. Je suis un ancien de la maison. Je connais le métier.

— Calmez-vous, monsieur, vous pourrez témoigner, dit le CRS. (Puis, se tournant vers Antoine avec un sourire en coin :) À chacun son tour de faire un rapport, commandant Marcas…

— Faites ce que vous voulez. J'ai fait mon devoir.

Antoine s'éloigna d'un pas lourd. Il sentait son cœur se rétracter dans sa poitrine. Pas en raison du mensonge qu'il venait de proférer, mais à cause du visage ensanglanté du jeune casseur.

Le visage de son fils.

8

Paris
Siège du Grand Orient
Dimanche soir

La tête de mort resplendissait dans le halo de la torche. À l'évidence, le peintre n'avait pas cherché le réalisme. Le rictus blanc scintillait, évoquant plus un masque de carnaval qu'une dentition de squelette. Deux flammes semblaient osciller au fond des orbites, comme pour donner un supplément d'âme au crâne ricanant peint sur le mur. À sa gauche, un blason tracé à la peinture blanche, on discernait un coq juché sur une devise, *Vigilance et persévérance*, puis une autre tête de mort avec, au-dessous, l'inscription VITRIOL.

L'intrus balaya du regard la minuscule pièce aux murs couleur de ténèbres, sans se formaliser du caractère insolite du décor. Sur le côté, un squelette se dressait debout dans un cercueil posé à la verticale contre un mur. L'intrus s'approcha avec sa torche et passa son index sur les os. Ils paraissaient authentiques. Il se tourna vers le modeste bureau posé à l'angle, contre deux murs. Il reconnut les objets traditionnels : un autre crâne, une corbeille remplie de pain rassis, des coupelles de granulés, sur lesquelles étaient posés des papiers avec les mots « Soufre » et « Sel », et une feuille blanche accompagnée d'un stylo. L'homme songea aux générations de francs-maçons qui s'étaient assis dans ce cabinet de réflexion pour préparer leur testament philosophique, passage obligé avant leur initiation. Comme lui. Mais sur un autre continent.

Il souleva le crâne de pierre et trouva ce qu'il cherchait. Un badge de plastique blanc, siglé d'une équerre et d'un compas, de la taille d'une carte bancaire, et un bout de papier plié en quatre sur lequel était inscrite une série de chiffres écrits en lettres fines.

17 25 60 21

L'homme fronça les sourcils quelques secondes, puis sourit dans les ténèbres. Un profane n'y aurait vu qu'une suite de chiffres sans logique, mais pour lui l'astuce était grossière. Il suffisait de rassembler les chiffres et de les séparer en deux parties.

1725
6021

Les quatre premiers chiffres indiquaient l'année de la création de la première loge maçonnique en France. Les quatre suivants représentaient l'année en cours, du moins selon le calendrier initiatique qui faisait remonter son origine quatre mille ans en arrière, à la pose de la première pierre du temple de Salomon par Maître Hiram, le fondateur légendaire de la fraternité. Il suffisait d'ajouter 2021 et l'on obtenait les 6021.

Son contact au Grand Orient avait respecté sa part du marché. L'intrus fourra le badge et le papier dans la poche de son blouson, referma la porte du cabinet de réflexion et traversa à pas rapides le couloir qui menait à l'escalier de service. L'absence de caméras sur cette partie du bâtiment lui laissait le champ libre pour se déplacer en toute tranquillité.

Un bruit sourd résonna. Il se figea et tendit l'oreille, instinctivement. À cette heure précise, on lui avait assuré que le gardien somnolait dans son bureau. Le souffle court, il attendit une bonne minute puis reprit sa marche, descendant l'escalier qui menait au premier étage, où se trouvait la bibliothèque. Il poussa la porte et arriva dans une coursive qui longeait un mur sans âme. En contrebas on pouvait voir le parvis du hall, déserté par les frères et les sœurs depuis quelques heures. La frise de symboles en spirale luisait d'une lueur verte phosphorescente sous l'éclairage de sécurité. Il jeta un œil à sa montre. Il était en avance sur le temps imparti. L'intrus emprunta vivement le passage pour arriver devant l'espace qui séparait l'entrée de la bibliothèque de la porte du bureau du conservateur de l'obédience.

Rouge vif.

L'intrus sourit.

L'œuvre au rouge...

Il se demanda si la couleur de la porte avait été choisie délibérément par le conservateur, dont la réputation d'expert en symbolisme dépassait les frontières de l'Hexagone. En alchimie, l'œuvre au rouge était le stade ultime de la transmutation du plomb en or, et en maçonnerie cela correspondait aux plus hauts grades...

Il passa le badge sur le bloc digital qui servait de lecteur. Un bruit métallique claqua au niveau de la serrure.

Il poussa lentement la poignée vers le bas, dans

l'attente d'un hypothétique signal d'alarme. Mais tout était silencieux autour de lui. De toute façon, son informateur n'avait aucune raison de le piéger. Il entra dans la pièce. Une lumière pâle provenant de la rue filtrait à travers les grandes vitres et inondait les lieux d'une clarté lunaire. Le bureau était vaste, mais encombré d'armoires de classement et d'objets de toutes sortes, posés çà et là. Des bannières de loges maçonniques, des épées de rituel, des tabliers… Le bureau ployait sous les piles de livres et les manuscrits éparpillés. Des cartons gisaient à terre, à moitié pleins. À l'évidence, le conservateur devait effectuer un tri. L'intrus tourna son regard vers la droite et braqua la torche sur une porte grise.

Le saint des saints était devant lui.

Ou plutôt derrière cette porte banale.

Il était presque déçu.

Inconsciemment, il s'était attendu à quelque chose de plus flamboyant. Comme une grille blindée avec des barreaux d'acier, derrière lesquels on pouvait apercevoir des trésors, un peu comme celle de la Morgan Library à New York, qui recelait des incunables prodigieux. Non, ce n'était qu'une porte toute simple, comme celle d'un placard à balais, que l'on pouvait acheter dans n'importe quel magasin de bricolage. Idéale pour égarer les soupçons d'un cambrioleur. À un détail près : la présence d'un autre lecteur digital sur le côté.

Il utilisa de nouveau le badge. La porte s'ouvrit d'une simple poussée.

La pièce apparaissait comme un réduit de deux mètres de large avec en son centre un énorme coffre gris et blindé de marque Fichet, surplombé par l'œilleton rougeoyant d'une caméra. Et probablement d'un détecteur de présence à infrarouge. L'intrus se permit de brandir un doigt d'honneur, son informateur ne lui avait pas fourni les sésames de la caverne d'Ali Baba pour laisser la caméra connectée.

Il contempla le coffre. Là se trouvait le but de sa mission.

Il songea avec amusement aux matriochkas, ces poupées russes qui s'emboîtent les unes dans les autres. En pénétrant dans le bâtiment du Grand Orient, puis en passant dans le bureau du conservateur et dans la pièce où se cachait l'armoire blindée, il n'avait fait qu'enlever une poupée après l'autre.

Il s'approcha. L'ajout d'un nouveau lecteur numérique attestait que l'obédience prenait au sérieux les menaces de cambriolage en se dotant d'un matériel récent. L'intrus n'avait pas besoin de sortir le bout de papier de sa poche, il tapa le code sur l'écran luminescent en retenant son souffle. Le bruit d'une gâche métallique résonna dans toute la pièce, puis les portes, épaisses comme des bottins, s'ouvrirent dans un souffle. Les gonds étaient parfaitement huilés, il n'avait qu'à tirer doucement. Une lumière diffuse jaillit à l'intérieur. C'était donc là que se cachaient les trésors les plus précieux de l'ordre.

L'intérieur de l'armoire se résumait à cinq étagères remplies de livres, de dossiers et de boîtes d'archives. Sous le faisceau de la torche, les reliures chatoyantes de cuir rouge, marron et noir luisaient comme des joyaux. De vénérables ouvrages maçonniques acquis au fil des décennies dans des ventes aux enchères en France et dans le reste de l'Europe. Si précieux et si rares que des collectionneurs avertis et fortunés auraient assassiné père, mère et progéniture pour les acquérir. L'ordre ne les exposait même pas dans le musée, de peur qu'ils n'attisent la convoitise. Il prit l'un d'entre eux, un ouvrage épais à la peau écarlate ornée d'une typographie fine et dorée et qui devait peser au moins un kilo.

Le Manuscrit des secrets dévoilés. 1756.

Une voix masculine retentit derrière lui.

— Vous n'êtes pas très discret pour un cambrioleur.

Le temps qu'il se retourne, un homme avait surgi dans la pièce et braquait un pistolet taser sur lui. Bien que massif, le nouvel arrivant n'était plus de la première jeunesse, ses cheveux grisonnants et son ventre un peu trop rebondi pour sa veste témoignaient d'une pratique des arts culinaires plus que martiaux. Son taser lui donnait plus de crédibilité. Le voleur ne broncha pas et se contenta de hausser un sourcil.

— Vous n'étiez pas censé me rejoindre ici...

— Je voulais m'assurer que tout se passe bien. Vous avez trouvé ce que vous cherchiez ?

— J'allais m'en occuper. Dans quelques minutes je disparaîtrai et vous n'entendrez plus jamais parler de moi.

Son informateur secoua la tête.

— C'est bien ce qui m'ennuie. J'ai des frais supplémentaires.

— Nous avions passé un accord, répondit l'intrus d'une voix neutre. Quarante mille euros, c'est plutôt bien payé pour me laisser passer quelques minutes dans cette caverne aux trésors.

— Une petite rallonge de dix mille. Et n'en parlons plus. Je prends des risques. Jolier, le conservateur, commence à se poser des questions...

L'intrus ne bronchait pas.

— Ce serait dommage que j'appelle la police, non? reprit l'homme aux cheveux grisonnants.

— Ne soyez pas stupide. Vous m'avez fourni la clé et le code. Vous plongerez vous aussi…

Le gros homme éclata de rire et sortit son téléphone de sa veste.

— J'ai ici le brouillon d'un mail pour alerter ma hiérarchie : je leur dis vous avoir tendu un piège. Et puisque vous le prenez comme ça, c'est vingt mille de plus.

Le cambrioleur restait de marbre.

— Alors, tu ne me laisses pas le choix…

— On est censés se tutoyer ?

— Moi aussi, je travaille de midi à minuit, mon très cher frère. Dans tous les sens du terme.

Le gros marqua un instant de surprise qui lui fut fatal. L'intrus le frappa violemment avec le livre. Il vacilla et fut projeté à terre, lâchant son taser. Son agresseur lui assena un autre coup dans les côtes et s'assit à califourchon sur sa poitrine, lui bloquant la respiration. Il récupéra le taser, régla l'intensité et le colla sur l'oreille du type.

— Voilà ce qu'il va se passer. Tu vas me donner ton mail et le mot de passe. Sinon je stimule ton conduit auditif.

— Mais… Je ne l'ai pas envoyé ! Ça ne sert à rien.

L'intrus appuya sur la détente de l'arme. L'homme à terre hurla de douleur.

— À mon avis, avec une décharge de cette puissance, tu as toutes les chances de perdre ton tympan.

Le gros pleurait de douleur.

— Non… Je suis… Mon cœur… J'ai un pacemaker.

L'intrus colla la gueule du taser sur l'œil de sa victime.

— Pour tout te dire, je n'ai jamais essayé un taser sur un œil. Je suis curieux de voir l'effet. Dernier avertissement.

— Pyermontier666…arobase…maçon point fr. Et pour accéder tapez le mot *Schibboleth*.

— Schibboleth. Le mot de passe des compagnons, tu ne t'es pas foulé…

De sa main gauche, il prit le téléphone du type et tapota à toute vitesse. Il finit par lâcher un sourire en accédant au dernier brouillon.

— Effectivement un magnifique message de faux cul. C'est pas très fraternel, ce que tu voulais faire.

— Pitié, j'étouffe, répondit le type dont le visage devenait rouge écrevisse.

L'intrus se releva et abattit le canon sur la poitrine sans défense.

— Bon voyage à l'Orient éternel, mon frère.

Il appuya sur la détente. L'arc électrique jaillit.

Personne n'entendit le hurlement qui suivit

9

Paris
Lundi matin

La sonnerie stridente de l'interphone réveilla Alice en sursaut. Elle leva la tête du canapé pour jeter un regard mauvais en direction du couloir. C'était peut-être une erreur. Les yeux aussi chiffonnés que son visage, vestige d'une nuit presque blanche, elle consulta son smartphone. Dix heures du matin. Le mal de tête planait toujours dans son cerveau, comme un gros nuage noir et bien baveux qui met du temps à s'éloigner vers l'horizon.

Qui pouvait sonner ?

Ses enfants épuisaient le reste de la vie de leur père à l'autre bout de la France, et ses amis n'auraient pas le mauvais goût de s'inviter chez elle en début de matinée. Quant au boulot, la brigade criminelle était censée lui foutre la paix pendant sa semaine de vacances de la Toussaint. Aucun collègue n'aurait eu l'idée saugrenue de venir la déranger, même si le président de la

République et son épouse étaient retrouvés écorchés vifs dans les jardins de l'Élysée. Deux autres officiers étaient en poste dans son unité pendant son absence. Ça suffisait largement pour assurer la permanence des soins.

Elle se retourna et s'emmitoufla dans la couette. Ravie à l'idée de se rendormir pour recharger sa batterie épuisée. Elle avait éclusé plus que de raison avec ses deux meilleures amies, jusqu'à deux heures du matin. Obligée de les mettre dehors à coups de balai. Et elle s'était endormie sur le canapé devant une série. Une petite régression. Pour une fois que son salopard d'ex-mari lui prenait Grégoire et Roxanne sans contre-partie. Il les avait emmenés à la campagne, du côté de Montélimar, chez des amis. Un de ses talents de radin de compétition : il n'avait jamais payé de vacances à ses enfants. Aux jeux Olympiques de la pingrerie, il collectionnait les médailles d'or avec brio.

L'interphone s'était tu. Quelqu'un avait dû se tromper de bouton devant la porte cochère de l'immeuble.

Le sommeil ne voulait pas revenir. Foutue sonnerie. La jeune femme saisit son Mac qui traînait à terre et reprit l'épisode d'*House of Cards* en cours. Le visage de Robin Wright s'anima. La nouvelle présidente des États-Unis avait du pain sur la planche avec ce salopard d'homologue russe. Ça faisait trois mois qu'Alice n'avait pas trouvé le temps de terminer la dernière saison. Un doux plaisir. Et il y en aurait d'autres. Encore quatre jours de liberté sans son fils et sa fille qu'elle adorait plus que tout au monde... mais quatre jours à ne plus préparer les petits-déjeuners, déjeuners et dîners. À ne plus courir le marathon entre les rayons de la supérette, à contrôler les devoirs, houspiller pour passer à la douche et se brosser les dents. Mais aussi quatre putain de jours sans couvrir ses petits diables de baisers et de câlins. Ils lui manquaient quand même. Ils étaient sa raison de vivre. Parfois, certains soirs, elle rentrait chez elle, le cœur et l'estomac au bord des lèvres, après la découverte d'un crime épouvantable. Quand ce n'était pas l'odeur de la morgue qui restait collée au cerveau. Elle prenait alors une douche pour se purifier de toute cette fange et se jetait dans les bras de ses gamins. Les couvrait de baisers comme s'ils en avaient été privés depuis leur naissance. Ses deux anges lui faisaient oublier toutes les horreurs dont était capable l'être humain. Ils étaient la lumière dans les ténèbres de son métier.

La jeune femme se recroquevilla. Elle songea à son nouvel amant et se demanda si elle n'avait pas vrillé en couchant avec lui. Raphaël travaillait au service informatique de la brigade. Il avait cinq ans de moins au compteur et l'avait attirée dès son arrivée. Ils avaient craqué il y a deux semaines, après un pot de départ en retraite d'un collègue. Sa résistance à la tentation s'était dissoute après quelques fous rires, cela faisait cinq mois qu'un homme ne l'avait pas touchée. Hélas, Raf ne jouissait pas de la stabilité émotionnelle d'un homme de son âge. Il pouvait se révéler charmant, puis dans l'heure qui suivait se comporter comme un adolescent tyrannique avec elle. Depuis le début de leur aventure, il mélangeait boulot et sentiment, avec la même affinité que le courant électrique pour une fuite d'eau. Pour le moment, personne ne s'en apercevait au bureau, mais ça ne durerait pas. Raf ne pouvait s'empêcher de lui balancer de grosses allusions bien lourdes. Ce n'était pas tant ça qui l'agaçait, elle était parfaitement capable de le recadrer, mais le fait qu'une partie d'elle ne voulait pas rompre. Ce mélange de virilité et de fragilité la touchait, même si elle avait connu mieux comme amant. Elle savait qu'elle n'était pas amoureuse. Probablement le syndrome de l'infirmière. Une faiblesse. Et elle détestait la faiblesse. Il fallait qu'elle règle le problème au plus vite avant que la grenade Raf ne lui explose à la figure.

La sonnerie retentit de nouveau. Trois fois de suite. Avec rage.

Alice se redressa comme un roseau après un coup de vent. Elle consulta machinalement son smartphone. Aucune icône de message ou d'appel raté ne s'affichait sur l'écran. La jeune femme se leva du canapé avec des enclumes aux pieds et se traîna jusqu'à la porte, à moitié nue, sa tignasse blonde ébouriffée. Qui pouvait bien venir l'importuner à cette heure?

Elle attrapa sur un fauteuil un peignoir noir siglé d'un *God loves you, Gode fucks men*, en lettres de feu, cadeau de sa sœur devenue militante LGBT, assortie d'une floppée de lettres dont le sens lui échappait.

La sonnerie hurla de nouveau.

— On se calme! maugréa-t-elle en pressant le pas.

Elle décrocha le combiné avec méfiance, comme si elle tenait un scorpion dans la main.

— Oui…

— Maman! C'est nous!

Alice se redressa d'un coup, c'était la voix de Grégoire. Elle entendait en écho les cris de sa sœur.

— Quoi?

— Papa nous a ramenés. Ouvre, on se gèle.

— Il est avec vous ? dit-elle en appuyant sur l'interphone.

Elle entendit l'ouverture de la porte, une cavalcade et les borborygmes incompréhensibles de Roxanne se répandant et qui s'enfuyait à l'intérieur de l'immeuble.

C'était illogique, la policière avait eu son fils la veille au téléphone qui s'était épanché sur sa randonnée dans les bois.

Un jet acide de soupçon se répandit dans ses neurones. Alice fila dans la cuisine, ouvrit la fenêtre du balcon qui donnait sur l'avenue et passa la tête en direction du trottoir. Elle reconnut tout de suite le toit de l'Opel rouge vif qui sortait d'une place de parking pour se glisser dans le flot de la circulation, comme si son conducteur avait eu à ses trousses le diable, ou l'antiterrorisme.

On tambourinait à la porte d'entrée. La jeune femme abandonna son poste d'observation et courut ouvrir en prenant soin de refermer le pan de son peignoir.

— Maman !

À peine avait-elle ouvert que les deux gamins se jetaient dans ses bras, manquant de la renverser à terre. Elle les serra et les couvrit de baisers. Ils empestaient la sueur et le feu de bois. À l'évidence, la douche était restée une activité optionnelle avec leur père.

— Que s'est-il passé ?

— Papa avait un enterrement avec la jolie dame, répondit la fillette.

— La jolie dame…

Le garçon s'interposa.

— Je t'explique. Papa a rencontré son amie pendant

les vacances. Ils ont passé du temps ensemble et cet après-midi elle a dit que sa mamie était morte. Du coup papa a proposé de l'accompagner. Elle devait pas beaucoup l'aimer sa mamie, elle riait un peu.

— Ils vont à Karamech ! glapit la petite Roxanne.

— Non, Marrakech, idiote, répliqua Grégoire. Ils prennent l'avion à Orly tout à l'heure.

Une onde de colère parcourut Alice, mais elle n'en montra rien.

— C'était sûrement une grand-mère méchante qui n'a pas supporté une insolation au bord de sa piscine. Bon, débarrassez-vous et allez prendre une douche, vous sentez un peu trop la campagne pour cet appartement.

— On n'a pas mangé.

— Le salopard…, murmura-t-elle entre ses dents. (Puis d'une voix qui se voulait plus enjouée :) Je vous prépare des crêpes œuf jambon fromage si vous revenez avec un délicieux parfum de savon des pieds à la tête.

Une fois qu'ils eurent disparu dans leur chambre, elle ferma la porte du salon et empoigna son téléphone pour composer rageusement le numéro du minable à qui elle avait offert les deux plus beaux enfants de la Terre. Ses jours de liberté étaient bousillés, anéantis, exterminés. Elle jeta un œil à l'étui noir luisant de son pistolet Glock 24 qui pendait à un crochet sur le mur. Elle bouillonnait à l'idée de vider le chargeur sur ce fumier. De le réduire en paquet de cornflakes avariés.

Son ex répondit après cinq sonneries. Des bruits de circulation résonnaient dans l'appareil.

— Tu te fous de moi ! gronda Alice. Tu devais les garder encore cinq jours.

— Oui, mais j'ai un décès qui me tombe dessus. Suis désolé.

— Un décès au Maroc... Que tu me prennes pour une conne, ce n'est pas nouveau, mais faire ce genre de coup à tes propres enfants, c'est immonde. Ils étaient trop heureux de passer un moment avec toi.

— Moi aussi...

— Merde. Tu te barres à Marrakech ! Et si je n'avais pas été à l'appart ?

— J'ai attendu que tu leur ouvres. Je suis un père attentionné. Et sinon je les aurais laissés chez mes parents.

— Tu es une merde.

— Pas vraiment. J'ai accepté de les prendre, alors que ce n'était pas mon tour de garde. J'ai passé trois jours avec eux. Estime-toi heureuse, tu as profité d'une liberté inespérée.

Elle crut entendre un rire étouffé de femme. Au moment où elle allait répliquer, la communication coupa net. Alice se retint d'envoyer valser le portable à travers le salon. Elle resta assise et ferma les yeux. Très vite, son esprit pratique reprit le dessus. Elle envoya un SMS à sa copine avocate pour décommander la soirée du lendemain. Tout en se demandant si elle n'allait pas faire livrer des sushis plutôt que se lancer dans la cuisine.

Elle n'eut pas le temps de trancher, un nouvel appel fit trembler son téléphone. Son nouveau patron. Le commissaire divisionnaire Brassac, qui remplaçait à titre provisoire l'ancien titulaire du poste, cloué à l'hôpital après un accident de moto.

— Ils se sont tous donné le mot ce matin pour m'emmerder, pesta-t-elle.

Elle décrocha et attaqua direct.

— Bonjour, vous savez que je suis en récup.

— Alice, croyez-moi, je ne voulais pas vous déranger, mais j'ai un meurtre sur le dos et j'aimerais vous confier l'affaire.

— Je ne suis pas de permanence.

— Je sais, mais vous êtes la plus compétente pour ce dossier.

Elle fulminait. Après le père de ses enfants, c'était son supérieur qui la prenait pour une cruche.

— Avec tout le respect que je vous dois, c'est impossible. Mon ex m'a rendu mon fils et ma fille il y a dix minutes en me mettant devant le fait accompli. Je ne peux pas les faire garder pendant ces deux jours.

— Pas de baby-sitter ?

— On voit que vous n'avez plus l'âge… En dégoter une à Paris au dernier moment pendant la Toussaint, c'est chercher une otarie dans une oasis. Ma sœur pourrait venir me dépanner quelques heures, mais pas plus.

Un léger silence s'écoula, puis Brassac reprit :

— Voilà ce que je vous propose, demandez à votre sœur de venir deux ou trois heures, maximum, pour que vous preniez l'affaire officiellement et je m'arrangerai pour vous trouver quelqu'un. Je double vos jours de congé perdus.

L'esprit d'Alice passait en mode calcul.

— Et priorité pour éviter les permanences de Noël et du jour de l'an !

— Je vais me faire des ennemis. Accordé. Vous aurez le capitaine Carlin en renfort. Il a fait les premières constatations cette nuit.

Alice pestait, elle était mise au pied du mur, mais ne voulait pas abdiquer.

— Carlin est un excellent élément. Je ne comprends toujours pas votre choix.

— Il me faut un commandant sur ce dossier. Et je vous l'ai dit, vous me semblez mieux adaptée à cette enquête.

— Je ne vous crois pas.

Un silence poisseux s'étira avant que son supérieur ne réponde.

— OK. Que pensez-vous de la franc-maçonnerie ?

Alice entendait des bruits suspects d'éclaboussures de l'autre côté du couloir.

— Attendez ! hurla-t-elle. Donnez-moi deux minutes.

Elle courut vers la salle de bains, un filet d'eau coulait sous la porte. Elle se rua à l'intérieur et découvrit un océan tout autour de la baignoire. Elle coupa le sifflet du pommeau de douche abandonné par ses gamins, puis revint au salon et reprit le téléphone.

— Vous disiez, commissaire ?

— Je vous demandais ce que vous pensiez de la franc-maçonnerie ?

— Rien de particulier. Ni pour ni contre. En fait, je m'en fous. C'est en lien avec votre enquête ?

— Oui. La nuit dernière, on a découvert le cadavre d'un haut ponte de la maçonnerie au siège du Grand Orient. Un vol qui aurait mal tourné, le type a surpris un cambrioleur et il s'est fait tuer à coups de taser.

— Ce qui ne me dit pas pourquoi vous ne mettez pas un des collègues de permanence dessus.

— Ils sont tous les deux francs-maçons, répondit-il d'une voix plus basse.

— C'est une blague ? Depuis quand ça vous gêne ? La maison est remplie de frères et de sœurs à tous les étages. Et ce sont d'excellents enquêteurs.

— Oui, parmi les meilleurs, mais je préfère quelqu'un de neutre. Qui ne soit pas initié, mais pas non plus hostile.

Portable collé à l'oreille, Alice passa une tête dans la chambre de sa fille et la vit s'habiller sagement. Elle continua la conversation pendant sa tournée d'inspection. Se demandant comment elle allait gérer les gamins pendant ces vacances. Le visage de leur père remonta à la surface de son cerveau et elle eut une envie de le plonger dans un bain d'acide. Ce salaud allait s'envoler pour Marrakech…

Alors ?

— Je réfléchis…

Soudain une idée jaillit. Elle partit se cacher dans sa chambre pour que ses enfants n'entendent pas son idée digne de Maléfique, l'idole de sa fille.

— Si j'accepte, je vous demande une faveur en échange.

— Ce n'est pas dans mes habitudes, vous le savez.

— Rien de compliqué. Je veux rendre la monnaie de sa pièce à mon ex. Il part en ce moment même avec sa nouvelle poule prendre un avion à Orly pour Marrakech. Quand il se présentera à l'aéroport, il y aurait un moyen de lui faire rater son avion ? Genre un contrôle des bagages plutôt zélé ?

Brassac éclata d'un rire caverneux.

— Avec une fouille au corps poussée, ça irait ?

— Oh oui… Très poussée. Genre recherche de capsule de drogue dans une zone inappropriée.

— Considérez que c'est fait.

Alice imagina la scène et son sourire illumina le salon comme un soleil d'été.

10

Paris
Lundi matin

Une agréable senteur de fleur d'oranger planait à la sortie de la bouche du métro Champs-Élysées-Clemenceau. *Pas désagréable,* nota Marcas. Le parfum émanait d'une jeune femme métisse à l'allure sportive qui montait l'escalier devant lui. Sa silhouette se mariait à merveille avec le saxo de John Coltrane coulant dans ses écouteurs. Un microscopique moment de bonheur avant les emmerdements prévus dans le prochain quart d'heure. La fille s'éloigna de son champ de vision et il traversa l'avenue noire de circulation pour couper en direction de la place Beauvau. Il marchait à pas lents, peu pressé d'arriver à sa convocation. Son humeur aussi plombée qu'un ciel de novembre.

Des heures qu'il tentait sans succès de joindre son fils. Il s'était même rendu dans son studio de Vanves pour poireauter trois heures à l'attendre avant d'abdiquer et de rentrer chez lui, espérant en vain trouver le sommeil. Le visage meurtri de son fils revenait sans cesse dans son esprit. Son regard terrifié surtout. Il s'en voulait de l'avoir tabassé. Comment son fils était-il devenu un black bloc ? Jamais il n'avait fait preuve de militantisme prononcé, à part quelques ruades contre le capitalisme sauvage et le changement climatique. Aux premières lueurs de l'aube, Antoine avait appelé son ex pour la prévenir. Sans succès. La voix en anglais du répondeur ne laissait aucun doute, la mère de son fils était encore partie en mission en Angleterre, où elle travaillait un tiers-temps. Il renonça à lui laisser un message. Ça n'était pas la peine de l'affoler. Et maintenant, il était convoqué par son supérieur. À coup sûr, l'officier des CRS avait envoyé un rapport sur son comportement pendant la manif. Il allait devoir s'expliquer et il n'avait pas un traître mot de justification à donner.

Il arriva avenue de Marigny et longea le trottoir opposé au mur d'enceinte du palais de l'Élysée. Des collègues surarmés faisaient le pied de grue tout le long de l'avenue, scrutant avec méfiance passants et voitures. Antoine sourit. Ces braves gardiens étaient loin de se douter qu'il existait une route cachée sous leurs pieds, qui reliait l'Élysée aux quais de Seine. Il l'avait empruntée quelques années auparavant pour rencontrer le prédécesseur de l'actuel président[1].

Un vent soudain se leva pour faucher l'avenue. Un tas de feuilles mortes s'envola de ses pieds pour passer de l'autre du côté du mur, dans le jardin de l'Élysée. Antoine se demanda si le président était dans le jardin. Lui aussi devait avoir son lot d'emmerdements.

---

1. *Le Règne des Illuminati*, Fleuve noir, 2014.

Son portable vibra. Pierre, sans doute. Il le sortit de sa veste en un éclair et prit l'appel sans même regarder l'écran. Une voix féminine jaillit.

— Antoine, tu as essayé de me joindre ? Je suis à Londres.

Marcas se mordit les lèvres d'avoir décroché. Ce n'était pas le moment de se lancer dans une discussion avec son ex.

— Rien d'important. Je te rappellerai.

— Ça concernait Pierre ?

Le cœur de Marcas bondit.

— Oui…

— Il m'a appelée hier soir. Je suis au courant de ce qui est arrivé.

— Où est-il ?

Il s'écoula de longues secondes avant qu'elle ne réponde.

— Je préfère ne pas te le dire pour le moment.

— Quoi ? Tu te rends compte de la gravité de la situation ? Je dois le voir.

— Notre fils a peur que tu te mettes en colère.

— Il y a de quoi… On lui paye un studio, des études, des vacances. Sans lui demander de bosser pour arrondir ses fins de mois. Et je le retrouve à jouer les casseurs dans une manif. Ce petit crétin risque d'être recherché pour vol et violence sur agent de police. Et moi aussi je suis dans la merde. D'ailleurs, j'ai rendez-vous dans cinq minutes au ministère.

— Ne t'énerve pas. Ça ne sert à rien. Pierre a juste besoin d'un peu de temps. Il a conscience des conneries qu'il a faites. Accorde-lui ce répit. Je t'en prie.

Antoine traversa la place Beauvau et prit sur la

droite, vers la rue des Saussaies où se trouvait l'entrée du ministère.

— Je n'ai pas vraiment le choix, répliqua-t-il d'un ton sec. Tiens-moi au courant quand ce petit con se décidera à s'expliquer.

Il raccrocha sans même entendre de réponse. Soulagé de savoir son fils en sécurité et agacé de l'apprendre par son ex.

Le bureau de la secrétaire du directeur adjoint des affaires internes transpirait le conformisme. Des meubles sobres, un ordinateur, des stylos, une imprimante, et un visage aussi fermé qu'un classeur métallique. Des murs blancs et vides à l'exception de celui de droite, décoré de la dernière affiche de recrutement. Une blonde riante, ceinturée d'un ruban tricolore en tenue de ville avec fourragère et un jeune homme à la mâchoire virile, le regard aussi rigide que la casquette.

Antoine attendait debout, les mains jointes dans le dos, le regard mollement accroché à l'affiche.

Devenez officier de police.
La police nationale recrute.
#Utileauxautres.

Il se tourna vers la secrétaire en soupirant.

— Sérieux, vous croyez vraiment que des jeunes vont vouloir s'engager avec ce genre de pub. Le cerveau qui a pondu cette affiche a été recruté en Ehpad? Il ne manque plus que le profil du général de Gaulle en arrière-plan…

— Le sous-directeur va vous recevoir dans quelques

minutes, se contenta de répondre la femme sans lever les yeux de son PC.

— Pas trop longtemps j'espère, j'ai golf ensuite.

Pour la première fois, le visage de la secrétaire s'éclaircit. Il crut même y déceler un sourire. La porte s'ouvrit. Un visage lisse et austère, aux lunettes rectangulaires cerclées de noir, apparut dans l'encadrement.

— Commandant, si vous voulez bien entrer.

Marcas s'arracha à la contemplation de l'affiche et passa devant la secrétaire qui lui renvoya un regard amusé. Le sous-directeur le fit entrer dans son vaste bureau, aussi triste que la pièce précédente. Une fenêtre qui avait connu des jours meilleurs laissait pénétrer une lumière blanche. Le haut fonctionnaire fit signe à Antoine de s'asseoir sur une chaise inconfortable. Le bureau donnait sur une autre pièce dont la porte était entrouverte. Les mains croisées sous le menton, l'homme détaillait Antoine avec froideur.

— Je suis dans l'embarras et je n'aime pas cette sensation. Vous voyez à quoi je fais allusion ?

— Pas vraiment.

— Une enquête de l'IGPN vous pend au nez. Vous auriez laissé filer un suspect dans une affaire d'agression contre un représentant des forces de l'ordre. Les faits se sont déroulés il y a trois jours pendant une manifestation à Paris, du côté des Champs-Élysées. Vous y étiez affecté pour mener une mission de formation.

— Le capitaine des CRS m'a dénoncé ?

— Non. Un certain André Figuier qui vous aurait aperçu de son balcon. Le nom vous dit quelque chose ?

— Vous plaisantez, il a cent ans ! C'est déjà une chance s'il voit le bout de ses pantoufles.

— Quatre-vingt-huit. Manque de chance pour vous, Figuier est un ancien directeur général de la police et le vice-président de l'amicale des retraités de la maison. Il a appelé directement son successeur…

Antoine se cala dans son siège. Ce n'était plus un nuage noir qu'il avait au-dessus de la tête, mais un ouragan.

— Je vous pose donc la question, commandant, reprit le sous-directeur, avez-vous laissé filer un casseur ?

— Non. J'ai essayé de le maîtriser, mais il devait avoir vingt ans de moins que moi.

— Vous êtes plutôt en bonne forme…

— Si vous connaissez mon dossier, vous savez que j'ai subi une violente agression qui m'a laissé à l'hôpital pendant trois mois. Je n'ai pas récupéré toutes mes facultés. Ce sera parole contre parole.

Le sous-directeur retira ses lunettes et les essuya avec application.

— Je vous crois… Il y a juste un léger problème. André a filmé la scène avec son portable.

11

Paris
Ministère de l'Intérieur
Lundi matin

Marcas ne broncha pas, mais se sentit comme Louis XVI montant les marches vers l'échafaud. Le sous-directeur le fixa en silence pendant de longues et glaciales secondes avant de reprendre :

— L'ennui, c'est que les images sont floues. Le portable a été confié à notre laboratoire en vue d'une analyse plus poussée.

— Je vois que l'argent des contribuables est bien utilisé. J'espère que l'on met les mêmes moyens pour identifier les casseurs de la manif.

Le haut fonctionnaire se leva pour s'adosser à la fenêtre.

— Vous m'ennuyez, Marcas. En ce moment, j'ai une foule de dossiers à régler et je n'ai pas de temps à perdre. Ce qui est certain, c'est que je ne peux pas vous laisser à votre poste pendant l'enquête de l'IGPN.

Heureusement on a pensé à vous pour une affaire qui pourrait se révéler sensible. Ça vous occupera le temps d'y voir un peu plus clair.

— «On», c'est qui ?

Le fonctionnaire se leva sans un mot. Au même moment la porte bleue s'ouvrit en grand, laissant apparaître un homme au visage familier qui était en train de s'allumer un cigare. Antoine hésita de longues secondes avant de l'identifier avec surprise.

Le frère obèse.

Ou plutôt le frère obèse qui aurait fondu comme par enchantement. Le commissaire Haudecourt, franc-maçon du rite écossais[1] à la Grande Loge nationale de France, passé dans les hauts grades depuis une éternité, mais aussi éminence grise d'une palanquée de ministres de l'Intérieur de gauche comme de droite. L'ex-patron du groupe de surveillance du Rucher[2] se tenait devant lui avec trente kilos de moins. Le visage avait rajeuni, mais les traits s'étaient un peu trop tirés, signe d'un amincissement brutal. Ce qu'il avait gagné en santé il l'avait perdu en bonhomie, au point de rendre son regard inquiétant, ses yeux trop enfoncés dans des orbites creusées. Les cheveux gris ultra-courts, la barbe soigneusement entretenue, il avait l'allure bobo d'un conseiller au ministère de la Culture.

Un lien curieux s'était tissé entre les deux hommes au fil des ans. Ils avaient travaillé ensemble sur de

---

1. Rite maçonnique le plus pratiqué au monde. Contrairement à ce que son nom indique, il est d'origine française.

2. Voir *Le Règne des Illuminati*, Fleuve noir, 2014, et *Conspiration*, Lattès, 2017.

nombreuses enquêtes et s'appréciaient. Mais Antoine ne s'était jamais départi d'une certaine méfiance à son égard. Le frère obèse grenouillait trop dans les cercles du pouvoir pour ne pas avoir les mains sales.

Haudecourt lui renvoya un regard amusé et fit signe au sous-directeur.

— Vous pouvez nous laisser ? Si ça ne vous ennuie pas, bien sûr.

Le haut fonctionnaire enfila son manteau qui pendait sur une chaise.

— Nullement. Vous saluerez le ministre de ma part.

— Je n'y manquerai pas.

Le sous-directeur inclina légèrement la tête en direction de Marcas et disparut comme par enchantement.

Le nouvel arrivant ferma la fenêtre, puis s'assit sur le bureau en poussant le cadre avec la photo de famille.

— Ça fait combien de temps, Antoine ?

— Deux ans... Tu es venu me rendre visite à l'hôpital puis plus rien.

— Beaucoup de travail, tu t'en doutes. Mais je n'ai pas cessé de garder un œil sur toi.

Antoine ne pouvait s'empêcher de l'examiner de haut en bas.

— On ne peut plus me surnommer le frère obèse, lâcha Haudecourt entre deux bouffées de cigare. Rassure-toi, on m'a trouvé un autre surnom. Je te le confierai plus tard.

— Spectaculaire transformation... Félicitations, même si tu me parais plus inquiétant qu'avant.

— Je n'avais plus le choix. Un double pontage m'a longuement fait réfléchir sur les bienfaits de la graisse. Bon, je ne suis pas venu pour discuter régime. C'est ton jour de chance, le Grand Architecte de l'Univers m'a murmuré que mon frère Antoine était dans la peine, je viens à son secours.

Marcas se méfiait.

— Qui te dit que j'y suis… Tout va bien. Juste un retraité mal embouché qui a gardé des contacts dans la maison.

Haudecourt émit un ricanement qui se voulait amical. Marcas n'en revenait toujours pas de la transformation. C'était comme s'il avait affaire à un autre homme. Cette minceur était presque suspecte.

— Si le laboratoire réussit à améliorer la qualité de l'œuvre cinématographique de ce réalisateur en herbe, tu risques d'avoir quelques soucis.

— Encore faudrait-il que j'aie quelque chose à me reprocher. Tu me fais quoi, là ? Un interrogatoire détourné ?

— Je crois que tu n'as pas bien compris, Antoine. Ton retraité n'est pas n'importe qui : il est à la tête d'une association qui pèse encore dans la maison. Or tu sais que le ministère est en pleine négo avec les syndicats sur une réforme des conditions de travail. Ton ami André Figuier sera d'une aide précieuse pour faire pencher la balance. L'enjeu est trop important pour le ministre, qui par ailleurs n'en a rien à faire de tes états de service.

Antoine n'avait pas besoin d'explications supplémentaires. La cause était entendue. Haudecourt vit qu'il avait touché juste.

— Si tu me disais tout ?

— J'ai volontairement laissé filer un manifestant.

— Tu deviens bon et généreux ?

— C'était mon fils.

Haudecourt leva la main.

— Ne m'en dis pas plus. Je vais essayer de calmer le vieux, j'ai deux amis, ex-ministres, qui l'ont bien connu. Et pour la vidéo, je vais réactiver un contact au département informatique de la police scientifique. Sur ce dernier point, je ne te garantis rien.

— Tu ne me crois pas ?

— Si… Si… Après… Tu avais peut-être tes raisons. Personnellement, je m'en fous.

Le regard goguenard d'Haudecourt ne laissait aucun doute sur ce qu'il pensait. Antoine était coincé.

— Je t'écoute, mon frère.

— La maçonnerie… excellente transition. Justement, ça concerne notre paroisse. Ou plutôt la tienne. Tu es au courant du meurtre d'un conseiller de ton obédience avant-hier ?

— Oui, ça a fait le tour de la maison. Un cambriolage qui aurait mal tourné.

— Possible, mais pas certain. J'aimerais que tu éclaires de tes lumières tes collègues de la brigade criminelle qui ont été mis sur le coup.

— Ça ne m'enthousiasme pas outre mesure. Je ne suis pas un lampadaire, ils peuvent très bien se faire éclairer par les responsables de l'ordre. Je compatis pour notre frère qui a eu le malheur de se trouver sur le chemin de son meurtrier.

Haudecourt secoua la tête et sortit de sa poche une feuille à en-tête d'une grande banque nationale qu'il tendit à Antoine.

— N'aie pas le deuil trop fraternel. Voici un extrait de son compte ouvert la semaine dernière dans une agence bancaire de Lille. Il a reçu neuf mille euros d'une entreprise basée en Suisse.

— Et donc ?

— Notre cher frère a ouvert trois autres comptes, à Paris, Melun et Troyes. Sur chacun, il a touché neuf mille euros.

— Je conviens que c'est plutôt suspect. Quel métier exerçait-il ?

— Pharmacien.

— Ces virements sont peut-être en rapport avec son activité.

— Peut-être… Tes collègues vont pouvoir vérifier car tu vas leur apporter ces éléments que je viens de te donner.

Antoine se sentait mal à l'aise. Il ne voyait pas comment il allait débarquer dans une enquête de la criminelle, tombant du ciel avec ces documents.

— Admettons que j'accède à ta demande. Je dis bien admettons. Quel est le motif officiel de mon arrivée sur cette enquête ?

— Tu avais ce frère dans le collimateur depuis un an dans le cadre de trafics de livres rares. C'était un peu ta spécialité avant ton agression. Tu es officiellement détaché auprès de la direction nationale de la police sur des affaires spéciales. Dont les tripatouillages de biens précieux. Nous allons te préparer tous les documents nécessaires. En outre, le supérieur du commandant chargé de l'enquête a été prévenu. Tu as rendez-vous cet après-midi avec elle et son collègue. Au siège de l'ordre. Tu sauras retrouver le chemin ?

— Tu peux ouvrir la fenêtre ? Ça empeste le Cohiba.

Haudecourt sourit et écarta en grand les battants.

— Quel est ton intérêt dans cette histoire ?

— Assassiner un frère dans son obédience est un acte qui me révolte. Te mettant dans la boucle, ça me permet de m'assurer que l'enquête ne sera pas bâclée. Nous devons venger ce frère, même s'il était malhonnête. J'ai entière confiance en toi. Il faut arrêter ce meurtrier. Au nom de la fraternité !

Haudecourt leva les bras au-dessus de sa tête et les croisa. Signe maçonnique de l'appel à l'aide de frères. Antoine se leva lentement et se cala devant lui.

— Ça te révolte… Venger notre frère. Tu me prends vraiment pour un crétin ? La perte de tes kilos t'a rendu plus compatissant avec la fraternité ?

Haudecourt baissa les bras, un léger sourire au coin des lèvres.

— Je vois que ton accident a laissé intacte la zone du cerveau qui commande ta foutue méfiance… J'ai des raisons de croire que le meurtrier fait partie d'une organisation criminelle. Type mafieux.

— C'est-à-dire ?

— Le compte dont je t'ai parlé a été mis sous surveillance dès qu'il a été ouvert. Tous les mouvements sont enregistrés à la loupe. Nous étions au courant pour le virement au conseiller de l'ordre. Tu imagines la *bonne* surprise en découvrant qu'il avait été assassiné ? Mettre la main sur son meurtrier, c'est découvrir le réseau actif et dangereux… Et tu es le policier idéal pour le faire.

12

Paris 9ᵉ arrondissement
Rue Cadet
Lundi après-midi

En règle générale, la présence groupée de deux camions de police et de barrières de sécurité devant un immeuble génère un attroupement de curieux. Mais, quand l'immeuble n'est autre que le siège d'une fraternité maçonnique et que les réseaux sociaux s'empressent de diffuser la scène, alors le groupe devient foule.

La rue habituellement semi-piétonne avait été interdite aux voitures, mais les piétons pouvaient déambuler à loisir, l'artère étant trop commerçante pour la neutraliser dans son ensemble. Une dizaine de policiers, lourdement armés, empêchaient les curieux de s'approcher de l'entrée, mais pas de filmer avec leurs portables.

Alice avait laissé sa trottinette de location à côté du métro Cadet et se frayait un passage avec difficulté dans la rue noire de monde. À l'évidence, la France entière était déjà au courant du *meurtre sanglant chez les francs-maçons*, comme le serinaient en boucle les chaînes d'info. La nouvelle s'était amplifiée sur les réseaux sociaux. Au fur et à mesure qu'Alice avançait, elle notait la présence de manifestants aux visages hostiles, l'un d'entre eux brandissait une pancarte peinte en jaune avec un slogan lapidaire.

Francs-maçons assassins !

Il y avait aussi pas mal de gamins en survêtements de sport de toutes les couleurs. Eux non plus n'avaient pas l'air commodes. Certains avaient des sacs un peu trop volumineux pour faire des courses. Elle passa les barrières de sécurité en montrant son badge et arriva devant la façade de l'immeuble. Elle fut désappointée par l'architecture de ce qu'elle avait sous les yeux. Quand son supérieur lui avait parlé du siège des francs-maçons, elle s'était attendue à un édifice un peu mystérieux, à de la vieille pierre usée par les siècles, à de larges portes cochères... Et à la place s'élevait un rectangle de métal et de verre du plus pur style années 1970, singulièrement démodé. Des bardages de tôle grisée descendaient de haut en bas comme si l'architecte avait pris un plaisir pervers à enlaidir la façade. On aurait dit un siège de caisse d'assurance maladie.

Alice poussa la porte en verre gardée par un planton et passa rapidement le portique de sécurité en faisant hurler l'appareil à cause de son pistolet. Un gardien voulut l'en empêcher. Elle le stoppa net en brandissant son brassard rouge.

Un petit homme brun d'une cinquantaine d'années, aux cheveux clairsemés, le visage râblé, les épaules trop larges pour son blouson, arriva à sa rencontre. Il lui tendait une main aussi ferme que son regard.

— Vous en avez mis du temps, lança le capitaine Carlin.

— J'arrive de chez moi en trottinette, je n'ai pas voulu de la voiture de service.

— En trottinette…, ricana l'officier. Qu'est-ce qu'il ne faut pas entendre, étonnez-vous ensuite que la police n'impose plus le respect.

— Épargne-moi tes commentaires de boomer.

— Je dis ce que je veux. Je prends ma retraite dans deux ans.

— Tant mieux, place aux jeunes.

Elle lui serra la main en lui décochant un large sourire. En dépit de ses sorties réacs, elle appréciait ce flic à l'ancienne. Elle inspecta le décor autour d'elle.

Un large hall, dont le sol était incrusté de symboles, donnait sur ce qui semblait être un musée derrière des portes de verre fumé. Plus loin, des hommes en cravate noire se pressaient devant des ascenseurs. Alice remarqua qu'ils portaient tous une mallette.

— Je n'étais jamais venue dans ce genre d'endroit.

— Vous dites ça pour me faire croire que vous n'en faites pas partie, sourit son adjoint.

Carlin mettait un point d'honneur à la vouvoyer. Histoire de grade.

— Complotiste en plus…, commenta Alice. À ce propos, il y a un attroupement important d'excités dans la rue qui n'ont pas l'air d'aimer les maçons. Ce serait bien de prévoir des renforts.

— Oui, on a vu ça. Une compagnie de CRS a été alertée. On attend qu'ils arrivent pour nettoyer la rue.

— Bon, briefe-moi dans les grandes largeurs.

— On prend l'escalier, ça se passe au premier étage.

On a retrouvé le corps d'un certain Daniel Bertils dans le bureau du conservateur. Il a été électrocuté à coups de taser, le type était cardiaque, il n'a pas survécu. L'arme a été laissée sur place. Cela étant, même sans être cardiaque, n'importe qui aurait succombé à une série de décharges en plein cœur. Bertils est pharmacien de profession, mais ici, il est conseiller aux affaires culturelles. Ne me demandez pas à quoi ça correspond. C'est la première fois que je mets les pieds chez les frères trois points[1]. Bref. Ce soir-là, Bertils était resté travailler tard pour expédier des affaires urgentes.

— Qui a découvert le corps ?

— Le vigile en poste. Il était au courant de la présence de Bertils. Il l'a trouvé alors qu'il faisait sa ronde.

— Les petits lapins blancs[2] ont terminé ?

— Presque. Ils ont d'ailleurs commencé à remballer. J'ai cru comprendre que le meurtrier n'avait laissé aucune empreinte.

– Sans blague…

Alors que les deux policiers s'avançaient vers l'escalier, un homme se précipita à leur rencontre. Costume anthracite un peu trop sanglé sur son corps repu, courte barbe noire, la petite soixantaine, son visage était aussi tendu que le col de sa chemise autour de son large cou.

— Bonjour, commandant. Quelle horreur. Daniel était un homme aimé de tous, un ami. J'espère que vous retrouverez son assassin.

— Et vous êtes ?

— Marc Arriglia, Grand Maître de l'obédience.

---

1. Surnom donné aux francs-maçons.
2. Surnom des forces de la police technique et scientifique.

— Grand Maître… Le patron ? répliqua la policière sans sourciller.

— Non, pas vraiment.

— Quoi alors ?

— Plutôt une sorte de président d'association. Mais pas tout à fait, les frères et les sœurs nomment des conseillers qui eux-mêmes élisent à chaque convent un…

Alice leva la main d'un geste sec.

— Si vous n'y voyez pas d'inconvénient… Je dois me rendre sur la scène du crime.

— Bien évidemment, vous aurez toute notre aide. Je vous accompagne.

Carlin et Alice en tête prirent l'escalier à pas rapides. Le Grand Maître suivait avec peine.

— Des traces d'effraction ?

Carlin secoua la tête.

— Selon les premières constatations, le voleur s'est introduit et enfui par le parking. Dans l'obédience, il s'est baladé tranquillement au nez et à la barbe du vigile et des caméras. Idem pour entrer dans le bureau du conservateur et la chambre forte. Un vrai fantôme.

— On sait ce qu'il a subtilisé ? De l'argent, des objets précieux, des documents confidentiels ?

— Seulement des livres.

— Comment ça ?

— Pas n'importe lesquels. Des éditions uniques. Il y en aurait pour plusieurs dizaines de milliers d'euros.

— Je confirme, des incunables. Une perte irremplaçable pour l'ordre, se lamenta le Grand Maître.

Ils arrivèrent au premier étage. Un ruban jaune barrait l'espace commun qui menait à la bibliothèque et au bureau. Un policier en uniforme salua ses collègues.

— Puis-je vous accompagner ? demanda le Grand Maître. Je connais bien les lieux et…

Alice le coupa :

— Non. Pas question de laisser un non-initié aux affaires criminelles y pénétrer. Vous me comprenez ?

— Oui, bien sûr…

— Rassurez-vous. Je viendrai vous poser des questions un peu plus tard sur la victime.

— Je me tiens à votre disposition, au quatrième.

Alice et Carlin passèrent sous le ruban et entrèrent dans le bureau du conservateur.

— Un peu collant le big boss, il est arrivé dès la première heure. Complètement sous le choc.

— Il t'a dit qu'il n'était pas un boss.

Quand ils entrèrent, le bureau du conservateur était plongé dans l'obscurité la plus totale. Les fenêtres entièrement recouvertes de plastique noir tendu. Procédure standard pour utiliser les lampes à détection de traces de sang. Alice inspecta le fouillis qui régnait dans la pièce et aperçut au sol les contours d'une silhouette tracée à la peinture jaune.

Sur la droite, à côté d'une armoire, un homme au front dégarni, sanglé dans une blouse blanche, une capuche en plastique rabattue sur la nuque, fermait une grosse mallette de métal noir. Il leva les yeux vers les deux policiers et grimaça. D'ailleurs, Alice ne l'avait jamais connu sans cette grimace. C'était la forme naturelle de sa bouche.

— Vous voilà, commandant… C'est bien de prendre son temps. Le corps doit déjà sentir le camembert avarié.

— On m'a prévenue tardivement, répliqua Alice.

— Content que ce soit vous sur l'affaire et pas ce

foireux de Jouard, dit l'expert en retirant sa combinaison immaculée. On aura peut-être une chance de trouver l'assassin. Je vous envoie mon rapport demain. On n'a pas trouvé grand-chose. Le conservateur de la bibliothèque a donné ses empreintes pour qu'on ne les confonde pas avec d'autres traces.

Alice masqua sa déception. Pas d'effraction visible, pas d'images caméra et sans doute aucune empreinte utilisable. L'enquête commençait mal.

— Des éléments inhabituels ?

L'expert grimaça de plus belle.

— Justement, oui.

13

Paris
Rue Cadet
Lundi après-midi

Le scooter ralentit pour s'arrêter devant la porte fermée du garage souterrain, protégée par des barrières de sécurité et deux policiers en armes. La dernière fois qu'Antoine avait mis les pieds dans ce parking, c'était pour courser un assassin qui l'avait mené droit vers le réseau d'égout et il avait failli y passer[1]. Il montra de nouveau son badge, la deuxième fois depuis qu'il avait franchi les contrôles à l'entrée de la rue. Après dix bonnes minutes de conduite chaotique à travers les groupes de badauds et de manifestants agglutinés comme des oursins dans un panier. Il n'avait jamais vu autant de monde dans cette rue. Et quel monde…

Le planton fit un signe aux vigiles à l'intérieur pour actionner la porte.

---

1. *Le Frère de sang*, Fleuve noir, 2007.

Francs-maçons pédophiles !
Mort aux frangins ! Pourris !

Son casque jouissait d'une excellente insonorisation, mais Antoine entendait distinctement les cris des manifestants. Ça n'en finissait jamais. Après les gilets jaunes la veille, les antimaçons aujourd'hui. Les visages étaient tendus, hostiles. Il n'avait ressenti aucune peur face aux gilets et aux black blocs qui défiaient le système. Mais ici, la haine était palpable. Une haine contre la fraternité à laquelle il appartenait. Une haine dirigée contre lui. Ces hommes et ces femmes massés contre les barrières étaient les mêmes que ceux qui déversaient leur dégoût de la maçonnerie sur Internet. Ils avaient dû se donner le mot. Pourtant, ils paraissaient tellement différents. Des gamins de banlieue, des petits-bourgeois propres sur eux… Il y avait des types en djellaba avec un calot sur la tête, des femmes voilées de noir, mais aussi un groupe qui sentait le catho tradi, avec un curé qui n'exhalait pas vraiment l'amour de son prochain. Un bel exemple d'œcuménisme…

La porte restait toujours close alors que les cris se faisaient plus pressants. Un frisson parcourut sa nuque. Il en connaissait l'origine. Deux ans plus tôt, exactement au même endroit. L'attaque sauvage du complotiste. Le coup. Le néant.

Un cri jaillit derrière lui.

Un franc-mac essaye d'entrer !

Un costaud en survêtement bleu et rouge du PSG tentait de monter au-dessus d'une barrière pour l'atteindre, mais il fut arrêté de justesse par l'un des policiers.

Antoine se crispa sur la poignée du scooter. De la sueur coulait dans ses gants. L'onde de panique se

propageait dans son cerveau. Irraisonnée, acide, brû-
lante. Ce n'était pas la première fois. La peur, elle revenait. Il fallait quitter ce piège à rat.

La porte s'ouvrit enfin. Lentement. Très lentement.

Calme-toi. C'est pas le moment.

Il n'attendit pas qu'elle ait fini de se relever pour
s'engouffrer dans le trou béant. Sans faire attention, il
avait mis les gaz à fond et faillit rater le virage en bas de
la pente. Le sang avait cessé de refluer dans ses tempes.
Il ralentit et se gara sur l'une des trois places réservées
aux invités du Grand Maître.

Le souffle court, il coupa le contact, mit la béquille et
resta figé sur sa bécane. Ses mains tremblaient encore.
Ça faisait presque six mois qu'il n'avait pas eu de crise.
Il s'était persuadé que son trauma s'était enfin dissous
dans les circuits de son cerveau. Même la psy qu'il
voyait chaque mois s'était montrée optimiste.

C'est pas réglé. Putain.

Il ne pouvait pas se pointer sur l'enquête dans cet état.
Ceux de la Crim allaient le prendre pour un demeuré.
Il prit une profonde inspiration. Mettre en pratique les
conseils de la psy. Comme pour les épisodes précédents.
S'identifier à un roc.

Respire.

Fais le vide.

Visualise un rocher.

Je suis le rocher.

Et merde.

La peur était toujours là.

14

Paris
Rue Cadet
Lundi après-midi

L'expert en blouse blanche fit craquer les jointures de ses doigts, jeta un coup d'œil à la fenêtre et se tourna vers Alice.

— C'est la première fois que je vois ça. L'assassin a torturé la victime avec un taser, avant de la tuer. Dans les oreilles. Je n'aurais pas aimé être à la place du pauvre type. Ça devait être aussi agréable que de mettre son oreille devant le réacteur d'un Boeing. Il a dû sacrément dérouiller. Ensuite, il l'a achevé en mode défibrillateur sauvage, avec trois bonnes décharges dans le cœur.

— Un taser…

— Oui, celui de la victime. Appliqué au contact de la peau ça secoue la couenne. Bonne chance pour la suite de votre enquête, votre type est un gros malin. Mes hommes ont exploré le passage dans le parking par lequel il s'est enfui, mais je doute qu'ils aient trouvé quelque chose.

Un pétard retentit dans la rue, suivi d'exclamations. Le lapin blanc prit sa mallette et inclina la tête d'un air dubitatif.

— Pas mécontent de quitter les lieux, ça a l'air de chauffer dans la rue. Et dire qu'on m'avait proposé de devenir franc-maçon... C'est de moins en moins populaire.

Carlin le laissa passer sans le saluer.

— Quel con prétentieux. On devrait toucher une prime pour le supporter.

— Pourquoi a-t-il dit que le taser appartenait à ce Bertils ? demanda Alice, intriguée.

— C'est le vigile qui nous l'a révélé. Il en avait toujours un avec lui. Il s'était fait cambrioler plusieurs fois sa pharmacie. La préfecture lui a donné un permis.

— C'est autorisé ?

— Il était un frangin, ça doit aider, répondit-il en soupesant un compas en bronze massif posé sur le bureau du conservateur. Si j'avais eu à éliminer quelqu'un, j'aurais pris ce truc. Un bon coup sur la tempe et c'est réglé.

— Daniel Bertils travaillait dans la bibliothèque ce soir-là ?

— Non, elle était fermée à clé. Le vigile assure qu'il était dans son bureau à l'étage supérieur. Bertils l'a d'ailleurs appelé pour le prévenir qu'il resterait plus tard que d'habitude.

Alice pointa du doigt la caméra scellée au plafond.

— Et les enregistrements ?

Carlin secoua la tête.

— Déconnectée, comme par hasard...

Lady Gaga résonna dans son blouson. La policière jeta un œil à l'écran de son téléphone, c'était sa sœur. Elle hésita quelques secondes, puis décrocha et se mit à l'écart.

— Je ne peux pas trop te parler, Clara. Une urgence ?

— Grégoire se sent pas bien. Il a de la fièvre. 38,7. Je fais quoi ?

— Ça lui arrive parfois, il a dû passer un peu trop de temps dans les bois. Pose-lui des compresses fraîches sur le front, et si ça passe pas, appelle SOS Médecins.

— J'ai pas d'argent.

Alice se crispa. Sa sœur n'avait jamais de liquide sur elle.

— Il y a un chéquier dans le deuxième tiroir de la commode. Et pour la signature, tu demandes à Grégoire de te montrer son cahier de vie. J'ai dédicacé ses retards pour sa prof. Je ne peux pas rester plus longtemps. À toute.

Elle raccrocha et revint vers son adjoint.

— Pardon, soucis de garde d'enfants.

— Oui, je sais, vous n'étiez pas en service. C'est étonnant que le patron n'ait pas mis le commandant Jouard sur le coup. D'ailleurs, il était pas très content quand il a appris la décision de notre chef bien-aimé… Vous savez pourquoi ?

— Aucune idée et aucune importance, coupa-t-elle, encore irritée par sa sœur. Reprenons. On a donc un cambrioleur qui se balade comme chez lui dans cet immeuble et déconnecte les caméras comme il veut. Ajoutons à cela une victime qui n'aurait jamais dû se trouver dans le coin et se fait griller avec son propre taser. Ça fait beaucoup de mystères…

— En même temps, pour des francs-maçons, ça fait couleur locale, non ?

Carlin s'approcha d'elle et baissa d'un ton.

— J'ai jeté un œil dans un de leurs temples, Lafayette, c'est assez bizarre. Il y a des triangles avec des yeux à l'intérieur, des rangées d'épées sur les murs… Vous devriez y faire un saut. Je me demande vraiment ce qu'ils trafiquent là-dedans.

— J'ai plus urgent à régler. Allons voir ce coffre-fort.

Ils passèrent dans une pièce sombre où se trouvait l'armoire blindée. Un homme à la carrure imposante était assis sur un tabouret, le dos tourné, et inspectait les rayonnages. Il n'arrêtait pas de pester et parlait tout seul.

— Qu'est-ce que vous foutez là ? lança-t-elle.

Il se redressa et tourna la tête dans leur direction. Son visage rougeoyait de colère. La barbe plus sel que poivre, le cheveu grisonnant, le sourcil arqué, le regard noir charbon. Avec une armure adéquate, il aurait pu jouer un baron ou un sénéchal dans une série médiévale. Il ne se laissa pas désarçonner par le ton sec d'Alice.

— Je peux vous poser la même question. Je suis ici chez moi.

— Vous êtes ?

— Pierre Jolier, conservateur de la bibliothèque et du musée. Vos collègues de la police scientifique m'ont donné la permission de vérifier l'étendue des dégâts.

— Vous avez une estimation précise ? Votre Grand Maître nous a dit que le préjudice s'élèverait à plusieurs dizaines de milliers d'euros.

— Ce n'est pas qu'une question d'argent. Nous avons mis des années à acquérir ces ouvrages. Il n'en existe pas d'autres exemplaires connus dans le monde.

Celui qui a commandité ce vol savait exactement ce qu'il faisait.

— Vous avez des noms de collectionneurs qui pourraient avoir franchi la ligne jaune ?

— Pour la France oui. Ce sont pour l'essentiel des responsables d'obédiences maçonniques. Ou quelques riches érudits. Mais pas au point de planifier un vol et encore moins un meurtre. Je les connais tous personnellement.

— Vous donnerez leurs coordonnées à mon adjoint. Le voleur a-t-il emporté autre chose ?

— Je suis en train de vérifier, les cartons contenant les manuscrits sont intacts. Rien ne semble avoir été déplacé, mais je n'ai pas fini.

— Saviez-vous pour quelle raison Bertils aurait pu se trouver ici à une heure avancée de la nuit ?

— Non. Il s'occupait de la culture au sein de la maison, mais ne mettait jamais les pieds à la bibliothèque. Les livres n'étaient pas sa passion première.

Alice sentait que son interlocuteur répondait avec réticence. Quelque chose sonnait faux dans le timbre de sa voix.

— Vous ne semblez pas le porter en trop haute estime.

— Je n'ai pas dit cela, mais il aurait pu s'occuper de la culture comme moi de planter de la vigne. Et encore, je suis sûr que j'aurais pu produire une piquette acceptable.

— Donc vous ne le voyiez jamais ?

— Je n'ai pas dit ça.

Alice le fixa sans comprendre.

— Je vous ai dit qu'il ne fréquentait pas la

bibliothèque. En revanche, on se voyait toutes les semaines pour faire un point sur les activités culturelles avec le responsable du musée.

— Rien d'inhabituel?

— Non… Une réunion d'un ennui aussi abyssal que sa conversation.

— Vous ne l'aimiez pas?

Le conservateur se redressa et émit un petit rire.

— Pourquoi… Vous me soupçonnez?

— Répondez à ma question.

— Nous sommes frères, mais pas amis. Ça vous convient comme réponse?

Carlin avait pris un ouvrage relié de cuir brun sur l'une des étagères et voulut l'ouvrir. Le conservateur le lui retira des mains en un éclair.

— Ne touchez pas sans gants! Vos doigts sont des tentacules gluants. Chaque goutte de sueur excrétée ronge le papier comme de l'acide sulfurique.

Le portable d'Alice vibra de nouveau. Cette fois, c'était le divisionnaire Brassac.

— Ça se passe comment, Alice?

— C'est bon, on a retrouvé l'assassin. Il était planqué dans les W.-C. du Grand Maître.

— Si ça vous fait rire, tant mieux. Vous allez recevoir du renfort sur votre enquête.

— Pardon? Vous ne vouliez pas mettre les collègues sur le coup!

— L'officier en question n'est pas de chez nous. Ça m'emmerde autant que vous, mais c'est un ordre direct de la DGPN. Apparemment il enquêtait sur la victime depuis quelque temps et aurait des éléments importants pour votre enquête.

— Pas de problème, il n'a qu'à me les communiquer.

— Ce n'est pas si simple. Il va falloir collaborer avec lui.

Alice inspira profondément. Journée pourrie. Depuis la première minute de son réveil avec l'arrivée en fanfare des enfants. Et ça continuait. Elle n'avait aucune envie qu'on lui mette un autre enquêteur dans les pattes.

— OK, rendez l'affaire à Jouard. Je rentre chez moi.

— Pas question. Depuis mon dernier coup de fil, vous êtes officiellement chargée de cette enquête. L'abandonner, c'est vous exposer à des sanctions. Soyez professionnelle, bon sang !

Elle était coincée. En beauté.

— OK… Comment s'appelle ce brillant enquêteur ? Et de quel service ?

— Marcas. Commandant Antoine Marcas. Actuellement détaché au ministère. Et… sachez que vous tenez les manettes. Il est plus ancien que vous, mais sera uniquement considéré comme adjoint.

— Plus ancien… Il a soixante-dix ans ?

— Vous découvrirez par vous-même. Il vous rejoint au Grand Orient. Il devrait déjà être là… Bonne journée, Alice. Je vous revaudrai ça.

Brassac raccrocha. Carlin s'approcha d'elle.

— J'ai entendu la conversation. On a de l'aide ?

— Oui… Je m'en passerais bien. À tous les coups c'est parce que ça touche la franc-maçonnerie. Je sens les emmerdes à plein nez. Tu as toujours des contacts dans ton syndicat ?

— Et comment !

— Renseigne-toi sur un certain commandant Antoine

Marcas. J'aime savoir qui respire l'air pollué à côté de moi.

— Je m'en occupe.

Elle s'apprêtait à remettre son portable dans son blouson quand elle vit l'icône d'un message de son ex-mari. Elle l'ouvrit et découvrit un seul mot, en lettres capitales.

SALOPE

Pour la seconde fois de la journée, elle sourit.

15

Paris
Rue Cadet
Lundi après-midi

Marcas sortit de l'ascenseur au quatrième étage, l'esprit un peu plus clair. La crise s'était estompée. Il avait repris le contrôle, du moins pour un temps. La technique de visualisation du rocher n'avait pas fonctionné. Il s'était presque asphyxié avant de retrouver un début de sérénité.

Après réflexion, il avait décidé de ne pas se rendre directement dans le bureau de Jolier, qu'il connaissait bien. Le planton au rez-de-chaussée lui avait dit que ses collègues y étaient encore, il ne voulait pas montrer sa proximité avec le conservateur.

Le quatrième étage avait la particularité d'abriter les bureaux administratifs et ceux du Grand Maître et de sa secrétaire. Il traversa le couloir aux murs recouverts d'une longue collection de portraits et de photographies des grands maîtres précédents. Une remontée dans le temps. Les coupes de cheveux, les vêtements marquaient les époques. Aristocrates arrogants, grands-bourgeois respectables, médecins, avocats, professeurs, hauts fonctionnaires, policiers, militaires, journalistes, même un énarque... Ils avaient, pour la plupart, exercé des métiers enviés ou des postes de pouvoir. Antoine en avait connu au moins une bonne dizaine depuis son initiation. Certains avaient marqué la mémoire de l'ordre et celle d'Antoine, d'autres s'étaient dissous dans l'anonymat. Entre les bavards qui couraient les plateaux TV et les taiseux purs et durs opposés à toute extériorisation s'était succédé une brochette de frères plus ou moins compétents. En tant d'années, Antoine ne comprenait toujours pas ce qui les avait poussés à prendre cette charge. Casse-gueule par essence. Chaque fois il fallait composer avec les factions, les clans de Paris et de province, s'exposer à la critique des frères et des sœurs rétifs à toute centralisation. Restaient deux pulsions, l'ego ou l'envie de jouer les réformateurs. Dans les deux cas, on s'exposait au ventilo à purin fraternel.

La porte du bureau du Grand Maître était ouverte, on entendait les échos d'une discussion. Antoine passa la tête dans le bureau de la secrétaire. Les grands maîtres disparaissaient, elle restait fidèle au poste. Antoine et elle fréquentaient la même loge. Il entra et la salua.

— Bonjour, Moneypenny.

La quinqua brune et enjouée leva la tête de son écran et lui adressa un sourire. La référence à la secrétaire de James Bond l'amusait toujours.

— Oh, Antoine, quel plaisir ! mais tu tombes mal. C'est la folie depuis ce matin, depuis la découverte du corps de Bertils. Le Grand Maître est dans son bureau avec des journalistes d'une chaîne d'info en continu. Il a passé la matinée à répondre aux autres médias. Il n'en a jamais vu autant depuis sa nomination.

Marcas s'assit sur le rebord du bureau.

— Karine, ma très chère sœur, on m'a chargé de l'enquête, en collaboration avec mes collègues de la Crim.

— Il paraît que la commandante n'est pas commode du tout. Le Grand Maître m'a décrit un vrai pitbull. Et c'est une profane.

Marcas sourit.

— Tu connaissais Bertils ?

— Oh oui…

La secrétaire leva les yeux au plafond.

— Comment ça ?

— Un obsédé ! Il m'a couru après dès sa nomination au poste de conseiller à la culture. J'ai dû le recadrer.

— Quel succès !

— Pas vraiment. Sa grosse truffe s'humidifiait dès qu'il détectait une paire de seins dans les parages. D'autres sœurs m'en ont parlé. Il était à deux doigts de se prendre une plainte pour harcèlement.

— Charmant.

La secrétaire jeta un œil vers le bureau fermé et s'approcha de lui.

— Il avait aussi de gros soucis d'argent. Sa pharmacie ne marchait pas fort et monsieur fréquentait un peu trop les casinos. J'ai surpris une conversation avec le Grand Maître, il voulait qu'il lui accorde un prêt dans sa banque. En tant que frère. Le Grand Maître l'a envoyé balader.

Antoine opina sans rien laisser paraître. Ça corroborait les virements sur son compte.

— Tu sais s'il s'intéressait à la vente de livres ou de manuscrits?

Elle éclata de rire.

— Bertils? La dernière fois qu'il a ouvert un livre, ça devait être un bouquin de chimie pendant ses études de pharmacie.

Il allait continuer son interrogatoire informel quand une femme blonde surgit dans la pièce. La trentaine finissante, la silhouette sportive, le visage énergique, il n'avait pas besoin de voir le brassard rouge au bras de son blouson pour l'identifier. Le pitbull se révélait plus charmant qu'il ne l'aurait cru.

Il se leva du bureau et se maudit silencieusement en priant qu'elle n'ait pas entendu la conversation. Il n'avait pas voulu révéler son appartenance à la maçonnerie en arrivant dans le bureau de Jolicr et voilà qu'elle le découvrait dans l'antre du Grand Maître, papotant avec la secrétaire.

Elle l'ignora et s'adressa à Moneypenny.

— Bonjour, je suis le commandant Grier. Votre patron est disponible pour continuer la conversation que nous avons commencée dans le hall?

— Il parle à des journalistes de la télévision. Ils en ont pour vingt minutes, je crois.

Alice consulta sa montre d'un air agacé.

— Je n'ai pas vraiment envie de poireauter ici. Prévenez-le d'abréger. Dix minutes, pas plus. Il reprendra ensuite.

La mort dans l'âme, Antoine, qui était resté silencieux, se décida à prendre l'initiative.

— Je ne me suis pas présenté, dit-il en lui tendant la main. Je suis le commandant Antoine Marcas. Je pense que votre supérieur vous a prévenue de mon arrivée?

Alice le détailla des pieds à la tête comme si elle découvrait sa présence, puis serra sa main avec une méfiance non dissimulée.

— En effet… Il paraît que vous avez des éléments à me communiquer.

— Oui. Je dois vous aider dans votre enquête.

La policière jeta un regard rapide à la secrétaire.

— C'est ce que vous étiez en train de faire? Assis sur ce bureau? Vous avez de curieuses méthodes.

— Nous pourrions peut-être en parler dans un endroit plus discret?

La secrétaire vint à sa rescousse.

— La salle de réunion est disponible. Allez-y, vous serez plus tranquilles. C'est la porte de droite, à côté. Et je préviens le Grand Maître.

Dans un silence glacial, Alice et Marcas quittèrent la pièce et passèrent à côté. C'était dans cette pièce que se réunissaient les conseillers de l'ordre pour gérer le Grand Orient. Rien ne la différenciait d'une salle de conseil d'administration si ce n'est, contre un mur, une gigantesque grille en fer forgé ornée de symboles maçonniques.

— Qu'il n'y ait pas d'équivoque, je posais des questions à la secrétaire quand vous êtes arrivée.

— Chacun ses techniques, commandant. Elle vous a révélé l'identité du tueur? Vous avez son adresse?

Marcas s'abstint de répondre. Il devait l'amadouer.

— Bertils avait apparemment de gros soucis financiers.

— Qui n'en a pas de nos jours à part les millionnaires et mon gynécologue ?

Marcas sortit les documents bancaires que lui avait remis le frère obèse.

— Voici les relevés de quatre comptes ouverts récemment par Bertils dans différentes villes de province. Il a touché trente-six mille euros en moins d'une semaine, ventilés sur différentes banques.

— Intéressant… Pourquoi aviez-vous ce monsieur dans le collimateur ?

— Son nom est apparu dans une affaire de trafic d'œuvres d'art. Je l'avais mis sous surveillance.

Une virgule ironique apparut au coin de ses lèvres.

— Je n'ai pas souvenir que l'on ait volé un Rembrandt ou un Picasso dans cette taule. Et au rayon meurtres, vous avez quelques dossiers à votre actif ?

Antoine ne se désarçonnait pas et souriait intérieurement. S'il lui donnait le détail de ses enquêtes parallèles sur le trésor des Templiers, du secret des alchimistes ou des Illuminati, elle le prendrait pour un dingue.

— Oui, mais je ne peux pas en parler. Vous comprenez ?

Sa réponse laconique irrita la policière. Ce type ne jouait pas franc jeu avec elle.

— Non, pas vraiment. Écoutez, Marcas. Moi, mon ordinaire, ce sont les cadavres de femmes tabassées à mort par leur mec, des petits vieux défoncés à coups de marteau… Et je peux vous décrire aussi ceux des gamins qu'il m'est arrivé de découvrir. J'en parle, même si ça me remue les tripes. Mais vous, je ne comprends pas ce que vous me racontez.

— C'est bien dommage. Mais bon, avançons sur le

dossier. À l'évidence, Bertils est en train de devenir plus radioactif que la plage de Fukushima. On peut raisonnablement tabler sur une hypothèse…

— Tablez donc.

— Il a tout le profil du complice du cambrioleur. Les deux hommes ont dû se donner rendez-vous dans le bureau du conservateur. Et ce dernier s'est débarrassé de lui.

— Ça me paraît tenir la route. Merci infiniment pour votre aide.

Alice appuya ses mains sur la table et le fixa avec la détermination du taureau qui entre dans l'arène pour encorner le matador. Elle reprit d'une voix forte :

— Formidable ! Notre collaboration se termine ici. J'indiquerai dans mon rapport votre efficacité. Et au plaisir de se croiser dans une autre enquête.

La policière s'était dirigée vers la porte sans se soucier de la réaction d'Antoine.

— Pardon ?

— Ne le prenez pas mal, commandant, répliqua-t-elle en se retournant. Mais je ne vois pas l'utilité de prolonger notre pas de deux. Il s'agit d'une enquête criminelle, et vous n'avez aucune compétence dans ce domaine. Je ne vous vois pas m'accompagner dans mes investigations. Mon adjoint y pourvoira. À moins que vous ne m'ayez caché un talent particulier ?

Antoine décida de jouer cartes sur table.

— Je suis franc-maçon et je connais cette taule comme le moindre détail de mon tablier. C'est un univers un peu particulier. Ici les gens ont confiance en moi.

— Enfin, vous lâchez le morceau. Je m'en étais

doutée à la façon dont vous papotiez avec la secrétaire. C'est bien ce que je redoutais.

— Vous croyez que l'on m'a mis dans vos pattes pour vous espionner? J'ai déjà enquêté dans ce milieu. Il y a des codes, des subtilités qui peuvent vous échapper. Je ne vous gênerai pas, vous gardez le contrôle de bout en bout. Vous dirigez, je vous aide.

— Dès qu'on touche à la maçonnerie, ça devient hypersensible en haut lieu. Je vais…

Un sifflement strident l'interrompit. Les vitres vibrèrent de partout. Des cris et des raclements métalliques montaient de la rue. Les deux policiers se précipitèrent vers l'une des fenêtres. Antoine l'ouvrit à la volée. Une odeur écœurante de poudre et une fumée âcre les prirent à la gorge. En contrebas, ils aperçurent une cohue telle que les barrières de sécurité avaient été renversées de part et d'autre.

— Que se passe-t-il? lança Alice, abasourdie.

— Les collègues sont en train d'en découdre avec des manifestants.

— Je ne parlais pas de ça! L'explosion. On aurait dit…

— Un tir de mortier!

Un autre sifflement jaillit de l'extrémité gauche de la rue. Antoine eut juste le temps de plaquer Alice et se jeta au sol avec elle. La vitre explosa dans un grondement et un éclair illumina la pièce.

DEUXIÈME PARTIE

« La fin de l'espoir est le commencement de la mort. »

Charles de Gaulle.

16

Dordogne
Château de Castelrouge
Automne 1348

Aujourd'huy, treizième de septembre de l'an mil trois cent quarante-huit, au château de Castelrouge sur Dordogne, régnant par la grâce de Dieu, Philippe, roi de France et de Navarre, moi, Renaud Taillefeu, moine de l'Abbaye nouvelle, tiens cette chronique pour dire l'enfer des temps et la misère des jours qui se sont abattus sur nous, misérables victimes de la colère du Seigneur.

Depuis l'été, le mal noir, venu d'Orient, a gagné le royaume. Marseille, Montpellier, Toulouse, puis Bordeaux ont été frappés par le fléau, tuant moult gens et en faisant fuir tant d'autres. Ce sont eux qui, remontant la Dordogne, nous ont apporté la peste noire. J'ai vu le mal dans les bandes enragées de chiens dévorant les cadavres noircis, j'ai vu le mal dans les nuées du diable, les noirs corbeaux, dévorant les visages des mourants. J'ai senti l'odeur maudite des bûchers où on jetait les morts quand les cimetières n'y suffisaient plus, j'ai senti la pestilence âcre des corps en décomposition, quand la chair quitte les os, quand les moignons s'effondrent en lambeaux, rongés par des moissons de vers. J'ai vu des paysans brûler leur maison, des prêtres se pendre dans leur église, des nobles égorger leurs enfants au berceau, rendus fous par la peur. J'ai vu des moines hagards et des femmes nues se flageller jusqu'au sang pour que Dieu ait pitié de leurs péchés, j'ai vu, j'ai senti la mort partout et j'ai pensé que la fin du monde était arrivée.

Mais je me suis trompé. Ce n'était que le début.

À des milliers de lieues d'ici, des rois, ivres de puissance et de conquêtes, ont rallumé la guerre et elle est venue incendier nos vies. Le prince d'Aquitaine, Édouard d'Angleterre, a lancé sur nous ses milliers de chevaliers, fous de pillages, enflammés de violence. Ils ont déferlé, tuant et dévastant tout sur leur passage démoniaque. Pas un château qui n'ait été incendié, pas une place forte qui n'ait été violentée comme une ribaude, même les maisons de Dieu sont devenues le sanctuaire maudit de la folie des hommes.

Je vivais alors à l'Abbaye nouvelle, un monastère bâti dans la vallée du Céou. La paix était parmi nous jusqu'au matin où les hordes du diable ont mis le siège devant l'abbaye où s'était réfugiée la population d'alentour.

Notre seul secours était en Dieu. Et Dieu nous a abandonnés.

Ils ont donné l'assaut à l'aube du troisième jour. En quelques instants, le sanctuaire fut investi. Notre père abbé tenta d'endiguer ce flot de violence. Les barbares le jetèrent au sol, le piétinèrent avant de l'empaler sur un chandelier. Son corps fut déposé sur l'autel, sa gorge fourrée d'hosties consacrées et son ventre ouvert en forme de croix. À cet instant, l'apocalypse se déchaîna sur nous. Notre sainte demeure fut dévastée, souillée, ravagée.

Quand ils en eurent fini avec nous, ces loups affamés de sang se ruèrent sur les remparts. Là se tenaient les paysans sans autres armes que quelques cailloux. Ceux qui tentèrent de s'en servir furent aussitôt criblés de flèches. Ne resta bientôt plus qu'un misérable troupeau de moutons promis à l'abattoir. Les chiens du diable rassemblèrent femmes et enfants dans le jardin du cloître pour qu'ils assistent au plus cruel des spectacles. Sous le mur où se trouvaient les malheureux paysans, les soldats de l'enfer plantèrent piques, lances et épieux, et, quand cette forêt de métal brilla au soleil, alors le carnage commença. Précipités dans le vide, chacun de ces malheureux s'embrocha sur plusieurs lames de fer, se vidant de son sang devant sa propre famille hurlant de rage et de désespoir.

Quand tous les paysans furent exterminés, ces hommes inspirés du Malin tournèrent leurs regards lubriques vers les femmes et les enfants déjà si accablés de détresse. Mais, eux, ces maudits, ne voyaient que de la chair vive à violenter pour satisfaire leur ardente soif de débauche.

Jamais je n'ai vu tant de douleur. Même le Christ sur sa croix n'a pu connaître pareille souffrance.

J'ai réussi à m'échapper de l'abbaye avant que les flammes ne la dévorent. J'ai suivi la Dordogne, parsemée de cadavres, et je me suis réfugié ici, à Castelrouge. Après tant d'épreuves, je ne voulais que l'oubli et la paix, je ne savais pas que je venais de pénétrer dans le château de la peur.

Renaud posa sa plume et souffla doucement sur le parchemin pour faire sécher l'encre, puis il le roula et le déposa sur sa paillasse. On lui avait octroyé une pièce dans l'une des deux tours qui encadraient le pont-levis. La fenêtre donnait sur la campagne. La nuit au loin on entendait la Dordogne rugir, gonflée par les pluies d'automne. Renaud ignorait pourquoi on l'hébergeait ici plutôt que dans le logis. Le seigneur du lieu, Antoine de Turenne, devait se méfier de lui. D'ailleurs, on disait qu'il n'aimait pas les prêtres. Pas étonnant quand on descendait d'une famille d'hérétiques... Les cathares avaient disparu depuis longtemps, mais leur souvenir hantait toujours le château. S'il avait pu, Renaud se serait réfugié ailleurs. Mais Castelrouge était l'ultime forteresse qui résistait aux envahisseurs tant était terrible la peur qu'il inspirait. Il reprit sa plume.

Ce que j'ai pris pour un sanctuaire n'est en fait que l'antre du mal. Je cours ici un péril plus grand que la mort, celui de sombrer dans la folie qui semble guetter tous les habitants de ce château. Avant que de courir me jeter dans les griffes du châtelain de Castelrouge, j'aurais dû me souvenir de sa réputation. En effet, on parlait beaucoup de lui au monastère et, chaque fois, les plus anciens se signaient comme s'ils craignaient de

*voir surgir des fantômes de passé. C'était un château
tenu d'une main de fer par des maudits cathares.*

Renaud repoussa de la main le parchemin. Il se souvenait très bien de la nuit où il avait entendu pour la première fois parler de ces hérétiques qui voulaient abattre
l'Église et renverser la société. Et, parmi les plus fer-
vents se trouvaient alors le seigneur de Castelrouge et
sa femme : Bertrand et Alix de Turenne.

À ces deux noms, Renaud se signa, puis se remit à
écrire.

*... Alix de Turenne... Nul ne savait où elle avait
disparu. Sans doute en enfer ! On disait qu'à Sarlat,
l'évêque avait ordonné de gratter son nom dans les par-
chemins pour effacer jusqu'à sa mémoire. On l'accusait
d'avoir enlevé des pèlerins, mutilé des innocents... un
véritable monstre, devenu une légende. Mon grand-père
Taillefeu, qui était forgeron à Turnac, se signait quand
il en parlait. On lui prêtait des crimes, des meurtres,
des abominations. On disait même qu'elle avait tué un
prêtre qui fuyait Rocamadour, emportant avec lui les
diamants du sanctuaire. Mais nul n'a jamais su ce qu'il
en est advenu.*

Soudain la porte s'ouvrit. Renaud interrompit l'écriture de son récit et se raidit d'angoisse. Pot fendu, le
chef des gardes, était entré dans la pièce. On l'appelait ainsi parce qu'un coup d'épée sur le crâne lui avait
laissé une large cicatrice qui partageait ce qu'il lui restait de cheveux en deux parts inégales.

— Le sire de Turenne veut te voir.

Renaud serra son froc avec une corde de chanvre et suivit le garde. La cour était plongée dans l'ombre du donjon dont la haute masse dissimulait la marche du soleil. Pot fendu lui montra l'entrée de la salle haute où le seigneur l'attendait. Étrangement, il ne l'accompagna pas jusqu'au seuil.

— Bonne chance, moinillon !

Antoine de Turenne était assis devant une table de pierre où était gravé le damier d'un jeu d'échecs.

C'était un homme encore jeune, dont on devinait la vigueur à voir les muscles de ses épaules saillir sous son pourpoint. Son visage, en revanche, ne reflétait pas la même sensation. Pâle, les pommettes creuses, il gardait les yeux toujours plissés comme s'il craignait la lumière. On ne parvenait pas à en deviner la couleur, pas plus que celle de ses lèvres, fines comme des coups de crayon et qui semblaient transparentes.

— Tu sais jouer, petit moine ?

— Non, seigneur.

— Ça ne m'étonne pas. Vous, les gens d'Église, passez votre temps à prier, pas à penser. Mais de toutes les façons, je ne t'ai pas fait venir pour jouer. Suis-moi.

Antoine se leva et entrouvrit une tenture qui donnait sur une autre pièce. Les deux hommes passèrent l'un après l'autre. Sur une longue table étaient jetés en vrac des draps souillés à l'odeur âcre et tenace. Plus loin, une simple bougie éclairait un lit où se tenait un enfant endormi. À ses côtés, une femme au visage émacié et aux yeux cernés de rouge lui tenait la main.

— Comment va-t-elle ? demanda Turenne.

— Elle a le corps brûlant et je ne sens presque plus son pouls, répondit Éléonore, sa mère.

Le seigneur de Castelrouge se tourna vers Renaud.

— Elle est ainsi depuis une semaine, depuis que la fièvre l'a prise et ne l'a pas quittée. Nous l'avons purgée, saignée, rien n'y fait. Chaque matin, elle se réveille toujours plus faible.

— Ses nuits mangent ses jours, prononça d'une voix lente Éléonore. Et nous savons pourquoi.

Le moine jeta un regard interrogateur vers Turenne, qui lâcha entre ses dents :

— Elle a des visions.

— Des visions, seigneur ?

— Oui. Au début, ce n'étaient que des ombres, des formes, mais désormais c'est horriblement clair : elle voit une femme qui émerge de l'eau avec un enfant attaché à son sein par les dents.

La mère ajouta :

— Et chaque nuit, cette femme est plus terrifiante. Comme si elle se nourrissait de la peur de ma fille. Elle l'attire, la fascine, la vide de toute vie. Un matin, mon enfant ne se réveillera pas, aspirée à mort par cette goule infernale.

Renaud ne sut que répondre. L'Église ne condamnait pas les visions. Les prophètes, les saints en avaient toujours eu. Le Christ, lui-même, était apparu en personne à saint Paul. Mais jamais Dieu n'avait pris la forme d'une noyée pour se faire connaître.

— Et si ces visions venaient du Malin pour tenter son âme ? osa le moine.

Antoine de Turenne éclata d'un rire désespéré.

— Le diable ? Même lui n'ose plus venir ici ! Non,

153

ce qui revit, à travers elle, c'est un fantôme du passé. Une revenante qui réclame son dû. Et si nous ne le lui donnons pas, elle prendra notre fille.

Montant de la cour, un bref son de cor retentit. Turenne se pencha à la fenêtre. On entendait le cliquetis de sabots sur le pavé. Les cavaliers de la nuit étaient prêts à battre la campagne.

— Je sais tuer les vivants, mais je ne sais pas achever les morts.

Le seigneur de Turenne posa sa lourde main gantée de fer sur la frêle épaule du moine Renaud.

— Tu es homme de Dieu. C'est à toi de combattre cette créature surnaturelle. Toutes les nuits, elle vient dans cette chambre. Ma femme l'a déjà entendue… elle l'a même vue.

Malgré lui, Renaud se signa. Il n'avait donc échappé à la mort noire, à l'assassinat, que pour affronter les puissances des ténèbres.

— Trouve ce qu'elle veut ou détruis-la.

— Et si c'est ta fille qu'elle veut vraiment ? rétorqua le moine.

Le seigneur de Castelrouge riva sa main sur les os du moine, comme un étau.

— Alors qu'elle te prenne, toi ! Car si ma fille meurt, je te jure que tu supplieras tous les démons de l'enfer pour qu'ils viennent t'arracher à ma vengeance.

17

Paris
Rue Cadet
Lundi après-midi

Une fumée grise tourbillonnait tout autour d'Antoine quand il tenta de se remettre debout. Ses oreilles
bourdonnaient comme si on y avait frappé des coups de
cymbale. L'air brûlait ses yeux et sa gorge. Une odeur
infecte de plastique carbonisé imprégnait la pièce.
Antoine agrippa le rebord d'une chaise renversée pour
se relever. Des débris de verre tombèrent pour se mêler
à ceux jonchant le tapis calciné. Une douleur vive transperça son avant-bras, il baissa les yeux et vit une large
entaille ensanglantée qui partait du coude. Un éclat de
verre s'était planté dans la peau.

— Et merde.

Il tourna la tête vers les fenêtres, les rideaux écarlates
se consumaient, laissant échapper des flammes voraces
qui grimpaient au plafond. Sa collègue essayait elle aussi
de se redresser, mais avec peine, en toussant comme

une damnée. Un signal d'alarme hurla dans sa tête. Ils allaient mourir asphyxiés s'ils restaient dans ce brasier.

— On dégage ! hurla-t-il.

Il l'agrippa par son blouson et la releva à la vitesse de l'éclair. D'un bond, ils coururent vers la porte. Marcas n'arrivait plus à respirer, ses poumons se gorgeaient de gaz de combustion. Dans un ultime effort, il réussit à ouvrir la porte à la volée et les deux policiers se jetèrent dans le couloir. Une alarme incendie leur déchira aussitôt les tympans. Ils aspiraient l'air à grandes goulées et virent surgir devant eux deux hommes, le visage recouvert d'un foulard, chacun avec un extincteur sous le bras. Ils disparurent dans la pièce. La secrétaire du Grand Maître apparut à son tour.

— Vous êtes vivants !

Elle aida les deux policiers encore groggy à se relever, mais, alors qu'Alice reprenait ses esprits, Antoine resta figé à terre. Le corps trempé de sueur, jetant des regards frénétiques autour de lui. Une onde de panique lui cisaillait les jambes. La saloperie revenait.

Pas maintenant !

— Antoine, lève-toi ! hurla la secrétaire.

Il se sentit tiré par les épaules et transporté le long du couloir. Dans la salle de réunion, les vigiles aspergeaient copieusement les rideaux d'un déluge de mousse blanche. Un effluve écœurant de détergent se mêlait aux émanations de tissu brûlé.

Marcas avait la tête comme écrasée, son avant-bras saignait copieusement. Des bouts de verre brillaient sur son épiderme lacéré. Il reprenait ses esprits avec peine.

— Il y a une trousse de secours à l'étage, dit la secrétaire. L'ancien Grand Maître était hypocondriaque.

Elle tourna les talons et disparut hors de la pièce.

— On l'a échappé belle, commenta Alice, on aurait pu finir notre conversation aux urgences.

— J'en serai quitte… pour une amputation…, tenta de plaisanter Antoine en toussant.

À son tour, le Grand Maître s'était précipité hors de son bureau avec les journalistes qui paraissaient affolés. Il s'approcha de Marcas.

— Tout va bien, mon frère ?

— On essaye, grimaça Marcas.

La secrétaire revint avec la trousse. La douleur irradiait violemment tout son bras. Un sang rouge vif coulait le long de la main et gouttait vers le sol. La jeune femme sortit une compresse qu'elle imbiba avec un vaporisateur d'alcool. Alice interrompit son geste.

— N'appuyez pas sur la plaie, ça enfoncera les bouts de verre. Je m'en occupe.

La secrétaire lança un regard inquiet à Antoine pendant que la policière prenait son sac à main et farfouillait à l'intérieur.

— Où est ma trousse de maquillage…

— Si c'est pas trop abuser, lança Antoine, le visage crispé par la douleur, j'ai autre chose à foutre que de me refaire une beauté. Je pisse le sang.

— Ne soyez pas macho et stupide en même temps, répliqua sa collègue en extirpant une pince à épiler qu'elle désinfecta avec un jet d'alcool, vous n'avez qu'à serrer les dents.

Antoine raidit son bras. La jeune femme agitait son minuscule outil argenté avec dextérité au-dessus de sa peau. Morceau par morceau, elle retira des éclats de verre maculés de sang. Antoine se crispait à chaque ponction, mais en moins d'une minute elle avait tout enlevé. Elle prit la compresse imbibée et la pressa généreusement sur la plaie. Antoine poussa un cri vif.

— N'exagérons pas, commandant, dit la policière. La blessure reste superficielle. Vous en serez quitte pour une belle cicatrice. Vous aviez l'air choqué dans le couloir. Vous vous sentez mieux ?

— Oui, le contrecoup, sûrement.

Elle prit une bande de gaze et lui entoura l'avant-bras en serrant délicatement.

— Au fait, merci d'avoir fait un rempart de votre corps.

— Je rêve ou c'est la première phrase aimable depuis que l'on a fait connaissance ?

La policière sourit et referma la trousse de secours.

— J'ai parfois quelques faiblesses, mais ne vous y habituez pas. Vous vous sentez d'attaque pour continuer cette enquête ? Sans trop me marcher sur les pieds, bien sûr ?

— Vous n'êtes pas le genre de femme qui se laisse marcher dessus...

— En effet. Je pratique le muay thaï depuis quelques années.

— Je ne connais pas. Un art martial empreint de spiritualité ?

Alice éclata de rire.

— Si exterminer son adversaire relève de la spiritualité, oui... Disons que c'est comme la boxe, mais en plus méchant.

18

Dordogne
Château de Castelrouge
Automne 1348

Du donjon, le moine Renaud observait le départ des cavaliers. Le seigneur de Castelrouge, qui avait pris la tête de la troupe, faisait face au pont-levis. Pendant que les gardes, agrippés aux chaînes, faisaient lentement pivoter le lourd pont de bois, Antoine de Turenne, lui, caracolait sur son cheval : un alezan couleur de feu qui piaffait d'impatience. Vu d'en haut, Renaud avait l'impression d'assister à une partie de chasse, il ne manquait que les faucons aux poignets et la meute hurlante des chiens. Pourtant le gibier n'allait pas se faire acculer aussi facilement qu'un renard terrorisé. La route était longue et la nuit profonde, les risques d'embuscade nombreux. Sans compter que, pendant l'opération, le château, privé de ses meilleurs défenseurs, n'était pas à l'abri d'un coup de main.

Les madriers du pont-levis touchèrent terre. En un instant, les cavaliers s'engouffrèrent dans l'obscurité et, bientôt, même le piétinement des chevaux s'évanouit dans l'obscurité. Le silence retomba sur le château, à peine troublé par le grincement rouillé des chaînes du pont-levis que l'on hissait à nouveau. Renaud frissonna, mais ce n'était pas que la fraîcheur de la nuit : il savait qu'en se retournant, le pire l'attendait.

Il repensait aux menaces du seigneur de Castelrouge : ce dernier lui demandait d'extirper, de chasser une revenante du château, de défaire en combat singulier un fantôme ? Sa vie désormais tenait à la respiration d'une enfant qui se croyait hantée par une ombre… À la vérité, c'était lui, Renaud Taillefeu, qui était possédé par un véritable cauchemar.

Il se rassura pourtant. Et si les gens du château étaient tout simplement devenus fous ? Pris entre la peste et la guerre, certains esprits n'y résistaient pas. Quand la maladie et la mort devenaient le seul horizon, on pouvait vite sombrer dans le déni et ne plus voir que des forces diaboliques à l'œuvre. Derrière son dos, il entendait l'enfant respirer faiblement. Quel âge avait-elle ? Même pas dix ans. Trop jeune pour voir des revenants, mais assez âgée pour les imaginer. La fièvre avait dû servir de déclencheur. Quant à la mère, terrorisée à l'idée de perdre sa fille, elle avait fini, elle aussi, par s'enliser dans ce délire. Il n'y avait ni fantôme ni diable, juste deux pauvres âmes rongées de douleur et de désespoir. Ce constat lui redonna courage : il préférait encore la folie aux forces obscures. Quand il se retourna, sa

conviction était faite, sa réaction aussi. Ces deux illu-
minées croyaient au surnaturel ? Eh bien, il allait leur
en donner !

La mère levait vers lui un regard suppliant.
Abandonnés autour du lit, des plantes aux formes
étranges, des philtres aux couleurs de nuit n'avaient
pas réussi à faire baisser la fièvre de l'enfant. Renaud
n'osait pas penser à ce qu'étaient devenus les médecins
ou les apothicaires qui avaient proposé ces remèdes…
Il frissonna de terreur à l'image de leurs corps précipités
du haut du donjon dans la Dordogne. Mais il ne finirait
pas ainsi. Il n'avait pas échappé au massacre de toute
son abbaye pour finir mis à mort par le seigneur de
Castelrouge. Relevant les pans de sa bure, il s'approcha
de la mère de l'enfant.

— Votre mari prétend que vous avez vu la femme
qui hante l'esprit de votre fille ?

— Je ne l'ai pas vue en songe comme elle, mais de
face. Elle a surgi un soir dans la chambre. Elle était
immonde, les cheveux ruisselants, le visage verdi, et à
son sein famélique, ce nourrisson suspendu et… mort.

— Elle a parlé ?

— Non, mais ses yeux blancs et vides vous fixent. Et
c'est pire que des paroles : une malédiction muette.

Au plissement dubitatif des lèvres du moine, la mère
secoua la tête.

— Non, je n'ai pas rêvé. J'ai bien senti cette odeur
de fond de rivière, j'ai bien entendu ces gouttes d'eau
croupie tomber sur le plancher, et cette horrible sensation de froid qui s'est emparée de toute la chambre.

— Comment apparaît-elle ?

La mère montra la cheminée.

— C'est un bruit dans l'âtre qui m'a réveillée. Une sorte de vent qui tourbillonnait dans le conduit. Alors que cette cheminée est fermée depuis une éternité. Je me suis levée…

— Et ensuite, que s'est-il passé?

Éléonore se mit à trembler.

— J'ai eu très froid, comme si un courant d'air balayait la chambre. Et ce vent glacé… il venait de là.

Elle montra une partie obscure de la chambre. Renaud prit un chandelier et découvrit un mur entièrement décoré.

— Il y a un siècle, le seigneur de Castelrouge a fait peindre ce décor pour sa femme, Alix de Turenne. Elle a disparu lors de la prise du château par les croisés. Depuis, personne n'a jamais touché à ces peintures.

Sur le mur était représenté un vaste paysage verdoyant, constitué d'arbres et de plantes qu'il ne connaissait pas. Un immense jardin ceinturé de murailles au-dessus duquel tournaient des vols de colombes.

— C'est une représentation du paradis, déclara la mère. On raconte qu'il a été spécialement peint pour Alix de Turenne.

Renaud approcha encore le chandelier. Au centre du jardin se tenait un arbre gigantesque, mais ce n'était pas le pommier de la Genèse. Il avait un tronc parfaitement droit, sans aucune branche ni fruit.

— On dirait une tour, dit le moine.

Éléonore s'était assise sur le rebord du lit où sa fille commençait à gémir dans son sommeil. Elle prit une serviette de lin, la plongea dans une écuelle d'eau, puis la posa sur le front brûlant de l'enfant.

— Quand la lune se lève, c'est le moment où la fièvre monte.

Mais Renaud ne l'écoutait plus. Il était fasciné par l'étrangeté de la peinture qu'il venait de découvrir. Jamais il n'avait vu une pareille représentation du paradis : il n'y avait pas d'Adam ! Comme si Dieu n'avait créé que la femme. Et puis Ève n'avait rien d'une tentatrice : elle était habillée et de dos.

— On dit que c'est Alix qui est représentée devant l'arbre, souffla la mère.

Le moine regardait une ligne sombre qui courait sur toute la longueur de la tour : c'était le serpent de la tentation. Mais il n'était ni menaçant, ni enroulé sur lui-même pour symboliser son éternelle perversité, comme le voulait la tradition. Au contraire, il semblait indiquer quelque chose qui partait du sommet de l'arbre vers ses racines.

— Je n'y comprends rien, avoua le moine, c'est incroyable...

Il n'eut pas le temps de finir sa phrase.

Au pied de l'arbre venait d'apparaître une goutte d'eau.

Instinctivement, Renaud regarda vers le plafond.

Il n'y avait rien.

Sur la peinture, la goutte d'eau, devenue de plus en plus sombre, s'étendait comme une moisissure.

Une buée blanche s'échappa de l'âtre.

— Ça recommence, gémit la mère.

Jusqu'à ce moment, Renaud pensait connaître la peur.

Il se trompait : il n'avait eu peur que de la mort.

Pas de ce qu'il y avait au-delà.

Pas de ce qui était en train d'apparaître devant lui.

Ses yeux étaient rivés sur le mur que dévorait un champignon vorace. Une flaque noire se répandait sur le sol, bientôt rejointe par une brume glacée qui s'échappait de la cheminée. Au contact des deux, une forme se détacha du sol. Sombre, luisante, comme une bête jaillie de la profondeur des forêts.

Mais ce n'était pas un animal.

Une odeur de pourriture insane, comme dans les tréfonds des marécages, devint obsédante. Renaud sentit son visage se couvrir d'une sueur glacée. Comme si la peur exsudait par tous les pores de sa peau.

Devant lui, la forme grandissait. Deux longs bras décharnés se déployèrent. Dans un magma grouillant de vers, le moine pouvait voir les muscles verdis, les veines pourries de sang caillé.

C'était un cadavre, rongé, laminé, qui revenait à la vie. Les mains se tendaient en direction de la fillette qui geignait dans le lit.

Brusquement, Renaud comprit. Cette morte à qui on avait pris un enfant en réclamait un autre en échange. Et elle n'aurait de cesse de le ramener avec elle au royaume des morts.

Et puis son visage apparut.

À la place des yeux, deux larves blanches végétaient, immobiles.

En un instant, Renaud revit toute son existence. Son entrée, adolescent, dans le monastère, ses longues années de noviciat, le jour où il avait enfin revêtu la bure, et puis cette attaque qui avait ruiné l'abbaye et sa vie. Pendant que, tétanisé, il contemplait les chairs corrompues de la revenante, il se demandait s'il avait vraiment cru en Dieu. Il était entré si jeune dans les ordres… et, quand il était devenu moine, était-ce motivé par la foi, l'habitude, ou pour éviter de mourir de faim dans un monde de misère?

Tant de fois il avait prié Dieu sans espoir, invoqué son nom sans y penser et, là, pour la première fois, il avait besoin d'y croire.

On pouvait échapper à la fureur homicide des hommes, à la colère meurtrière des éléments, à la pire des maladies, à la mort même… Mais, quand il s'agissait d'affronter ce qui jaillissait des ténèbres, seul Dieu pouvait vous sauver.

Mais Dieu avait besoin de preuves et Renaud allait lui en donner. Il dénoua le crucifix qu'il portait autour de son cou et alla le poser sur la poitrine de la fillette.

Désormais, il était nu contre le mal.

La forme, sortie de la nuit, ne bougeait plus. Ses bras étaient toujours tendus vers le lit, ses yeux blancs fixaient le néant. En revanche, son corps était de plus en plus visible. Et avec lui, l'enfant accroché à son sein. Les deux cadavres ruisselaient de toutes parts. Un détail attira l'attention du moine. En plein milieu des côtes de la mère, une flèche sortait, encore rouge de sang. Renaud reconnut un carreau d'arbalète qui avait dû frapper la malheureuse dans le dos. Mais ce qui était pire, c'est que la pointe avait aussi déchiqueté la tête de l'enfant encore suspendu à son sein. Qui avait bien pu assassiner cette malheureuse et son bébé? Seuls les seigneurs étaient assez riches pour posséder des arbalètes. Une arme si dangereuse que plusieurs papes en avaient condamné l'usage. Il se tourna vers Éléonore.

— Depuis le début, vous, votre mari, vous me mentez. Vous voulez que je vous sauve, que Dieu vous sauve ? Alors dites-moi la vérité : pourquoi cette femme revient-elle vous hanter ?

Éléonore se mit à sangloter.

— Cela fait des décennies que ça dure. Nul ne sait qui elle est vraiment. Si ce n'est qu'elle a été tuée par Alix. Elle et son fils. Voilà pourquoi, à chaque génération de Turenne, elle vient réclamer son dû : un enfant de la lignée.

Renaud entendit comme un bruit d'averse. Il se retourna. La revenante avançait, éclaboussant le plancher. Elle n'était plus qu'à quelques pas du lit.

— Mais comment fait-elle pour apparaître ?

— Je ne sais pas. Mon mari dit que le secret est dans la peinture. Il y a un sens caché.

Excédé, Renaud frappa le sol du pied. Il n'avait plus de temps pour les énigmes. Il s'adressa à Éléonore.

— Prenez votre enfant dans les bras.

— Elle a trop de fièvre.

— Vous préférez la voir dévorée corps et âme ?

La mère se précipita et saisit sa fille inconsciente.

— Maintenant, fuyez.

Comme elles s'approchaient de l'escalier, Renaud saisit le chandelier.

— Je vais en avoir besoin.

Quand le bruit des pas eut disparu dans les profondeurs du donjon, le moine se retourna. La femme morte avait atteint le lit et le fouillait de ses mains décharnées. Ne trouvant rien, un gémissement de rage jaillit de sa poitrine osseuse.

Renaud commença à réciter le Notre Père. Devant lui se tenait le rideau entrouvert qui donnait sur la chambre. Et derrière, les piles de draps sur la table.

Il n'y avait plus d'autre solution.

Le chandelier roula jusqu'à la frange des rideaux de chanvre.

En un instant, la chambre s'enflamma.

Bientôt le lit ne fut plus qu'un incendie.

Il était sauvé.

— Merci, Seigneur, murmura Renaud, maintenant je sais que Tu existes et que Tu ne m'as pas abandonné…

Il ne termina pas sa prière. Une main humide et glacée venait de se poser sur son épaule. Dans un hurlement de rage, l'apparition le précipita dans le brasier.

19

Paris
Hôtel George-V
Lundi après-midi

La femme coiffée d'une perruque à frange bleu nuit sortit de la Mercedes noire avec une lenteur calculée. Elle tira sur son pantalon charbonneux, trop ajusté pour une utilisation quotidienne, et qui mangeait le bout de ses rangers cirés, puis s'accorda un dernier coup d'œil dans le rétroviseur. Ses lunettes noires et son teint blafard lui assuraient un anonymat parfait. En d'autres lieux, son apparence aurait pu sembler incongrue, mais la faune qui virevoltait sur le trottoir la faisait paraître presque normale.

— Cette tenue te va à ravir, dit le conducteur en esquissant un sourire.

— L'art du camouflage… Au fait, une camionnette de flics est stationnée juste à côté de l'hôtel, attends-moi plutôt au coin de la rue.

L'homme en blouson de cuir brun crispa ses mains sur le volant.

— OK… Tu as bien le timing en tête ?

Elle claqua la porte passager et se pencha vers la fenêtre.

— Je vais faire comme si je n'avais pas entendu cette question.

La jeune femme ne décolérait pas depuis qu'elle avait dû enfiler cette tenue ridicule. Elle détestait le monde de la mode autant que le maquillage. Heureusement qu'elle portait une bonne vieille paire de rangers.

L'entrée du George-V ne se trouvait qu'à une trentaine de mètres, un cordon avait été installé pour bloquer les badauds qui se pressaient autour du palace. Un service de sécurité filtrait l'accès devant une longue barrière. Une file d'invités VIP aimantait les regards de la foule d'envieux, à qui l'entrée au paradis était refusée.

La femme s'inséra dans la file des privilégiés et attendit son tour, fière d'être une intruse dans ce petit monde absurde à ses yeux. Cette mise en scène élitiste lui rappelait l'entrée de ces boîtes de nuit parisiennes où s'agglutinaient des hordes de gueux qui ne pouvaient jamais y pénétrer. Elle ne comprenait pas pourquoi ces désespérés de la vie s'infligeaient autant d'humiliation. Une seule fois, dix ans plus tôt, on lui avait refusé l'entrée d'une boîte. La veille du départ pour son incorporation à l'armée. Sa coupe à la garçonne, la boule presque à zéro, avait déplu au physionomiste. Le lendemain matin, elle s'était rappelée à son bon souvenir en le passant à tabac avec son copain de l'époque.

Une petite créature flanquée d'un manteau léopard vert, fichée sur deux jambes allumettes roses, s'approcha d'elle, la mine papillonnante. La gamine lui prit l'avant-bras en se collant presque à elle. Un effluve de parfum bon marché en prime.

— J'aime trop ton look, je peux passer avec toi ? dit la fille. On m'a dit que les invits, c'est pour deux.

— Qui te dit que je suis seule ? répliqua la femme à la perruque bleue, d'un air aussi lugubre que son fond de teint.

— Ben… J'sais pas… Tu parles à personne. C'est mon rêve d'assister à un défilé de Lana Garland.

— Tu veux un conseil, ma petite ?

— Pour entrer ?

— Non, pour te désinfecter le cerveau. Débouche une bouteille de Javel et aspire un coup. Ça va te remettre les idées en place. Maintenant, barre-toi ou je te plie en quatre morceaux.

La fille écarquilla de grands yeux et battit en retraite. L'intruse sortit son portable et ouvrit le fichier du carton d'invitation. Cela avait été si facile de pirater le réseau de l'agence de com qui gérait le défilé et d'insérer un nom supplémentaire. Arrivée devant l'hôtesse d'accueil et les deux vigiles, elle tendit son smartphone en affichant le même air méprisant et satisfait que le reste des invités. La blonde de service vérifia son nom et lui tendit une pochette noire.

— C'est quoi ? demanda l'intruse d'une voix hautaine.

— Je vois sur la liste que vous êtes inscrite en influenceuse beauté. C'est un nécessaire make-up de notre partenaire, les laboratoires Gloomy. N'hésitez pas à partager si vous aimez.

— Je n'y manquerai pas, mentit Perruque bleue.

Suivant la file d'invités, elle poussa à son tour la

lourde porte tournante du palace et pénétra dans le vaste hall d'entrée d'une démarche nonchalante, comme une habituée des lieux. Ce qui était un peu le cas, elle en connaissait par cœur la topographie. En deux semaines, elle était venue trois fois au bar du prestigieux hôtel, en veillant à changer soigneusement d'apparence pour ne pas se faire remarquer par le service de sécurité, allant jusqu'à porter un hidjab. Encore un sommet de l'absurde. Mais la mission passait avant tout. Une mission qui rapportait gros.

Elle ne put s'empêcher de marquer un temps d'arrêt dans le hall pour admirer l'époustouflante cascade de camélias rouges et de roses blanches qui dégoulinait du plafond, le long de lames de verre aux reflets aquatiques. Des haut-parleurs invisibles crachaient un son plus adapté à un club d'Ibiza qu'à un vénérable palace.

Une pancarte indiquait le chemin qui menait à l'une des salles de réception utilisées pour le défilé Giverny. Un peu en retrait, collé à un pilier de marbre, un cerbère à l'allure de rugbyman, l'oreillette réglementaire vissée dans l'oreille, scrutait les invités et remettait dans le droit chemin ceux qui s'égaraient.

Perruque bleue se mêla au groupe qui avançait devant elle afin de se fondre dans la masse. Quelques minutes plus tard, elle pénétra dans une grande salle transformée en showroom. Elle tressaillit. Le décor avait changé depuis son repérage. Il avait été volontairement épuré au point qu'on pouvait s'interroger sur le choix d'un tel palace si ce n'était pas pour profiter de sa décoration ostentatoire. Les murs se drapaient d'un blanc cireux aussi livide que son fond de teint.

À l'évidence, ce n'était pas une présentation dans

laquelle les mannequins défilaient sur une allée centrale, entourée de sièges. La marque avait opté pour une exposition statique. Les modèles étaient alignés tout le long des murs comme des statues dans un musée. Les clientes passaient devant elles, virevoltaient et tourbillonnaient. L'intruse s'en contenta fort bien, cette disposition allait faciliter grandement sa mission. Elle s'avança vers le centre de la salle et inspecta la grappe d'invités. Sa cible était censée porter un imperméable blanc et des gants grenat qu'elle ne quittait jamais. Il lui fallut moins d'une minute pour la repérer. C'était une quadragénaire au visage de plastique, aux cheveux blonds et courts, qui inspectait la jupe lamée d'un des mannequins. Perruque bleue connaissait son profil par cœur. Anna Barthélemy, future ex-épouse de Paul Barthélemy, actionnaire principal des haras de Vaucourt et de Universal Import, spécialisé dans les échanges commerciaux avec l'Afrique. En instance de divorce depuis trois ans, elle épuisait la vitalité de ses deux amants et le portefeuille de son futur ex-mari. La moitié de son compte en banque avait déjà fondu. À ce rythme, le pauvre homme se retrouverait l'hiver suivant dans une file des Restos du cœur, et pas du côté des bénévoles…

L'intruse avait accepté le contrat avec une pointe de regret, elle éprouvait presque de la sympathie envers cette femme certes vénale, mais dont le mari avait fait fortune dans le trafic d'armes avant de se reconvertir dans l'import-export. Elle se fraya un passage vers la cible et finit par apercevoir sa garde du corps. Elle se tenait en retrait, à un peu plus d'un mètre, la seule femme de toute l'assistance qui avait un look passe-partout, en tailleur. Probablement une ex-policière ou militaire comme elle. L'intruse sourit en la détaillant, elle devait gagner dix fois moins qu'elle.

Perruque bleue se glissa dans la foule, en prenant soin de ne bousculer personne. Elle intercepta le regard d'un des mannequins et il lui sembla y déceler comme une expression de mépris. Elle se demanda comment ces filles pouvaient rester aussi longtemps immobiles sans sourciller, un peu comme les Horse Guards au palais de Buckingham.

Perruque bleue consulta sa montre, il était temps de passer à l'action. Elle s'approcha d'un mannequin qui portait un ensemble qu'elle trouvait tout bonnement ridicule et fit semblant de s'y intéresser. La cible était à environ deux mètres à sa gauche. Au moment où elle allait se rapprocher, une main se posa sur son épaule. Une onde d'adrénaline remonta dans sa nuque, mais elle ne se retourna pas tout de suite. Qui que ce soit, ça ne changerait rien de se retourner trop vite. Elle pivota lentement et découvrit un être dont elle n'arriva pas à identifier le sexe. Il ou elle arborait une chevelure de poney rose assortie à une barbe soigneusement taillée, le corps ceint dans une robe noire.

— Bonjour, je suis Julie, je travaille pour Giverny, je voulais savoir si vous étiez intéressée par un défilé privé. Nous l'organisons en exclusivité pour nos fidèles amies.

L'intruse secoua la tête en offrant son sourire le plus impersonnel.

— Non merci, je ne suis pas votre amie.

L'employée la détailla avec dédain, puis tourna les talons. L'intruse la regarda s'éloigner, et revint à sa cible. Anna Barthélemy était passée au mannequin voisin. Perruque bleue n'avait plus de temps à perdre, elle s'avança vers sa cible et plongea la main dans son sac. Elle empoigna sa cigarette électronique rouge, à peine plus épaisse qu'un stylo. De son index elle exerça une pression sur un renflement sur le côté. Une fine aiguille jaillit de l'extrémité du minuscule engin de mort. Sa main se crispa, une seule erreur de manipulation et son dernier soupir serait rendu au George-V. La cible ne ressentirait qu'une douleur fugace, à peine comme une piqûre de moustique.

Elle s'intercala entre deux autres femmes voisines de sa cible. Les gens se pressaient les uns contre les autres. Elle jeta un œil à la bodyguard qui semblait n'accorder aucun intérêt à sa mission. C'était le moment, l'intruse se plaça à côté de la blonde sans la regarder, les yeux tournés vers le mannequin. D'un geste précis, elle piqua la cible au niveau des lombaires.

Sans même marquer un temps d'arrêt, elle s'éloigna d'un pas nonchalant vers la sortie. C'est en entendant le premier cri derrière elle qu'elle sut que la mission était un franc succès.

Dix minutes plus tard, Perruque bleue était assise dans la camionnette de livraison qui filait en direction de la porte Maillot. Le conducteur en blouson de cuir brun ne la regardait même pas se déshabiller. Il s'alluma une cigarette et appuya sur l'accélérateur.

— Tout s'est bien passé?

— À question idiote, réponse idiote…, répliqua la fille aux cheveux châtains et ondulés qui avait jeté la perruque à l'arrière. Le Cyanurex, il n'y a pas mieux! Et toi, Alex, tu ne m'as même pas raconté ton opération. Il a fallu que j'écoute la radio pour entendre tes exploits.

— Propre et net. Comme d'habitude. Mais ça m'a ennuyé que ce soit un frère.

La jeune femme avait retiré son haut pour enfiler un pull noir souple.

— Sans blague ?

— Non, je plaisantais. Cet homme était corrompu. En fait, je n'ai fait que purifier la fraternité. J'ai coupé une branche pourrie.

— Et le client ? Il t'a confié une autre mission ?

Alex se tourna vers elle.

— Justement. On a rendez-vous avec lui.

20

Paris
Grand Orient
Lundi après-midi

Le parking était désert, faiblement éclairé par des veilleuses vertes qui se perdaient dans la pénombre. Le vigile obliqua à droite et poussa une porte de fer repeinte en vert pomme avant de braquer sa torche à l'intérieur.

— Faites attention où vous mettez les pieds, c'est rempli de ferraille.

Alice et Antoine avancèrent jusqu'au fond du réduit qui se terminait par une nouvelle porte en bois vermoulu, identique à celles que l'on trouvait dans nombre de caves parisiennes. Le vigile la montra du doigt.

— Le cambrioleur s'est enfui par là. Vos collègues de la police scientifique sont venus relever les empreintes. Apparemment, ils n'ont rien trouvé.

Marcas poussa la porte, une succession de caves vides apparut sous le halo de la torche.

— Où sommes-nous ?

— Dans les caves du cercle de jeu désaffecté qui occupe le bâtiment voisin du nôtre, indiqua le vigile. Il appartenait à un parrain du grand banditisme corse. L'obédience voulait acheter leurs locaux pour nous agrandir, mais ça ne s'est pas fait. Trop compliqué... Excepté le voleur, plus personne n'est passé par ici depuis des années.

— Et il s'est enfui par où ? demanda Alice.

— Il est remonté dans les locaux de l'ancien cercle, et il a cassé une vitre qui donne sur une arrière-cour.

Le trio emprunta un escalier en colimaçon. Une forte odeur d'humidité suintait des murs. Antoine sentit un rat qui filait entre ses pieds et s'abstint de tout commentaire. Après tout, à Paris, il y avait autant de rongeurs que d'habitants. La bestiole avait le droit d'occuper les lieux. Ils arrivèrent dans une sorte de réserve où étaient entreposées des tables tapissées de vert, renversées sur le côté et recouvertes d'une épaisse couche de poussière. Le vigile intervint :

— Un ancien croupier m'a raconté que, du temps de sa gloire, ce tripot brassait chaque année des millions. D'ailleurs, certains soirs, il voyait passer des frères qui venaient taper un poker après leurs agapes.

— Le symbolisme d'un brelan ou d'un carré de dames n'est plus à démontrer, ricana Antoine. Reste à savoir pourquoi une seule porte en bois branlante sépare notre obédience de cet établissement sélect. Pourquoi les propriétaires n'ont-ils pas muré le passage ?

— Ils l'ont fait, mais deux ans après la fermeture, des squatteurs ont occupé les locaux pendant quelques mois. Ce sont eux qui ont rouvert le passage entre les deux immeubles. Du coup on a fait poser une porte.

Alice Grier se tourna vers le gardien.

— Éclairez-moi. Si le cambrioleur est entré et sorti par là, en revanche, comment a-t-il fait pour pénétrer dans le parking. La porte sécurisée s'ouvre dans les deux sens ?

— Non. C'est impossible de rentrer par les caves du cercle. Il n'y a pas de digicode de l'autre côté de la porte.

Antoine intervint :

— Quelqu'un a dû forcément lui ouvrir.

Alice sourit.

— Une main fraternelle, sans doute.

Marcas et le commandant Grier étaient assis à la terrasse du dernier étage de l'immeuble de la rue Cadet au milieu des tables du restaurant, désert à cette heure. À l'autre bout de la terrasse, le Grand Maître répondait à un appel. Les deux policiers buvaient un chocolat chaud sirupeux à souhait. La vue spectaculaire offrait une mer d'ardoise. Vers le nord, en direction de Montmartre, on apercevait le dôme de la basilique du Sacré-Cœur. Une église particulièrement honnie par les maçons les plus athées, car elle avait été bâtie par les catholiques pour expier les péchés des événements de la Commune de Paris, pendant lesquels nombre de frères parisiens avaient perdu la vie. Des deux côtés. Le front plissé, le Grand Maître les rejoignit.

— Bon, vos collègues ont arrêté une poignée de manifestants. Cette fois on a fait fort, il y avait des islamistes radicaux et des cathos tradis dans la manifestation. Les tireurs de mortier venaient, eux, tout droit de banlieue. La police va contrôler les accès à la rue pendant toute la semaine. Dans quel monde vivons-nous…

— Un monde qui aime de moins en moins les

institutions et ce qu'elles représentent, mon très cher frère, répliqua Marcas désabusé. Le type qui m'a fracassé le crâne en bas de la rue il y a deux ans était persuadé que je faisais partie d'un complot pour dominer le monde. Il y croyait dur comme fer, avec un bac plus trois en économie.

— Un fou... J'espère qu'il a fini à l'asile.

— En taule pour trois ans. Il avait toute sa tête et c'est bien là le problème. C'est une armée sans nationalité, sans visage et sans nom, et elle nous a déclaré la guerre. Une guerre qui ne fait que commencer. Les jeunes seront les premiers à monter au front et nous, les parents, ne verrons rien venir !

Au moment où il terminait sa phrase, il comprit qu'il s'était un peu emballé. Le Grand Maître et Grier le dévisagèrent avec étonnement. Puis le dignitaire reprit d'une voix lasse :

— Comment voyez-vous la suite des événements ?

— Nous allons explorer toutes les pistes, répondit Alice. Mais ce qui est certain, c'est que le cambrioleur a bénéficié de la complicité d'une personne à l'intérieur. Reste à savoir si c'est quelqu'un de vivant ou de mort.

— Vous suspectez le frère Daniel ? Voyons, ça ne tient pas la route, pourquoi assassiner son complice ?

— Pour se débarrasser d'un témoin gênant.

— On nage en plein polar... Je m'en serais bien passé.

— Moi aussi, figurez-vous. J'ai dû abréger ma première semaine de vacances depuis un siècle. Quelle était la fonction exacte de la victime au sein de votre association ?

— Conseiller. Le Grand Maître est élu par trente-sept conseillers qui représentent les loges de toute la France.

Ces femmes et ces hommes forment un cercle fraternel et fonctionnent à la manière d'un conseil d'administration pour prendre les décisions nécessaires à la bonne marche de l'institution. Ce sont tous des bénévoles, je le précise. Bien sûr, tous doivent être en parfaite symbiose avec le Grand Maître.

Antoine sourit intérieurement. Le Grand Maître oubliait de préciser que certains *bénévoles* étaient devenus de véritables professionnels de la maçonnerie. Des personnalités d'influence dans le monde profane et de véritables faiseurs de rois dans l'obédience. Quant à la *symbiose*, il savourait le doux euphémisme. Les guerres intestines au sein du conseil de l'ordre valaient tous les épisodes de *Game of Thrones*.

Alice reposa sa tasse et s'essuya les lèvres avec application.

— Je voudrais avoir accès à tous les dossiers traités par votre conseiller.

— Je vais demander à ma secrétaire de vous les fournir. D'ailleurs, elle connaît les dossiers mieux que moi. Et puis je vous l'avoue, je suis encore sous le choc. Un cambriolage, un meurtre et un attentat dans la même journée…

— Bienvenue dans la réalité, mon frère, répliqua Antoine ironiquement. Maintenant, dis-moi, les ouvrages volés étaient-ils assurés ?

— Oui, heureusement. Mais leur perte nous porte un préjudice considérable. Selon le conservateur, ils étaient uniques. Penser qu'un collectionneur puisse commettre un meurtre pour des livres, voilà qui me laisse sans voix. Sans compter tous les fantasmes que l'on va devoir gérer sur les réseaux sociaux.

180

Le Grand Maître avait l'air sincèrement abattu. Alice se leva. Elle en avait assez entendu.

— Vous me tiendrez au courant de l'avancée de l'enquête ? demanda le dignitaire.

— Peu probable, répondit la policière d'une voix ferme. Imaginez que le meurtrier ait d'autres complices parmi vos membres ? D'ailleurs je pense que le commandant Marcas partage mon avis, tout frère qu'il est ?

Antoine la jaugea avec amusement.

— Remarque frappée au coin du bon sens.

— C'était une réponse, pas une remarque. Bonne journée, monsieur le Grand Maître.

Les deux policiers prirent l'ascenseur. Antoine se planta devant sa collègue.

— Vous pensez vraiment que je vais tenir mes frères au courant ?

— À vous de me le dire.

— Je cloisonne toujours dans mon métier. Vous n'êtes pas tenue de me croire, mais je déteste tout comme vous les pressions quand je mène une enquête.

— Les francs-maçons prêtent serment et se jurent fidélité. Vous ne devez pas obéissance à votre Grand Maître ?

Il allait répondre quand la cabine s'arrêta. Deux hommes et une femme brune entrèrent en devisant. Antoine les reconnut. Les deux frères faisaient partie de la loge Montmorency-Luxembourg à laquelle il avait appartenu, et la sœur était la dynamique vénérable de la loge Pierre Mendès France.

Il fit un signe fraternel, la piquante brune répondit par une bise sonore.

— J'espère qu'ils vont coffrer ces excités, lança-t-elle, l'ambiance devient vraiment lourde… Antoine, ça faisait longtemps que l'on ne t'avait pas vu. Quand viens-tu nous rendre visite ?

— Bientôt, ma chère Sophie. Dis-moi, ma collègue profane ici présente me demande si nous obéissons aux grands maîtres. Tu veux lui répondre ?

Sophie éclata d'un rire enjoué et se tourna vers le commandant.

— Je n'ai jamais obéi à un homme. Alors un… Grand Maître. Ce n'est qu'un titre honorifique, rien de plus. Vous êtes charmante, mademoiselle. Personne n'a à nous dire ce que l'on doit penser ou faire. Ce serait le contraire de notre engagement.

Les deux frères, jusque-là silencieux, échangèrent un regard complice avec Antoine. Le plus jeune intervint en prenant un air grave :

— Cette sœur ment, ne l'écoutez pas. Moi j'obéis corps et âme à notre vénéré Grand Maître. D'ailleurs, il m'a demandé de lui fournir trois vierges à sacrifier pour une messe noire. Autant vous dire que ça n'a pas été facile, mais j'ai réussi. Et il m'a promis en échange que j'entrerais dans le cercle secret des Illuminati de Cadet. La loge qui contrôle les élections présidentielles. L'élite secrète de la franc-maçonnerie. Même Marcas ne peut pas y entrer.

— Les manifestants avaient raison, on tient le monde dans notre main et c'est le Grand Maître qui l'agite…

Un éclat de rire secoua la cabine. À l'évidence, les trois maçons se moquaient d'elle. Alice se raidit, mais n'en montra rien, se contentant d'un sourire figé. L'ascenseur arriva au rez-de-chaussée, la sœur salua Antoine tandis que la policière s'élançait à travers le hall. Marcas la rattrapa à grandes enjambées dans la rue qui offrait un décor de désolation. Vitrines de boutiques brisées, barrières de sécurité éparpillées en vrac sur le bitume, coulées de peinture rouge sur les murs, déchets et gravats partout. Et surtout, une odeur infecte de plastique brûlé qui saturait l'air. Deux camions de police et des CRS armés et casqués ajoutaient une touche déprimante au décor. La sympathique artère commerçante n'était plus que l'ombre d'elle-même.

— Vous avez d'autres questions sur la franc-maçonnerie ? demanda-t-il en observant les dégâts.

— Si vous n'en profitez pas pour me ridiculiser… Je ne suis pas la seule à me les poser. Jetez un œil à la façade de votre association.

Il tourna la tête. Une étoile de David et un œil dans un triangle avaient été barbouillés sur l'une des vitres du rez-de-chaussée. Les dessins maladroits étaient assortis d'un commentaire rageur.

Mort aux juifs francs massons.

— Très créatif sur l'orthographe, opina Marcas, ils ont oublié le *c* et la cédille.

— Ils n'ont pas oublié la librairie à côté…

Il découvrit avec tristesse la devanture balafrée de la librairie maçonnique Detrad, qui jouxtait l'obédience. Vitrine explosée, livres brûlés, les deux libraires passaient le balai devant la porte pour évacuer les débris de verre. Il leur adressa un sourire blessé.

— C'est la Nuit de Cristal[1] à Paris…

---

1. Expression qui désigne la nuit du 9-10 novembre 1938, marquée, en Allemagne, par des attaques des nazis contre les commerces juifs.

21

Paris
Rue Cadet
Lundi après-midi

Les deux policiers contemplaient la rue Cadet dévastée. Au-dessus de leurs têtes, le ciel prenait une nuance de gris torturé. De fines gouttes commençaient déjà à perler sur le trottoir. Marcas prit l'initiative :

— Comment voulez-vous procéder pour l'enquête ?

— Curieuse question, mais j'oubliais que vous n'êtes pas dans votre élément, répondit Alice avec une pointe d'ironie. Comme pour toute procédure criminelle, on commence par enquêter dans l'entourage de la victime. Il avait une épouse et deux enfants. Ensuite, épluchage de ses relevés téléphoniques et mails, tripatouillage de ses réseaux sociaux…

— Merci, je sais tout cela, même si je ne travaille pas dans votre brigade de frimeurs.

— Frimeurs ?

— À la Crim, vous vous prenez pour l'aristocratie de

la maison. Ça n'a pas dû changer… En clair, je voulais savoir comment je pouvais vous aider sans vous gêner. Que vous le vouliez ou non, nous sommes dans le même bateau.

— Certes, mais je tiens le gouvernail.

— Je n'en ai jamais douté et je vous l'ai déjà signifié. Si vous avez besoin de me le redire, c'est que vous n'avez peut-être pas les épaules.

Elle le fusilla d'un regard aussi métallique que les barrières de sécurité qui jonchaient la chaussée.

— Je plaisantais, reprit Marcas. On ne vous apprend pas le second degré à la Crim ?

— Encore faut-il qu'il y ait matière à un premier degré…

— Je n'aurais pas dû vous sauver du tir de mortier. Les cheveux cramés, ça doit très bien vous aller.

Les deux policiers se jaugèrent.

— OK, commandant Marcas. Utilisons au mieux vos compétences en matière… maçonnique. Qu'allez-vous faire ? Je vous écoute.

— Je retourne au Grand Orient pour cuisiner Jolier et creuser un petit peu sur les collectionneurs qui pourraient avoir commandité le vol. C'est peu probable, mais on ne sait jamais.

Le visage d'Alice s'éclaircit.

— Parfait. Et moi je vous tiens au courant, mentit-elle avec aplomb. À plus tard.

Et elle le planta sans attendre sa réponse. Antoine la suivit du regard, en se demandant si elle n'allait pas se retourner. Mais elle disparut en un clin d'œil au coin de la rue. À l'évidence, il n'était pas du goût de cette amazone.

Quand Marcas pénétra dans le bureau de Jolier, un air humide et glacé le frappa au visage.

— Tu veux chasser l'âme du défunt ? demanda Antoine avec curiosité.

— Plutôt son odeur. Et surtout celle de l'infect produit chimique que tes collègues ont répandu partout. Sérieusement, le meurtrier aurait pu se débarrasser du cadavre ailleurs.

— On ne peut pas dire que tu regrettes notre défunt frère.

— Gémissons ! Gémissons[1] ! Qu'il aille à l'Orient éternel et au diable.

— Bertils était si infréquentable que ça ?

Jolier se rapprocha de lui et jeta un œil par-dessus son épaule en direction du couloir.

— Je n'ai pas tout dit à ta collègue, mais je le suspecte d'avoir déjà volé des archives pour les revendre dans des réseaux parallèles.

— Précise…

— Du fait de son titre de conseiller à la culture, je suis obligé de lui faire part de nos achats et de toutes découvertes susceptibles d'intéresser notre ordre. Il y a deux mois, je lui ai montré une série de planches symboliques rédigées par Claude de Saint-Martin.

— Saint-Martin… Surnommé le philosophe inconnu, si ma mémoire est bonne. Un maçon de la fin du XVIIIe qui professait des doctrines ésotériques pour le moins débridées.

---

1. Expression employée par les frères et sœurs quand ils apprennent la mort de l'un des leurs.

— Des documents précieux et qui intéressent au plus haut point les collectionneurs férus d'ésotérisme. Un ensemble d'enseignements mettant en correspondance la symbolique maçonnique et celle de l'alchimie.

— Et donc?

— Une semaine plus tard, elles avaient été égarées comme par enchantement. Je n'en ai parlé à personne, mais je suis sûr qu'il s'est rendu dans la salle des archives, à côté de la bibliothèque. J'avais pris quelques jours de congé et comme il a une accréditation pour venir les consulter à tout moment...

— Tu es sûr?

— Je n'ai pas la preuve de ce que j'affirme, mais je ne vois que lui.

— Ça valait cher?

— Dans les dix mille euros...

— Ah, quand même!

Tu sais, Dertils a un passé pour le moins sulfureux. Tout pharmacien qu'il était, il a fait pas mal d'affaires en Afrique, précisément dans l'import-export de médicaments via sa pharmacie. Certains pensent même qu'il a travaillé pour la DGSE du temps où il tenait une officine en Côte d'Ivoire et au Mali.

— On l'a quand même nommé conseiller à la culture de l'Ordre...

— La bonne blague! Il couinait partout qu'il aurait voulu les finances.

— Pourquoi ne pas avoir signalé le vol à l'époque?

— Je l'ai fait. À Bertils en particulier. Il n'a pas bronché.

— Tu as fait part de tes soupçons à d'autres frères du conseil?

— Non. Je n'avais pas envie d'engranger les emmerdes. Accuser un membre du conseil de l'Ordre sans preuve, c'était peine perdue. Mais j'ai fait attention. J'ai demandé à la sécurité de me communiquer le listing des entrées et sorties badgées pendant mon absence. Eh bien, figure-toi que notre cher frère est venu au moins deux fois en soirée dans la salle des archives et une fois dans mon bureau.

— Je ne te comprends pas. Là encore tu n'as rien dit?

— Cette fois, j'allais le faire, mais j'étais en déplacement jusqu'à aujourd'hui.

— Sous le maillet[1], je te confirme que notre défunt frère n'avait pas la conscience immaculée. On a la preuve qu'il a reçu des transferts bancaires douteux avant le vol.

Antoine lança un regard vers la chambre forte.

— Il y a cependant quelque chose que je ne comprends pas. Imaginons que Bertils soit le complice du cambrioleur et que ce dernier ait voulu s'en débarrasser. Pourquoi lui avoir transféré des fonds avant le vol s'il comptait le buter?

— Ils se sont peut-être disputés sur place.

— Possible… Autre détail. Tu as dit que les livres qu'il a emportés sont uniques : ils ne pourront donc pas être vendus sur le marché officiel?

— Oui, d'autant que j'ai pris soin d'y apposer des ex-libris de l'obédience et de minuscules piqûres d'épingle à l'emplacement de certains mots sur la première page des trois premiers chapitres.

_____

1. Expression maçonnique. Permet de confier un secret.

— OK, donc son commanditaire ne pourra vraiment pas les écouler… Mais ce qui m'intrigue, c'est que si nous avons affaire à un voleur venu avec la liste de courses de son client, elle aurait dû être plus longue. À monter un cambriolage, autant se servir.

— Tu penses qu'il y a autre chose derrière ce cambriolage ?

Antoine s'était approché de la fenêtre. Il avait une furieuse envie de fumer une cigarette.

— C'est mon métier d'être suspicieux. As-tu fait part à Bertils de l'arrivée d'une nouvelle boîte d'archives ?

— Oui. Lors de notre dernière réunion, il y a deux semaines. J'ai d'ailleurs rédigé un résumé de notre entretien. Au cas où… Je dois avoir ça sur mon ordinateur.

— Je peux y jeter un œil ?

Jolier sortit son Mac portable tandis que Marcas regardait par la fenêtre, une cigarette discrètement allumée. Un camion de voirie aspergeait le trottoir pour chasser les détritus pendant que des hommes en combinaison verte ramassaient les barrières de métal. La vie reprenait son cours.

Il aspira la bouffée avec ravissement, se jurant comme d'habitude que c'était la dernière.

— Voyons voir… Ah voilà, dit Jolier, *réunion-octobre-Bertils*. C'est bien ça… Je lui ai d'abord parlé du prochain colloque sur le symbolisme écossais, puis des prêts de documents pour une exposition à Édimbourg. Et enfin de la dernière série d'archives en provenance de Russie que nous n'avions pas dépouillée.

Antoine se retourna en entendant prononcer les mots « archives » et « Russie ». Il écrasa son mégot et quitta

189

son poste d'observation à la fenêtre pour se rapprocher du conservateur.

— On parle bien des fonds maçonniques volés par les nazis en 1940 dans les obédiences parisiennes ? demanda-t-il d'une voix tendue. Expédiés à Berlin, puis récupérés par les Russes en 1945, à la chute du Troisième Reich, et entreposés à Moscou pendant des décennies ?

Jolier acquiesça en croisant les bras. Ses yeux flamboyaient.

— Oui. Et qu'ils nous ont rendus en 2000 après un accord passé entre le président Jacques Chirac et son homologue russe Boris Eltsine[1]. Des centaines de boîtes d'archives ramenées par camion jusqu'ici, ainsi qu'à la Grande Loge de France. La mémoire spoliée des maçons qui resurgissait à la lumière. Je m'en souviendrai toute ma vie. Mais toi, ça te rappelle d'autres souvenirs, non ?

Un frisson parcourut la nuque d'Antoine. Et ce n'était pas l'air glacé qui régnait dans la pièce.

— L'amertume d'un breuvage de sang et de mort.

Un silence poisseux planait dans le bureau du conservateur. Ce dernier se leva pour fermer les fenêtres.

— On se gèle ici, et le parfum du cadavre de Bertils s'est dissipé.

Antoine ne l'écoutait pas. Un flot d'images revenait brutalement à sa mémoire. C'était il y a des années, presque des siècles tant il avait enfoui ses souvenirs. L'assassinat d'une sœur archiviste au palais Farnèse à Rome où il assistait à une réception, l'irruption du groupe néonazi Thulé et de son chef, l'ancien SS

---

1. Authentique.

français Sol, la recherche du breuvage sacré pour entrer en contact avec les anciens dieux. *Le rituel de l'ombre*[1]... Sa première enquête en marge de ses attributions officielles, qui l'avait plongé dans un monde de sang et de merveilles.

— Antoine? Tout va bien?

Marcas se ressaisit et sourit.

— Oui... Excuse-moi. Évoquer ces archives russes m'a un peu troublé. Bon, revenons à ce qui nous occupe. Tu viens de me dire que vous étiez en train de dépouiller une série inédite. Mais elles vous ont été rendues il y a plus de vingt ans. Vous ne les aviez pas toutes analysées?

— Bien sûr que si, répondit Jolier. Celle dont je te parle provient d'un nouveau fonds arrivé il y a quelques semaines. Ces petits cachottiers de Russes n'avaient pas tout rendu à l'époque[2]. Ils nous en expédient au compte-gouttes quand l'envie leur prend. Ou à la demande insistante d'un Grand Maître que ça intéresse. Ce qui est loin d'être le cas. Bref, j'ai parlé à Bertils de la dernière boîte reçue.

— Ça l'a intéressé?

— Pas le moins du monde. Il m'a juste demandé communication du contenu. C'est notre sœur Hélène qui a fait l'inventaire.

— La chirurgienne? J'ai assisté à une de ses planches, hier soir.

---

1. Première enquête d'Antoine Marcas: *Le Rituel de l'ombre*, Fleuve noir, 2005.
2. Voir *La Mémoire volée des francs-maçons*. Documentaire réalisé pour France 5 et la RTBF, écrit par les deux auteurs et réalisé par Jean-Pierre Devillers.

— Exact. Tout ça pour te dire que j'ai transmis, quoique avec méfiance, cet inventaire à Bertils. Mais je pense que tu fais fausse route.

Marcas secoua doucement la tête.

— Nous devons tout vérifier. Quel est le contenu de cette boîte ?

— Jette un œil sur l'écran, j'ai justement le résumé sous les yeux.

Un listing apparaissait sous deux formes : en écriture cyrillique et avec sa traduction en français. Des lettres, des rapports, des comptes rendus… la banalité de l'administration d'une loge. Antoine parcourut l'inventaire et se gratta la joue.

— Si je comprends bien, chaque document contenu dans la boîte est numéroté et indexé ?

— Oui, c'est assez basique. Par exemple la lettre de nomination du vénérable de la loge Athanor porte la référence CZ-3-17. Il s'agit de la 17ᵉ page du carton reçu, en l'occurrence le CZ-3. Mais, encore une fois, tu pars sur une mauvaise piste. Le voleur a fait son beurre avec les livres.

— Et il n'a pas emporté les plus précieux de tous… quelque chose cloche. On peut jeter un œil à cette fameuse boîte ?

Jolier grommela et se rendit dans la pièce de la chambre forte. Il en revint avec un carton volumineux, bleuté, fermé par une ficelle à l'aspect usé. Sur le côté étaient inscrits des caractères russes et la référence CZ-3. Il déposa la caisse sur la table en écartant ce qu'il y avait dessus. Antoine voulut tirer sur la ficelle, mais le conservateur l'en empêcha en fronçant les sourcils.

— Malheureux ! lança-t-il en enfilant une paire de

gants maçonniques[1] immaculés. Tes doigts sont un poison pour cette fragile petite chose. Je m'en charge.

Jolier retourna la boîte sur le côté et entreprit de défaire la ficelle quand, soudain, il s'arrêta net. Antoine remarqua sa surprise.

— Un problème avec les gants ?

— Les gants non, le nœud oui. Quelqu'un a déjà ouvert cette boîte.

---

1. Gants fins portés par les maçons.

22

Paris
Rue Cadet
Lundi après-midi

Pour la première fois depuis le début de leur entrevue, Antoine sentit de la colère naître chez le conservateur.

— Sois un peu plus clair, mon frère.

— Bon sang ! jura Jolier. Je noue mes lacets et les boîtes d'archives avec un nœud de chirurgien. Ça permet de dénouer en tirant simplement sur les bouts. Or, là, nous avons un double nœud. Quelqu'un, ce salopard de Bertils ou son assassin, a ouvert la boîte et l'a refermée, pensant que l'on ne s'en apercevrait pas.

Jolier défit le nœud avec irritation et ouvrit la boîte. À l'intérieur s'empilait une collection de chemises cartonnées de couleurs vives. Le conservateur les feuilleta rapidement et s'arrêta sur l'une d'entre elles, orange.

— Ce dossier n'est pas à sa place, il aurait dû être classé avant le rouge. Je répertorie les chemises en suivant les teintes de l'arc-en-ciel. Et ce salopard a remis l'orange à la mauvaise place.

— Tu ne serais pas un peu maniaque ?

— Non, méticuleux.

Il sortit la chemise orangée, l'ouvrit et étala une trentaine de feuillets sur la table.

— Regarde le descriptif des documents de cette boîte, grommela le conservateur.

— Je suis dessus.

— D'accord, on va vérifier s'il manque quelque chose. J'ai entre les mains une première liasse de douze feuillets. Le jeu va de la page 123 à 134.

Marcas lut ce qu'il avait à l'écran, vérifia une nouvelle fois et secoua la tête.

— Non, le descriptif court jusqu'à la page 140.

Jolier tapa du poing sur la table.

— Les six dernières ne sont pas là. Tu as leur résumé ?

— Non. Il est juste indiqué : *diverses planches sur le symbolisme*, suivi du *cinquième rituel*.

— Cinquième rituel ? Ça ne me dit rien du tout.

— D'accord, mais ces pages, elles parlent de quoi ?

Le conservateur se pencha sur les feuillets. L'écriture était rapide et hachée, tout sauf un problème pour Jolier dont l'épigraphie était le péché mignon. Il releva la tête très rapidement.

— Rien que de très banal. Des résumés de planches pris par un secrétaire pressé. La dernière portait sur la valeur symbolique du fil à plomb…

— Là, c'est l'impasse. Notre voleur a piqué ces papiers et on ne saura jamais ce qu'il y avait dans ce mystérieux cinquième rituel.

Jolier tapota la table des doigts comme s'il jouait un air de musique.

— Tu te trompes. On a peut-être une chance. Suis-moi.

Il entraîna Antoine dans le bureau situé à côté du sien. La pièce était étroite, sans fenêtre, et se réduisait à un grand écran posé sur une table avec un scanner de dernière génération. Ainsi qu'une volumineuse imprimante de bureau. Deux boîtes à l'apparence défraîchie étaient posées sur une table basse.

— Nous sommes en train de numériser tout notre fonds d'archives. Un travail de moine copiste. Le frère qui s'en occupe voit défiler des centaines de pages par jour. Avec un peu de chance, il a scanné la boîte russe.

Jolier grimaça.

— J'ai oublié mes lunettes. Tu peux connecter l'ordinateur relié au scan ? Le mot de passe est *Boulogne1840*.

— Connaissant ton expertise en symbolique, ça doit vouloir dire quelque chose de précis. Le lieu et l'année de naissance d'un frère célèbre ?

— Non. C'est une référence à la Pierre de Boulogne, une pierre de loge, unique en son genre. En marbre de Marquise[1], elle pèse pas moins de cent kilos ! Le travail d'un sculpteur de Boulogne en 1840. J'ai d'ailleurs fait une communication là-dessus dans *Renaissance traditionnelle*.

— Je me demande ce qui n'est pas symbolique chez toi, sourit Marcas, toujours bluffé par l'érudition de son ami.

Il tapa le mot de passe. La fameuse pierre surgit pour envahir brièvement tout l'écran. Haute et tronquée en

---

1. Appellation du marbre extrait des carrières du Pas-de-Calais.

son sommet, elle était recouverte sur toutes ses faces de symboles ésotériques. La pierre disparut pour dévoiler un écran bleuté, rempli d'icônes de fichiers.

— Et ensuite ? demanda Marcas.

— Le fichier en haut à droite avec une photo de poisson.

— Le symbole du Christ, je suppose ?

Jolier éclata de rire.

— Pas du tout. Je suis un passionné de pêche. Faut pas voir des symboles là où il n'y en a pas, Antoine.

Marcas sourit de nouveau et ouvrit le fichier. Des numéros de boîtes apparaissaient dans une large fenêtre, sous la forme d'une liste classée à la verticale. Ça n'en finissait pas. Il cliqua au hasard sur l'un d'entre eux : une myriade de documents surgit à nouveau, avec pour chacun une cote, un numéro de page et sa photo scannée. Antoine était effaré par l'ampleur de la numérisation des documents.

Des milliers de pièces d'archives oubliées étaient désormais disponibles. Il était comme hypnotisé. Ces documents avaient été écrits par des frères morts depuis des siècles, leurs os n'étaient plus que cendres ou pourrissaient sous terre, pourtant leur esprit revenait d'entre les morts. Une partie de ce qui avait été eux s'était métamorphosée en octets, en données binaires. En corpuscules électroniques infinitésimaux.

Les numéros de boîte défilaient sous ses yeux à toute vitesse. Il arriva à la collection C. Plus que quelques secondes…

— CZ-3. J'ai trouvé ! s'exclama-t-il. Rappelle-moi le numéro des pages manquantes.

— 135 à 140.

— C'est bon. J'ai le cinquième rituel !

23

Paris
Rue Cadet
Lundi après-midi

La lueur bleutée du grand écran scintillait dans la pièce silencieuse. Antoine et Jolier s'étaient tous les deux penchés pour scruter la première page. Le papier jauni par le temps était recouvert d'une fine écriture penchée à droite, typique du XVIIIᵉ siècle.

Un titre barrait le haut de la page.

CINQUIÈME RITUEL

Plus bas, au premier tiers du feuillet, se détachait une gravure qui semblait de facture plus ancienne.

Jolier semblait fasciné.

— Pour l'explication du titre *Cinquième rituel*, je sèche. En revanche ce dessin représente les quatre éléments, et l'homme en son centre, mais il est bien antérieur à la rédaction du texte. L'auteur a reproduit une œuvre plus ancienne.

— Comment le sais-tu ?

— Parce que je l'ai reconnue. Elle est tirée d'un ouvrage philosophique célèbre au Moyen Âge, *Le Livre des propriétés des choses*, rédigé par un moine franciscain, Bartholomeus Anglicus. Cette représentation, ainsi que d'autres dessins originaux, est conservée à la Bibliothèque nationale de France.

— Et que dit le texte ?

Le conservateur s'abîma dans la lecture. Les minutes s'écoulaient dans un silence absolu. Antoine n'osa pas le briser.

— C'est vraiment étrange, murmurait Jolier, très étrange. Je…

Au moment où il levait la tête de l'écran, le téléphone d'Antoine vibra.

— Excuse-moi, c'est sans doute pour l'enquête.

Il sortit son portable de sa veste et découvrit, stupéfait, le prénom de son fils. Antoine posa la main sur l'épaule de Jolier.

— Je dois prendre l'appel.

Il sortit de la pièce et fila dans la bibliothèque, déserte à cette heure. Pierre l'appelait enfin.

— Où es-tu ? lança-t-il en refermant la porte derrière lui.

— Papa… Je suis… Je suis désolé. Je ne voulais pas…

— On s'en fout de tes raisons. Il faut que l'on se voie le plus vite possible.

— Oui, je sais, mais pas maintenant.

— Tu as conscience de ce que tu as fait? L'agression d'un policier! Tu risques la prison!

Un silence glacé s'écoula avant que Pierre ne réponde d'une voix faible.

— Tu m'as dénoncé?

Marcas reçut cette phrase comme un coup de couteau en plein ventre. *Dénoncer*. Ça rappelait l'Occupation. Comment son fils pouvait-il le croire capable d'une telle ignominie?

— Non. Je n'ai rien dit. Sauf que maintenant je suis dans la merde à cause de toi.

— C'est vrai, ça?

— Ça suffit, Pierre! Tu ne vas pas en plus me traiter de menteur. J'ai raconté que tu m'avais échappé. Mais j'ai une enquête au cul : il y avait un témoin de la scène. Un ancien flic qui a le bras long dans la maison.

— Merci, papa, répliqua son fils. (Marcas crut entendre un soupir de soulagement.) Je te rappelle plus tard.

— Non, ne raccroche pas! Pierre!

L'appel était coupé.

— Petit con, lâcha Antoine en revenant dans le bureau des numérisations.

Jolier était en train de prendre des notes à toute allure sur un calepin.

— Excuse-moi, murmura Antoine, la voix râpeuse.

— Tu as l'air contrarié, dit le conservateur en se levant de son siège. Des nouvelles de ta collègue pas très aimable?

200

— Non, rien à voir. Mon fils…

— Je me souviens que tu l'amenais parfois ici. Je lui avais fait visiter les temples, il était tout gamin. Il voulait décrocher les épées suspendues aux murs du temple Lafayette. Marcas junior jouait les escrimeurs pour en découdre.

— Ça n'a pas changé, hélas, grimaça Antoine. Bon, revenons au cinquième rituel. Qu'as-tu trouvé ?

Le conservateur s'était posté à côté de l'imprimante qui bourdonnait à toute allure.

— J'imprime des copies pour que tu puisses les emporter.

— Bonne idée. Et donc ?

— Contrairement à ce que je pensais, ce n'est pas une planche, mais un récit, assez court, sur la découverte d'un cinquième élément symbolique, à côté de la terre, l'eau, l'air et le feu.

Antoine hocha la tête d'un air dubitatif, comme tout maçon il connaissait la signification des quatre éléments qui faisaient partie de l'initiation. Le profane passe par l'épreuve de la terre, qui symbolise la stabilité, le concret, la réalité, mais aussi la terre qui ensevelit le vivant, l'enveloppe lors de sa mort initiatique pour revivre. L'eau ensuite. Symbole de la vie, qui élève l'homme de la matière terrestre vers l'esprit. L'eau qui purifie, qui débarrasse des scories. L'eau présente dans toute vie organique, qui marque la différence avec le monde minéral. Vient ensuite l'air, symbole de liberté, de transmission, de connaissance, de parole, du verbe. L'air, le seul des quatre éléments invisible à l'œil humain, évoque aussi le mystère et le caractère impalpable de l'esprit. Le souffle divin, pour les maçons ayant la foi. Et enfin le feu pour l'énergie, la force créatrice, l'intelligence qui crée ou détruit selon que l'on en fait bon ou mauvais usage. Le feu qui dissipe les ténèbres, mais qui peut faire des ravages. Antoine connaissait tout cela, mais jamais on ne lui avait parlé d'un cinquième élément.

— Tu sais qui a écrit ce document?

— L'auteur se présente comme un maçon de la loge Athanor, mais ne donne pas son nom. À l'époque, beaucoup de loges travaillaient sur toutes sortes de recherches ésotériques. L'alchimie, les Rose-Croix, les enseignements bibliques cachés... Certains frères s'échauffaient un peu trop le cerveau.

— Je sais, j'ai assisté à la planche de notre sœur chirurgienne sur le concept de la lumière noire. La lumière du mal. Très intéressant. Mais revenons à ces feuillets.

— À la première page, notre mystérieux frère explique qu'il faut maîtriser les quatre éléments pour découvrir le cinquième, qui intègre la puissance des quatre premiers et peut être «invoqué», mais l'auteur met en garde contre sa puissance dévastatrice s'il est mal employé. Il a écrit une phrase étrange. Je l'ai notée.

Antoine tendit l'oreille.

— «Le cinquième rituel est mort et renaissance. Pouvoir et perte de pouvoir. Savoir et perte de savoir. Sagesse et folie. Il est l'aube de l'homme. Celui qui le possède deviendra pareil à l'origine. Il sera l'origine.»

— Rien que ça!

— Moi qui aime les énigmes, je suis servi, continua le conservateur. Je vais faire des recherches pour savoir si on trouve cette histoire de cinquième rituel dans d'autres récits maçonniques.

— Mais je ne comprends pas, c'est quoi? Un rituel secret, une potion magique, un livre de pouvoirs? demanda Marcas, plutôt ironique.

— Rien n'est dit sur la nature de ce secret. Et c'est là tout le problème. Si chaque page évoque un élément en particulier, l'ultime, la plus intéressante, celle qui correspond au cinquième élément, est manquante.

— Attends, que je comprenne. Cette numérisation a bien été faite avant le vol: donc cette page était déjà manquante?

— Oui, d'ailleurs la suite des documents numérisés passe à un tout autre texte. Il manque bien un feuillet. Mais c'est déjà arrivé plusieurs fois dans les archives de retour de Moscou: ce qui manque soit est resté là-bas, soit a été détruit ou perdu pendant la guerre.

Antoine se massa les tempes. Un début de migraine commençait à lui tarauder le cerveau. Il avait besoin d'y voir plus clair.

— Mettons-nous à la place de notre assassin ou de son commanditaire. Tablons d'abord sur l'hypothèse qu'il est venu voler ce manuscrit pour découvrir le secret du cinquième rituel, avec l'aide intéressée de Bertils. Il fait diversion en emportant des livres rares et s'arrange pour que personne ne s'aperçoive du but réel de son cambriolage. Problème, lui ou son commanditaire vont rapidement s'apercevoir, comme nous, qu'il manque une page. Ils vont donc arriver rapidement à la même conclusion que toi?

— Oui, Moscou!

— Si tant est que la feuille manquante soit encore là-bas, enfouie dans une autre boîte et non pas perdue à jamais. Dis-moi où elle se trouve? Dans la capitale même?

Jolier se renversa sur son siège.

— Au service des archives de l'Armée rouge, dans la banlieue.

— Alors, ça signifie que notre voleur et assassin s'y rendra. Sauf qu'il a un jour d'avance sur nous…

— Tu penses que tes supérieurs t'autoriseraient à partir pour Moscou ?

— Ça m'étonnerait que le commandant Grier me paye le billet, répondit Antoine dans un demi-sourire. Et les Russes ne risquent pas d'accepter ma présence dans le cadre d'une enquête sur un meurtre. Il faudrait passer par une demande officielle et j'aurais la police russe collée aux fesses. Non, je dois m'y rendre sous un motif plus anodin. Tu pourrais me ménager une entrée en expliquant que je dois faire des recherches dans leur fonds maçonnique ?

Le conservateur réfléchissait, les yeux fixés sur les documents numérisés.

— C'est possible, mais je ne te garantis rien. Mon contact là-bas est très prudent. Ces archives dépendent du ministère des Armées. Mais quand bien même tu aurais une raison valable, comment vas-tu faire pour le visa et pour la logistique ?

Antoine consulta sa montre en souriant.

— Je crois que j'ai un atout dans ma manche.

— Lequel ?

— Un frère au corps svelte et au bras long.

24

Paris
13ᵉ arrondissement
Lundi après-midi

— C'est quand même pas compliqué de cuisiner un éclair au chocolat digne de ce nom !

Le capitaine Carlin jeta à la poubelle la pâtisserie qu'il venait d'acheter deux minutes plus tôt à la boulangerie du coin de la rue de Tolbiac. Les deux policiers sortaient de leur visite au domicile de la veuve Bertils, dans la même rue.

— Moins de sucre dans le sang, c'est le passeport pour vivre centenaire, répliqua le commandant Grier, qui tapotait sur son téléphone.

— Je m'en fous de vivre cent ans. Je voulais un éclair. Mais apparemment c'est peine perdue dans le 13ᵉ. J'aurais dû me prendre des nems.

— Et raciste avec ça, tu aggraves ton cas.

— OK. Bon, et maintenant, on fait quoi ? J'ai l'impression que le dossier Bertils va échouer aux affaires classées. Sa femme m'a presque rendu ce fumier sympathique. Elle n'a même pas fait semblant de regretter sa disparition. Ça donne pas envie de se marier.

— Quelle femme serait assez folle pour convoler avec toi ? répliqua Alice en hochant la tête.

Elle ne pouvait pas le contredire. L'interrogatoire de la veuve s'était révélé sans intérêt. Le couple cohabitait plus qu'il ne vivait ensemble et une requête en divorce dormait sur le bureau d'un juge depuis le printemps. Selon elle, Bertils avait la mauvaise habitude de se servir dans la caisse de la pharmacie pour éponger ses dettes. Quant à la franc-maçonnerie, elle s'en moquait éperdument. Ils avaient juste réussi à récupérer l'ordinateur personnel du défunt.

Les deux policiers montèrent dans la Mégane grise banalisée, stationnée devant la boulangerie.

— Il nous faudrait un miracle, et je n'y crois pas, dit Alice en déposant l'ordinateur sur le siège arrière.

— Et aux signes, vous y croyez ? J'ai lu un bouquin génial écrit par la médium Anne Tuffigo. Moi qui suis un vrai sceptique, ça m'a secoué.

— Pourquoi tu me parles de signes ?

Carlin indiqua la plaque bleue du nom de la rue accrochée au mur.

— Rue de la Providence.

— Je ne suis pas baptisée non plus. En attendant une intervention divine, j'ai envoyé un SMS au lieutenant Keller pour qu'il soit disponible quand nous reviendrons à la brigade. À lui de casser les mots de passe du portable de Bertils.

— Ah, Keller ! Mais quel queutard, celui-là ! Il m'a montré de ces photos…

Une onde glacée parcourut Alice en entendant le nom de son amant, mais elle garda un visage aussi fermé que la porte principale de la prison de Fleury-Mérogis.

Des photos... Et merde...

— C'est vrai ? demanda-t-elle d'un ton neutre.

— Oui, il aime bien s'immortaliser en action. Avec le consentement de ses partenaires, bien sûr.

Elle se maudissait de l'avoir pris comme amant. Heureusement qu'il ne lui avait pas fait le coup des photos. Mais c'était terminé. Affaire réglée.

— Avec un peu de chance, dit-elle, on pourra peut-être découvrir quelques secrets inavoués dans l'ordinateur de la victime.

— Le père Noël ne descend jamais dans la cheminée le jour des morts, répliqua Carlin.

La voiture filait en direction du quartier des Olympiades, avant de se diriger vers la Seine. Alice ne voulait pas se l'avouer, mais le pessimisme commençait à la gagner. Ils ne trouvaient rien. Ni sur la victime ni encore moins sur le tueur. L'autopsie n'avait rien révélé de plus que ce qui avait été établi par la police scientifique et il n'y avait aucune trace de sang ou d'ADN qui pouvait les mener vers un suspect. À ce rythme-là, elle allait pouvoir reprendre des jours de congé plus vite que prévu.

La voiture quitta le 13e arrondissement pour passer de l'autre côté de la Seine. Le paquebot bétonné de Bercy grossissait à vue d'œil.

— J'allais oublier ! J'ai obtenu des infos sur ce que vous m'avez demandé, dit Carlin d'une voix mystérieuse.

— Quelles infos ? Abrutis ! demanda Alice qui évita

de justesse deux gamins perchés sur une trottinette qui venaient de leur griller la priorité.

— Le commandant Marcas. Notre mystérieux enquêteur tombé du ciel.

— Ah oui… Et alors ?

— Divorcé, un fils de vingt-deux ans. Vit seul dans un appartement du 9e arrondissement.

— Je ne t'ai pas demandé un plan Tinder. Parle-moi de sa carrière pro !

— Madame préfère une fiche LinkedIn ? Eh bien, il a travaillé longtemps à l'OCRTIS, où il était considéré comme une pointure autant qu'un franc-tireur.

— *Pointure… Franc-tireur…* Encore des expressions de boomer. Et sinon ?

— Il a été victime d'une agression il y a deux ans qui l'a laissé dans le coma pendant plusieurs mois. Il a failli y rester.

— Il s'est passé quoi ?

— Un fou furieux : un frappadingue anti-francmaçon l'a attaqué alors qu'il sortait d'une réunion au Grand Orient. Après un an d'absence et de rééducation, il a repris du service et a été muté à la direction centrale de la Police où il effectue des missions ponctuelles. *Confidentielles* serait plus exact. Connu pour être francmac pur et dur et avoir des appuis dans la maison. À haut niveau, semble-t-il.

Alice se surprit à considérer ce collègue avec plus de sympathie.

— Coma… Le pauvre…

— Mouais… À tous les coups, les frangins nous l'ont mis dans les pattes pour garder un œil sur l'enquête. Ça me plaît pas beaucoup.

— Il nous a quand même apporté des renseignements sur Bertils à propos de ses comptes en banque suspects. Pour le moment, c'est d'ailleurs la seule info valable que nous ayons.

— Possible. En tout cas, j'ai demandé à mes potes de continuer à gratter sur ce Marcas. Sa tête ne me revient pas.

— Tu dis ça parce qu'il est plus mignon que toi.

Il lui lança un regard en coin et se tapota le nez.

— M'en fous. À mon avis, il doit être impuissant depuis son coma. Il paraît que ça arrive dans un tiers des cas chez les hommes.

— C'est vrai?

Carlin éclata de rire.

— Non, je viens de l'inventer. Ce type va nous apporter des emmerdements. J'en suis sûr.

Ils arrivaient devant l'immense muraille de verre ondulant, haute de dix étages, nouvel antre millénial de la police judiciaire parisienne et de sa kyrielle de services clés: brigade criminelle, antigang, protection des mineurs, financière, etc. En interne, la citadelle était appelée le *Bastion*, du nom de la rue nichée dans le nord du 17e arrondissement. Pour ceux de la criminelle, cela faisait cinq ans que le légendaire quai des Orfèvres avait été abandonné. Seul rappel des temps glorieux, le numéro de l'adresse du Bastion: 36. De toute façon la rue n'avait pas d'autres numéros. 36, un chiffre gravé une bonne fois pour toutes dans l'ADN de la maison. Excepté ce clin d'œil numérologique, tout avait changé. Locaux ultra-modernes et sécurisés, vitres de la façade ultra-résistantes, même à des rafales de kalachs, stands

de tirs au sous-sol… Plus de trois cents caméras qua-
drillaient l'immeuble et ses alentours, le Bastion portait
bien son nom. Aussi protégé et inexpugnable que la
réserve d'or de la Banque de France. Il y avait même un
tunnel reliant le bâtiment au nouveau palais de Justice,
planté à quelques encablures.

La voiture des deux policiers passa les contrôles de
sécurité et s'engouffra dans les entrailles du monstre
de béton et d'acier pour arriver au parking. Si Alice
appréciait les nouveaux locaux lumineux et spacieux,
elle regrettait parfois son ancienne tanière. Terminés les
casse-croûte express sur l'île de Cité, les balades noc-
turnes sur les quais de Seine, après les nuits blanches
d'interrogatoires de suspects. Les alentours du Bastion
n'incitaient pas à la flânerie romantique, ce coin froid
et excentré des Batignolles ne figurerait jamais dans les
pages des guides touristiques sur Paris. Même si l'architecte des lieux avait avoué s'inspirer pour sa façade
d'un tableau de Sisley, *Vue du canal Saint-Martin*, la
magie s'était évanouie. Jamais Simenon n'aurait imaginé son Maigret mâchonnant sa pipe dans ce temple de
verre, regrettait Alice alors qu'elle accédait au sixième
étage, où se trouvaient les six groupes de la brigade
criminelle.

Les deux policiers arrivèrent dans leur bureau. Ils
avaient confié l'ordinateur de Bertils au lieutenant
Keller qui, le visage concentré, tentait de le forcer.
Après quelques tentatives, il jeta un regard complice
à Alice et appuya avec ostentation sur la touche *Enter*.
Puis il se cala en arrière contre son siège et croisa les
bras derrière la nuque.

— Trop facile, bécane déverrouillée et liste de tous

les mots de passe sur le premier fichier, ouvert à l'écran. Ce con utilisait des variantes de son prénom et sa date de naissance. Je suis vraiment un génie, et pas que dans ce domaine…

Alice le jaugea avec la chaleur d'une héroïne hitch-cockienne. Sa belle petite gueule commençait vraiment à lui taper sur les nerfs, mais c'était surtout son auto-satisfaction chronique qu'elle ne supportait plus.

— La modestie a toujours été ton meilleur atout, répliqua-t-elle. À nous de jouer. Merci pour tout.

Elle récupéra l'ordinateur sous le regard goguenard de l'informaticien et marcha vers la porte.

— Tu pourrais me traiter avec plus d'affection, jeta le lieutenant d'un ton qui se voulait suggestif.

Alice répliqua d'une voix volontairement mielleuse.

— Ah bon ? Et comment ? En te taillant une pipe, par exemple ?

— Ce serait un bon début.

— Je crois que je n'ai pas été assez claire la dernière fois, dit lentement Alice. Ce qui s'est passé entre nous est définitivement du… passé. Désormais, dans ton inté-rêt, n'oublie jamais que je suis ton supérieur.

— À vos ordres, mon commandant, lança Keller en se dressant raide comme un pylône, la main sur la tempe dans un salut militaire.

Ses yeux étaient fixes, son sourire railleur. Il y avait quelque chose d'immature chez lui qui la mettait mal à l'aise. Comme un adolescent qui occuperait par erreur le corps d'un adulte. Elle se rendit compte qu'elle ne savait presque rien de lui, à part qu'il était célibataire et n'avait pas de famille. De toute façon, le dossier était clos. Elle claqua la porte en espérant qu'il avait compris la leçon.

Arrivée dans le bureau de son adjoint, elle posa l'ordinateur de Bertils sur la grande table commune.

— Voici la bête avec les outils pour la dépecer. Tu te sens capable de lui faire cracher ses tripes ? Mails, réseaux sociaux, historique sur YouPorn, fichiers cachés dans des recoins obscurs…

— Pas de souci, tu sais que j'aime ça.

— Oui, étonnant pour un type de ta génération. Tu en as pour combien de temps ?

— Je ne sais pas.

— OK… Je vais aller passer une tête dans l'antre de notre cher patron.

— Je le sens pas le Brassac.

— Tu ne sens pas beaucoup de monde. Prends ton mal en patience, il n'est là que le temps de la convalescence du divisionnaire Lorial. Encore deux, trois mois, tout au plus.

Carlin secoua la tête. Le commissaire Lorial, l'inoxydable patron de la PJ était son dieu vivant, il se serait fait crucifier pour lui.

— Brassac lui arrive même pas à la moitié de la cheville.

— Oui, mais il est dans les petits papiers de notre nouveau ministre. C'est d'ailleurs pour ça qu'on nous l'a envoyé. Alors appelle-moi dès que tu auras quelque chose.

Elle longea des couloirs impersonnels et se dirigea vers le bureau de son chef. Elle n'arrivait toujours pas à se faire aux nouveaux locaux plus spacieux, plus fonctionnels, mais sans âme, sans esprit, sans histoire. Le seul souvenir du quai des Orfèvres subsistait dans le blason du service qui avait conservé le chiffre 36.

Son téléphone sonna. Sa sœur.

— Il faut que tu rappliques, tes mômes sont insupportables. J'en peux plus.

Alice entendait des hurlements derrière.

Pas maintenant...

— Tu tiens encore deux heures, le temps que je revienne ?

— Deux heures, pas plus. Et trouve-toi quelqu'un pour les prochains jours. Soit ils sont possédés par Voldemort, soit je ne suis pas faite pour pondre des mômes. Dans les deux cas, je lâche l'affaire.

Elle raccrocha au nez d'Alice au moment où celle-ci frappait à la porte de son supérieur. Elle prit une profonde inspiration et s'avança dans le bureau.

— Je peux vous voir deux minutes ?

Brassac lui renvoya un sourire inhabituel.

— Entrez, Grier. Comment ça se passe avec nos amis francs-maçons ?

— Pour le moment, ça n'avance pas. On suspecte la victime d'être complice du cambrioleur. Le commandant Marcas, le renfort expédié par Beauvau, m'a fourni des relevés de comptes suspects. Et nous analysons son portable personnel.

— Et côté meurtrier ?

— Un fantôme. Aucune trace. Évaporé. Je peux vous poser une question ?

Il acquiesça d'un air neutre.

— J'ai compris pourquoi vous m'avez choisie, mais je ne pige pas ce que vous craignez en mettant des collègues maçons sur cette affaire.

— La crainte n'appartient pas à mon vocabulaire.

— Trouvez un synonyme, vous voyez très bien ce que je veux dire.

— Vous m'emmerdez, Grier.

— Je peux rester la nuit entière dans votre bureau, répondit-elle sans bouger d'un centimètre.

Il leva les yeux au plafond, puis posa les mains à plat sur la table.

— Comment vous expliquer… Disons que je ne veux pas d'emmerdements si on ne retrouve pas le coupable.

— Je ne comprends pas.

— Vous allez vite saisir. Il y a six ans un conspirationniste hacker a piraté les sites de la Grande Loge de France et du Grand Orient. Il a mis la main sur six mille noms de frères avec leur métier et leur adresse ainsi que les numéros de téléphone. Ce listing a été envoyé à tous les sites antimaçonniques et Dieu sait qu'ils sont légion. Les médias ont appelé ça les «francs-maçons papers[1]».

— En référence aux Panama Papers?

— Oui, sauf que là, il s'agissait d'une liste publiée à des fins de délation, pas de transactions bancaires douteuses.

— Et alors? Je ne comprends toujours pas.

— Dans l'affaire du meurtre du Grand Orient, si le commandant chargé de l'enquête est maçon et que ça sort sur les réseaux sociaux, on va mettre en doute la crédibilité des investigations. Pire, en cas d'absence de

---

1. L'affaire s'est déroulée en 2016, le voleur de données a été arrêté et condamné à dix mois de prison. Il se présentait comme un lanceur d'alerte.

résultats, on nous accusera de camoufler la vérité. Je n'en ai aucune envie. Tant que je serai aux commandes du navire, je veux que le pont brille d'une propreté immaculée. Vous me comprenez ?

Alice encaissa le choc. Tout s'éclairait.

— En fait vous ne m'avez pas choisie pour mes compétences, mais parce que je suis profane. Ravie de l'apprendre.

Le commissaire frappa du poing sur la table.

— Je n'ai jamais dit ça. Vous êtes une excellente enquêtrice et il se trouve que ça m'arrange aussi que vous ne soyez pas une sœur.

— Et vous avez même anticipé que j'échoue dans mon enquête, c'est ça ?

— Je dois me préparer à toutes les éventualités. C'est mon métier. Autre chose ? J'ai beaucoup de travail.

— Oui. Je rentre m'occuper de mes gosses. Ma sœur me claque dans les doigts. Vous m'autorisez à travailler de chez moi, le temps de trouver une remplaçante ? J'attends des infos de Carlin.

— Oui, mais reprenez l'enquête dès demain matin. Comme je m'y suis engagé, je vous ai trouvé une baby-sitter. Elle sera là chez vous à la première heure.

La jeune femme ne put masquer sa surprise.

— Comment avez-vous fait ? Quelqu'un de confiance ?

— On ne fait pas mieux dans le genre. En provenance directe du service de protection des témoins. Le patron du département me doit un renvoi d'ascenseur.

— Vous allez m'envoyer des collègues armés pour garder mes enfants. Vous plaisantez ?

— Non, leur service travaille avec du personnel

agréé quand il s'agit d'assurer la sécurité d'enfants séparés de leurs parents, témoins impliqués dans des affaires sensibles. Des sortes de super nounous… Ça vous va ?

— Disons que ça apaisera juste la blessure à l'ego… Et je peux vous contredire sur un point.

— Lequel ?

— Je trouverai ce foutu tueur.

Le portable d'Alice l'interrompit. C'était son adjoint.

— Je suis chez Brassac, dit-elle en décrochant, survoltée.

La voix acidulée de Carlin coulait dans l'écouteur.

— J'ai découvert une pépite dans l'ordinateur de notre ami défunt…

25

Paris
9ᵉ arrondissement
Lundi fin d'après-midi

Marcas était sorti du Grand Orient, stimulé par la découverte du véritable mobile du cambrioleur, mais irrité par une nouvelle déconvenue : son scooter avait refusé de redémarrer dans le parking de l'obédience. La panne. Stupide. Son démarreur lui jouait des tours depuis une semaine.

Il avait appelé le frère obèse – il n'arrivait pas à le nommer autrement malgré son régime – pour le rencontrer le plus tôt possible. Ce dernier terminait une visite au commissariat du 9ᵉ. Marcas lui avait proposé de dîner ensemble dans l'une de ses cantines favorites, le Corso, un restaurant italien réputé dans tout Paris et situé avenue Trudaine. Son pote Arthur, le patron, les mettrait dans un coin tranquille, à l'abri des regards indiscrets.

La pluie avait cessé. Antoine traversa la rue Lafayette, surexcité par sa découverte. Pour la première fois depuis sa sortie du coma, il se sentait vraiment en vie. Il ne savait pas si c'était la découverte du vol du manuscrit – qui prouvait qu'il avait gardé intactes ses qualités d'enquêteur – ou l'existence de ce mystérieux cinquième rituel, exhumé de la nuit des temps... Comme le parfum entêtant de ses anciennes enquêtes.

Les images avaient à nouveau envahi son esprit. Après celles du Rituel de l'ombre réveillées par les archives russes, il repensait à ses autres aventures. Le trésor des Templiers, le secret des alchimistes, le mystère de Rennes-le-Château, les Illuminati... Les voyages, aussi... Grenade, Venise, San Francisco, San Salvador de Bahia. Il n'avait jamais été un policier comme les autres. Excepté le frère obèse, aucun de ses collègues ou de ses rares amis n'aurait pu croire le dixième de ce qu'il avait vécu.

Un coup de klaxon le fit sursauter. Il évita de justesse un scooter alors qu'il passait sur l'autre trottoir.

Reprends-toi.

Le jeune conducteur lui fit un doigt d'honneur et disparut dans la circulation. Il ne sut pourquoi, mais il lui rappela son fils. L'angoisse revint. Et son enthousiasme, né de son enquête, se mit à fondre. Il n'allait pas se barrer en Russie alors que Pierre était dans la merde. C'était sa responsabilité de père.

Il se persuada que c'était la meilleure chose à faire. Il donnerait les éléments au frère obèse et celui-ci enverrait un autre enquêteur en Russie.

Alors qu'il reprenait sa marche, il ralentit brusquement devant un kiosque qui donnait sur la bouche de métro, alpagué par la une d'un quotidien.

Règlement de compte chez les francs-maçons.

Antoine réprima une grimace. Il y avait longtemps que les journalistes n'avaient pas eu une sombre affaire maçonnique à se mettre sous la dent. L'expression *Règlement de compte* laissait entendre que ses frères et ses sœurs se comportaient comme des truands.

Il acheta quand même un exemplaire et inséra le journal dans la poche arrière de son jean. Curieux non pas d'apprendre un scoop, mais de voir si des fuites avaient été orchestrées pour les journalistes. Au moment où il repartait en direction de la rue de Rochechouart, il intercepta le regard furtif, mais insistant, d'un homme blond en blouson gris, posté devant le fast-food voisin. L'homme se détourna et sembla soudainement se passionner pour la photo du nouveau triple hamburger à la truffe et au lard. Antoine le fixa quelques secondes, soupira et reprit sa marche.

Tu deviens de plus en plus parano. Putain. Il va falloir retourner chez la psy.

Il remonta la rue en repensant à son fils. Enfin un signe. Il était soulagé d'avoir rétabli le contact. C'était un début. Ou pas. En tout cas, ça valait mieux que le silence. L'horizon semblait s'éclaircir. Un tout petit peu. Tout en marchant, il laissait glisser un œil sur les vitrines des magasins. Le quartier avait bien changé en dix ans. Les drogueries, librairies et autres merceries étaient remplacées par des kebab, des boutiques de coques de téléphone et des pizzerias bon marché. L'ancien monde s'évaporait.

Il s'arrêta devant la vitrine d'une minuscule boutique de jouets vintage. Un robot Goldorak rutilant trônait en majesté sur un piédestal, entouré de hauts miroirs. Acier, rouge et blanc, avec des bras articulés. Une bouffée de nostalgie stupide l'envahit. Il se revoyait devant le sapin de Noël en train de déballer le paquet qui contenait le même jouet. Il se souvint du petit bouton dans le dos qui permettait d'expédier le fulguropoing à ressort avec lequel il avait failli s'éborgner.

Fulguropoing. Le mot était apparu dans son esprit comme par enchantement, alors qu'il ne se souvenait même plus des prénoms de ses copains de récréation. Goldorak dans son paquet-cadeau. Émerveillé comme un gamin de sept ans, comme un chevalier de la Table ronde devant le Graal. Sous le regard attendri de ses parents, alors en plein divorce. À l'époque il n'en savait rien, le monde lui paraissait plus beau, rempli de joies et de surprises. Plus merveilleux. Il allait abandonner sa madeleine de ferraille japonaise quand le reflet d'un homme apparut dans l'un des miroirs de la vitrine. Le blond en blouson. Celui qui s'extasiait devant le fast-food. Le type devait être à une dizaine de mètres. Il le suivait. À tous les coups.

Antoine sentit son cœur s'accélérer. C'était peut-être un autre taré antimaçon qui l'avait suivi depuis le Grand Orient. Il reprit sa marche en tentant de calmer sa respiration.

Ne panique pas.

Au fur et à mesure qu'il remontait la rue, une colère âcre se mêlait à sa peur. Elle se dissolvait dans ses veines. Cette fois, il n'allait pas s'enfuir. Ce connard allait payer pour les autres.

Antoine connaissait le quartier comme les moindres recoins de son temple de la rue Cadet. Il s'arrêta au niveau d'un restaurant oriental et tourna subitement sur la gauche pour emprunter un long boyau anachronique.

Le passage Briare, l'une des plus étroites rues de Paris. Moins de deux mètres de largeur, bordé de hauts immeubles et d'arrière-cours, le passage était l'un des joyaux cachés de l'arrondissement.

Antoine arpentait la ruelle comme si de rien n'était. Au-dessus de sa tête des lanternes de fer forgé, agrippées au mur, étaient toujours allumées. Le passage formait un coude à son extrémité pour rejoindre la rue de Maubeuge. Juste après le détour, Antoine se faufila au niveau d'un porche. Il retint son souffle, plaqué dans le renfoncement, puis il retira lentement son pistolet Glock de son étui. Il n'entendait aucun bruit de pas, l'homme devait porter des semelles souples, mais on entendait le son étouffé d'une respiration. Antoine crispa sa main sur le canon de l'arme. Ce n'était plus qu'une question de secondes.

L'inconnu arrivait enfin à son niveau, son profil surgit sous ses yeux. Antoine se jeta sur lui et le frappa à toute volée sur la tempe. L'homme poussa un cri de douleur et s'affaissa sur le sol.

— Tu voulais te payer un franc-maçon ! jeta Antoine. Vas-y, je suis à ta disposition.

Alors que le type tentait de se relever, la tempe en sang, Antoine lui décocha un coup de pied dans le ventre et prit un sourire mauvais. Le poison de la colère se transformait en virus de la rage. Comme si toutes ses frustrations explosaient d'un seul coup. Le coma, la manif des gilets jaunes, la découverte de son fils en casseur, les manifestants haineux devant le Grand Orient. Ce type allait payer.

— Ça te dirait un gros coup de mon fulguropoing ?

— Fulgoro quoi ? Le con... Vous êtes malade..., glapit le type en se tenant le ventre, je...

— Tu ne connais pas Goldorak… Quelle tristesse.

Antoine le releva par le col de son blouson et lui colla le canon de son arme sous la mâchoire. Il se sentait invincible. Il jouissait de la panique qui déformait le visage de l'homme blond. Il savait qu'il allait trop loin, que son comportement était intolérable de la part d'un policier. Mais la coupe était pleine. Depuis trop longtemps. Il n'allait pas le buter. Non, juste lui faire comprendre que la peur avait changé de camp.

— Pas de chance, tu es tombé sur un flic. Et en plus qui s'est fait défoncer par un autre connard de ton espèce. Ça te dirait un joli petit trou dans la gorge?

Soudain une voix retentit derrière Marcas.

— Lâchez-le, sinon la première balle ira se loger directement dans la vôtre.

Antoine se retourna.

Un homme en veste noire, grand et athlétique, se tenait à deux mètres, les genoux écartés, les jambes fléchies.

Un pistolet braqué juste sur lui.

26

Asnières
Lundi fin d'après-midi

C'était un haut monolithe de verre fumé et d'acier sombre comme il en avait poussé des dizaines dans ce coin des Hauts-de-Seine. Ni aussi arrogant que les gratte-ciel du quartier voisin de la Défense, ni aussi modeste que le siège départemental de la Sécurité sociale, l'immeuble de bureaux Espace 2001 pleurait son prestige évaporé. Érigée au début des années 1970, quand le summum de la modernité culminait avec les promesses mirifiques de l'an 2000, la tour de trente étages avait même abrité un temps l'un des fleurons du CAC 40. Mais en ce nouveau millénaire, elle se consolait difficilement en hébergeant des entreprises moins fortunées.

Un couple marchait le long du trottoir devant l'édifice. Lui habillé en costume anthracite et cravate noire, elle en tailleur strict couleur bleu standard Air France. Des cadres comme il y en avait des milliers dans ce coin. Ils arrivèrent devant la porte battante qui faisait office d'entrée. La jeune femme leva les yeux vers le sommet du building.

— Tu es sûr que c'est la bonne adresse ? demanda la tueuse à Alex. J'ai l'impression de venir passer un entretien de recrutement. Je déteste ces prisons de verre.

— Pas de parano. Notre commanditaire a payé rubis sur l'ongle aussitôt que je lui ai déposé le manuscrit du Grand Orient dans une boîte postale, rue de Rennes.

— C'est sûr que tu es tombé sur un bon client. Cent mille euros pour cinq feuilles rongées par le temps. C'est beaucoup plus lucratif que mon contrat pour le George-V. Cinquante mille euros, moins les frais. Et j'attends toujours le reste du paiement. Le mari m'a demandé d'attendre encore une semaine. S'il me fait lanterner, je pense que je vais me rappeler à son bon souvenir. Un genou explosé au calibre 12, ça devrait suffire.

— Voilà ce que ça coûte de ne pas passer par mon intermédiaire. Moi, je choisis mes clients avec soin. Bon… Mon commanditaire m'a demandé de l'aide pour un nouveau contrat, tu pourras aussi en profiter.

— Du moment qu'il paye bien, il pourrait être le pape ou le président de la République, je m'en fous royalement.

Le couple avait traversé le portique de sécurité sous l'œil blasé d'un vigile, impatient de terminer son service. Il traversait le vaste hall aux décorations pseudo-Art déco, qui rappelaient vaguement le quartier du Rockefeller Center à New York. Derrière un long comptoir de marbre clair piqueté de noir qui se voulait onéreux, deux hôtesses d'accueil affichaient le même sourire mécanique.

— Bonjour, nous avons rendez-vous avec M. Maxime Sampère de la société Bel Industries, annonça Alex à la plus jeune des deux.

— Je vais prévenir sa secrétaire. Pouvez-vous me laisser vos pièces d'identité, je vous prie ?

Sans sourciller, ils donnèrent leurs faux papiers en échange de badges plastifiés.

— C'est au douzième étage. Le couloir sur la droite, reprit l'hôtesse. Passez vos badges pour activer l'ascenseur.

Le couple s'engouffra dans la cabine qui s'éleva dans un souffle.

— Si ça se trouve, ton client est un frère, fit remarquer la jeune femme en se regardant dans le miroir. Payer une telle somme pour récupérer un truc maçonnique, il ne peut qu'en faire partie.

— Ça changerait quoi ?

— Rien.

L'ascenseur s'arrêta au troisième, mais l'étage était vide.

— À cette vitesse-là, on pourrait s'encanailler, murmura Alex.

— Oublie ça et dis-moi plutôt à quoi ça te sert ?

— Je ne comprends pas.

— D'être un frangin ! L'humanisme, la vérité, la fraternité… Toutes ces conneries. C'est franchement contradictoire avec ton métier, non ?

— Pas vraiment. J'ai été initié quand j'étais capitaine dans mon unité des forces spéciales du 13e RP. Et mon métier consistait à tuer des ennemis de la France. Aucun frère n'a trouvé ça contradictoire. J'ai juste changé de cible.

Le visage de la jeune femme devint plus grave. Elle aussi était passée par le même régiment de dragons parachutistes lors de sa formation de sous-officier des unités d'élite. Il avait été son instructeur dans ce milieu très masculin où l'on ne comptait qu'une poignée de femmes. Ils étaient restés amis après une relation vite avortée. Et quand elle avait été limogée de l'armée pour violence envers un colonel aux mains trop baladeuses, mais au bras long, il lui avait proposé de travailler avec lui. Dans un nouveau domaine : la sécurité et l'intervention. Elle n'avait jamais regretté son choix. Et parfois, elle prenait quelques missions supplémentaires, comme le contrat du George-V.

— Et ça t'apporte quoi d'être un frère trois points ? demanda-t-elle alors que la cabine repartait.

— Tout maçon cherche à se perfectionner. Sans cesse. J'applique cette démarche initiatique dans mon activité.

— C'est du verbiage…

— Par exemple… Quand j'ai tué ce frère corrompu au Grand Orient, ce n'était pas prévu dans le contrat. J'ai donc fait dans ma tête ce que l'on appelle le pas de côté du maître maçon. Voir les choses différemment, sous un autre angle. Je me suis mis à la place des enquêteurs. J'ai volé dans la chambre forte les livres qui me paraissaient les plus précieux et donné aux flics un motif valable à mon crime. Une piste à suivre pour les égarer.

— *Le pas de côté*… Je saurai m'en souvenir.

— Hélas, je ne peux pas partager mon expérience initiatique avec mes frères de loge…

— J'imagine leur tête s'ils apprenaient que tu es le patron d'une petite entreprise dynamique de tueurs à gages…

Alex éclata de rire.

226

— Sans compter les gros titres des médias. « La loge des tueurs francs-maçons » ou « Frères et barbouzes »… Mais, heureusement, ça n'arrivera jamais, j'ai toujours su rester du bon côté de l'ombre.

L'ascenseur s'arrêta enfin au douzième. Ils sortirent, tournèrent sur la droite et arrivèrent devant une porte vitrée, surmontée d'une caméra. Un claquement se fit entendre et la porte s'ouvrit.

Au centre d'une pièce vide, posée à même le sol, une enceinte Bluetooth se déclencha.

— Entrez dans le premier bureau sur votre droite.

Alex poussa la porte et se figea en grimaçant. La nouvelle pièce était inondée d'une lumière aveuglante. Un projecteur était braqué sur les visiteurs. Il se protégea avec sa main et parvint à discerner une silhouette assise derrière un bureau.

— Fermez la porte et asseyez-vous ! fit une voix grinçante, métallique et si déformée qu'il était même impossible d'en deviner le sexe.

La compagne d'Alex maugréa :

— Vous pouvez baisser le projo ? On n'est pas venus pour tourner un film.

L'intensité de la lumière baissa d'un cran, mais pas suffisamment pour qu'ils puissent distinguer leur hôte.

— Félicitations pour la réussite de cette mission, mais étiez-vous obligé de tuer ce franc-maçon ?

Alex répondit d'une voix calme et lente.

— Ce franc-maçon, comme vous dites, réclamait plus d'argent. Très vite il serait devenu une menace, il fallait l'éliminer.

— Je comprends, mais tout cela a provoqué un peu trop de publicité à mon goût.

— Je me suis acquitté de mon contrat, vous avez votre document. Votre versement est bien arrivé sur mon compte. C'est l'essentiel. Pourquoi nous avoir demandé de venir avec ma… collègue ?

— J'ai besoin à nouveau de vos services, reprit la voix désincarnée. Au même tarif.

— Ça ne sera pas possible, mentit la jeune femme. Nous avons déjà un contrat à honorer.

— Peu importe. Je double vos honoraires. Et ça ne prendra que quelques jours.

Le duo échangea un regard furtif.

— Est-ce lié à la mission que vous m'aviez confiée ?

— Oui. Vous devez vous rendre à Moscou pour récupérer la suite du manuscrit dans un service d'archives. Je vous donnerai toutes les indications. En outre vous bénéficierez d'une aide efficace sur place.

— Désolé, mais je n'aime pas exécuter un contrat dans un pays que je ne connais pas. Je crains de devoir décliner.

— Il s'agit juste de me rapporter un document. Vous serez accompagné par des professionnels russes. Ils vous prendront en charge de bout en bout, mais je veux que ce soit vous qui identifiiez la page qui nous manque et la rapportiez. Et pour ça, je saurai payer le prix.

— Dans ce cas…

— Dernier point. Nous savons qu'un policier franc-maçon a été mis sur l'enquête. Il progresse vite. Il risque lui aussi de se rendre à Moscou. Si tel est le cas, nous vous préviendrons immédiatement.

— Et si je le croise ?

— C'est votre *frère*… Je vous laisse juge de ce qu'il conviendra de faire.

Alex se tut.

— Quant à votre collègue ici présente, elle devra surveiller les deux officiers de la brigade criminelle qui enquêtent sur le meurtre au Grand Orient. Et intervenir le cas échéant.

— Intervenir ? demanda la jeune femme.

— Neutraliser.

— C'est bien ce qu'il me semblait. Éliminer des policiers représente un risque considérable…

— J'espère ne pas devoir en arriver là, mais je ne veux aucune interférence. Si vous êtes obligée d'aller plus loin, vos émoluments seront triplés.

La tueuse se massa la nuque. Si ses calculs étaient bons, cela équivalait à quatre cent cinquante mille euros. Elle se prit à espérer que le client lui donne le feu vert.

— Je ne sais pas ce que vous cherchez, mais à ce prix-là, je peux ajouter en prime le ministre de l'Intérieur.

— Nous n'irons pas jusque-là. Bien. Nous nous sommes tout dit. Veuillez sortir à présent. Je vous enverrai toutes les instructions nécessaires, dans la soirée.

La voix était sèche, sans appel. Le client les congédiait. La jeune femme toussa.

— J'ai encore une question, monsieur Sampère. Ou quel que soit votre nom.

La voix ne répondit pas, la silhouette plongée dans l'ombre restait immobile. Elle continua :

— Si je neutralise ces enquêteurs, je vais avoir toute la police française à mes trousses. Je ne crois pas qu'il soit judicieux de rester sur le territoire. Comment me garantissez-vous mon exfiltration ?

— Vous aurez une nouvelle identité et un billet pour

la destination de votre choix. Pour les autres frais, je pense que l'argent de la mission suffira à vous loger dans un hôtel de bon standing.

L'intensité de la lumière augmenta subitement.

— Vous n'avez pas besoin de faire chauffer vos projos, on ne comptait pas passer par-dessus le bureau pour voir votre visage.

— La curiosité est un vice pour les uns, une vertu pour les autres, répliqua la voix chuintante.

Le projecteur diminua d'intensité et leur client apparut sous leurs yeux. Il avait le teint blafard, les yeux exorbités, les cheveux rouges et en bataille. Un sourire démentiel se peignait sur ses lèvres noires. Engoncée dans une tunique blanche, sa tête formait avec son corps long et maigre un angle inquiétant. Il n'avait pas de bras. Ce n'était pas un être humain qui leur faisait face, juste un masque inquiétant de clown posé sur un mannequin habillé d'une robe de pacotille.

— Si vous voulez récupérer ce déguisement, faites-vous plaisir, lança la voix.

27

Paris
9e arrondissement
Lundi fin d'après-midi

Promesse de pluie, un vent frais s'était levé et s'engouffrait dans le passage Briare. Des feuilles mortes voletaient dans l'air humide.

— Je répète, lâchez cette arme.

Antoine ne bougeait pas d'un centimètre.

— Menacer un policier dans l'exercice de ses fonctions, c'est la taule direct.

— Alors vous irez le premier, commandant Marcas.

Devant la mine étonnée d'Antoine, l'homme aux cheveux en brosse sortit sa plaque de police qu'il brandit devant lui, à côté du pistolet.

— Capitaines Thibaudeau et Delcourt de l'IGPN.

Antoine comprit sa méprise et laissa tomber son Glock de service à terre.

— Les bœuf-carottes[1]… Vous me filiez ? Pour l'histoire de la manif ?

— Oui. Depuis ce matin. Vous semblez avoir le sang chaud. Vous étiez sur le point d'abattre mon collègue. Sans raison.

Antoine voulut tendre la main à l'homme à terre pour le relever, mais celui-ci l'écarta avec mépris.

— Ce sera consigné dans mon rapport, jeta-t-il en se redressant. Tout commandant que vous soyez.

— Écoutez, j'ai déjà été victime d'une agression dans les mêmes circonstances. Vous ne risquiez rien, la sûreté était mise, vous pouvez vérifier.

Le capitaine Delcourt ramassa le pistolet avec méfiance, l'inspecta, puis le rendit à Antoine.

— Vous avez de la chance. Sinon, vous auriez écopé d'une suspension immédiate.

Thibaudeau rangea son arme dans son étui.

— Puisque nous faisons connaissance, autant en profiter. Nous avons des tas de questions à vous poser sur ce qui s'est passé pendant la manif. C'est juste une enquête préliminaire. Vous nous suivez à Camba[2] ?

— Non. Je mène moi aussi une enquête importante. J'ai un rendez-vous qui peut faire avancer mes investigations. Si vous voulez, on prend date.

— On n'est pas à la Sécu, commandant. Ça ne durera pas longtemps. Une petite heure et on n'en parle plus.

Antoine remit à son tour le Glock dans son étui.

---

1. Les policiers qui enquêtent sur leurs collègues sont surnommés bœuf-carottes car ils les interrogent longuement, à petit feu comme pour la préparation de ce plat.
2. L'IGPN a ses bureaux rue Cambacérès à Paris.

— J'ai vraiment l'air d'un crétin ? Je faisais le même coup de la convocation express quand vous étiez en maternelle. On commence par une heure et on finit aux aurores. Je vais donc jouer au con. Soit vous me le spécifiez avec une notification officielle, soit vous allez vous faire foutre.

Thibaudeau s'inclina avec mauvaise grâce.

— Vous pouvez y aller, mais vous aurez de nos nouvelles, commandant.

— Avec plaisir, dit-il en leur tournant le dos. Et continuez de me suivre, j'ai rencard avec mes potes black blocs du 9ᵉ. Je vous les présenterai.

Delcourt, qui essuyait sa tempe rougie, décocha un regard mauvais à Antoine pendant qu'il s'éloignait vers la rue de Maubeuge.

— On va s'occuper de toi, mon salaud. Tu auras droit à la formule interrogatoire premium. À sec et avec la tronçonneuse.

28

Une pluie aussi froide que lourde se déversait sur la capitale, sans interruption depuis le début de la soirée. La température se recroquevillait sans espoir de rémission. En cette fin d'octobre, les beaux jours tiraient définitivement leur révérence.

Debout devant la fenêtre de sa chambre, qui donnait sur les jardins, le président observait le ruissellement d'eau grise sur la vitre. Le visage fermé, les mains jointes dans le dos, son esprit flanchait. Les problèmes et les soucis ne cessaient de s'abattre sur la France, et donc sur ses épaules, avec la même force, la même constance aveugle que cette maudite pluie. Le constat était aussi clair qu'un sourire d'enfant. Il ne faisait plus face. Son enthousiasme, son énergie, sa passion s'étaient englués au fil des ans. Il s'était pensé meilleur que ses prédécesseurs, jurant qu'il ne ferait pas les mêmes erreurs, mais finalement la rouille des désillusions corrodait son esprit.

Et pourtant...

Il existait peut-être une lueur d'espoir. Léa l'avait allumée tout au fond de son tunnel.

Le cinquième rituel.

Il ne croyait pas aux coïncidences. Qu'elle ait retrouvé la piste du secret des présidents alors même qu'il était au bord du gouffre ne pouvait être qu'un signe du destin. Une onde d'excitation parcourut son cerveau fatigué.

Si seulement...

Léa avait promis de le tenir au courant de son investigation. Il savait que c'était lié au meurtre perpétré au Grand Orient. Rien de plus. Mais il avait confiance en elle. S'il existait un moyen de mettre la main dessus, c'était elle qui pouvait y arriver.

— Je sais à quoi tu penses. Arrête de te torturer. J'aimerais bien passer une soirée agréable.

La voix de son épouse résonna comme en écho dans son esprit enfiévré. Elle était en train de mettre ses boucles d'oreilles devant le miroir au-dessus de la cheminée Empire, aussi massive que prétentieuse.

— Moi aussi, mentit-il avec mollesse.

Il n'avait aucune envie d'assister à ce dîner programmé de longue date par sa femme. S'il s'écoutait, il se déshabillerait, jetterait veste, chemise et pantalon en vrac sur le sol et s'engouffrerait sous la couette présidentielle pour terminer les Mémoires de Churchill. À défaut de se jeter sur son épouse. Sa libido chutait de concert avec sa popularité. Le manque de désir des Français impactait le sien.

— Ravie de l'entendre, et en plus j'ai une surprise

pour toi. J'ai invité une voyante. Elle pourrait t'éclairer…

— Tu plaisantes ?

— Non, Aline est une femme adorable et sérieuse. Elle m'a déjà tiré les cartes. Il y aura aussi Maxence, le père Spinelli, le peintre Le Ker et Faya qui revient de tournée.

Sa femme n'avait pas son pareil pour organiser des dîners avec des invités de tous horizons. Maxence Dilbert était un vieil ami et venait de quitter son poste d'ambassadeur à Londres, Faya Alsan jouait les rappeuses violoncellistes dans les concerts des stars du moment, Éric Le Ker exposait ses toiles dans les plus grands musées et le père Spinelli occupait la place de conseiller spirituel à temps partiel, quand il n'organisait pas des fouilles archéologiques pour le compte du Vatican. En d'autres temps, il aurait trouvé cette assemblée passionnante, mais pas ce soir.

— Tu n'as pas l'air surpris ?

— Une voyante… Tu me surprendras vraiment le jour où tu inviteras un garagiste, une institutrice ou une caissière.

Son épouse répondit avec un sourire glacial :

— Depuis quand te soucies-tu de rompre le pain avec ceux qui t'ont élu ? Tes déplacements en province et en banlieue sont faits pour ça.

— Les Français me reprochent d'être déconnecté de la réalité.

— Rien de nouveau. La malédiction de tout président en fin de mandat.

— Je ne suis pas un président comme les autres.

Le souper était sur le point de se terminer dans le salon Pompadour, où la première dame avait eu l'idée d'organiser ses dîners en petit comité. Le salon tenait son nom de la duchesse qui avait résidé à l'Élysée du temps où celui-ci n'était qu'un hôtel particulier. Un imposant lustre inondait d'une clarté cristalline la tablée et le mobilier Louis XV qui décorait la pièce. Sur une cheminée, le buste en marbre blanc d'une jeune femme à l'allure aristocratique contemplait les invités avec curiosité.

Les serveurs débarrassaient les assiettes des tournedos Rossini sur leur livrée d'épinards-quinoa. Le dessert approchait, un assortiment de pâtisseries concoctées par le chef.

Contrairement à ce qu'il avait craint, le président avait passé une excellente soirée. Les trois bouteilles de château-quintus, un grand cru bordelais, s'étaient révélées de précieuses alliées pour dissoudre ses soucis et délier les langues des invités.

Même Aline, la voyante, les avait enchantés de quelques anecdotes sur ses clients. Dont un vice-amiral, ancien commandant du porte-avions nucléaire *Charles-de-Gaulle,* qui la consultait chaque fois qu'il prenait la mer. Elle n'avait pas du tout l'allure qu'il imaginait d'une pythie traditionnelle. L'âge indéfinissable, le crâne rasé, un glyphe celte tatoué sur la nuque, le visage lisse et mat, Aline était une métisse eurasienne qui savait jouer de son physique et de son humour. D'une grande culture, elle avait fait des études de lettres avant de basculer dans le monde divinatoire. Elle s'était même mis dans la poche le père Spinelli, plutôt méfiant sur le sujet.

— On dit que certains de vos prédécesseurs ont eu

recours à des voyantes. C'est vrai ? demanda-t-elle au président alors que les desserts étaient servis.

Le locataire de l'Élysée acquiesça.

— Oui, à commencer par le plus illustre d'entre eux, le général de Gaulle. On m'a raconté qu'il avait l'habitude de consulter un astrologue. Régulus ! Il le faisait venir ici même à l'Élysée.

— Vraiment ?

— Le plus cocasse, c'est que ce Régulus était un militaire de profession. De son vrai nom, Maurice Vasset, commandant dans l'armée de terre et ancien résistant de la Seconde Guerre mondiale. Il tira des thèmes astraux au général jusqu'à sa démission en 1969. Vasset lui aurait prédit une déroute pour son référendum, de Gaulle n'en a pas tenu compte. Par la suite, Régulus a ouvert un cabinet avec sa femme et il recevait le Tout-Paris de la politique. Prédire l'avenir à de Gaulle vaut toutes les références.

Le père Spinelli entra dans la danse.

— Plus jeune, j'ai connu François Mitterrand, il n'en parlait jamais, mais il prenait souvent l'avis d'astrologues. Des femmes. Il en a consulté au moins deux. La première, une certaine Françoise, qui avait pas mal de clients plutôt à gauche et des artistes de renom. Elle a été ensuite supplantée par une autre pythie. Élisabeth, beaucoup plus médiatique. Dans ses Mémoires, elle a révélé qu'il l'avait fait venir à l'Élysée avant de prendre certaines décisions politiques. Comme pour la participation de la France à la guerre en Serbie ou à celle du Golfe. Peut-être a-t-elle exagéré, mais quand même…

— La tradition remonte à bien plus loin, ajouta le peintre, qui était resté silencieux jusque-là. Bonaparte consultait Mme Lenormand, une devineresse qui lui avait prédit la gloire devant les pyramides d'Égypte. On pourrait ajouter Clemenceau et quelques anciens présidents de la IIIe République.

La femme du chef de l'État était radieuse. Quand chaque invité y allait de sa petite anecdote au dessert, c'était le signe d'un dîner réussi.

L'ex-ambassadeur à Londres s'alluma une cigarette et prit la parole :

— On retrouve cette proximité du pouvoir et de l'occulte dans de nombreux pays. J'ai été en poste à Rangoun, au Myanmar, en Birmanie… Et je peux vous dire que les généraux de la junte militaire, de vrais dictateurs galonnés, prenaient leurs décisions en fonction des astres et des principes de numérologie. Et ça tournait souvent à l'absurde.

— Je ne comprends pas, répondit le président, visiblement intrigué.

— Le général en chef Ne Win, l'homme fort du pays pendant presque trente ans, était obsédé par le chiffre 9, censé lui porter bonheur. Il a obligé la banque centrale birmane à imprimer les billets de 45 et 90 Kyats, la devise locale, uniquement car c'étaient des multiples de 9[1]. Mieux, en 2009, ses successeurs ont fait libérer 9 002 prisonniers politiques, le palindrome de l'année. Leur oracle leur avait garanti une paix sociale uniquement si ce chiffre exact était atteint. Je vous passe aussi la pratique du Yadaya, une sorte de vaudou mâtiné d'astrologie à la mode bouddhiste. À chaque visite d'un dirigeant étranger, d'un émissaire des Nations unies ou

---

1. Tous les faits relatés sont véridiques.

d'un chef d'entreprise d'un autre pays, le directeur de l'hôtel où ils résidaient devait cacher dans le plafond de la chambre un sous-vêtement de femme enceinte.

— Pourquoi ? demanda la femme du président.

— Technique d'envoûtement yadaya. Cette pièce de tissu imprégnée des fluides de la grossesse est censée affaiblir le *hpoun*, la virilité de l'occupant de la chambre. Et donc, le lendemain il sera moins enclin à négocier avec force…

— Je le note, répliqua le président hilare. Je ferai pareil avec mon homologue russe ou avec les dirigeants syndicaux français pour la prochaine réforme des retraites.

L'assemblée rit de bon cœur, puis la voyante se tourna vers le locataire de l'Élysée.

— Et vous, monsieur le Président ? Avez-vous déjà consulté un de mes collègues.

Le chef de l'État échangea un regard complice avec son épouse.

— Oui, une fois. J'étais beaucoup plus jeune, même pas entré dans la vie active. À l'issue d'un pari perdu avec ma femme.

— Et alors ?

— La cartomancienne m'a prédit une belle carrière de professeur de français en Provence et que nous aurions trois enfants. Ne le prenez pas mal, je ne crois vraiment pas à ce genre de choses. Je suis pragmatique de nature.

Le père Spinelli, qui connaissait le président depuis de nombreuses années, intervint :

— Vous n'êtes pas non plus un rationnel convaincu… Ou alors la fonction vous a transformé.

— Disons que je crois au destin. Et qu'il y ait une prédestination pour chacun ne me gêne pas, à condition

240

que l'on puisse en changer la partition. Mais ça n'a rien à voir avec la divination.

— Dieu nous laisse le libre arbitre…

— Non, mon père.

Le président s'était levé, le regard brillant. Son épouse tiqua. Il se plaça devant l'immense tapisserie qui recouvrait l'un des murs et posa un index sur le tissu précieux.

— Cette tapisserie représente un passage de l'Ancien Testament, l'enlèvement vers le ciel du prophète Élie sur un char de feu. Un événement essentiel dans l'histoire d'Israël. À l'époque, les Hébreux basculaient dans le paganisme, succombant au culte du dieu Baal. Élie les a ramenés dans le droit chemin, mais à peine eut-il achevé sa mission qu'il fut enlevé par Dieu lui-même et disparut de la surface de la terre.

Le président se tourna vers le prêtre.

— Voyez, Dieu ne lui a laissé aucun libre arbitre. Une fois sa mission accomplie, le prophète Élie s'est évanoui. Parfois j'ai l'impression que c'est la même chose pour un président. Nous sommes élus, accomplissons notre mission et nous disparaissons.

— Pas tout à fait, si je puis me permettre, commenta le père Spinelli. Selon certaines traditions juives, Élie revient sur terre à intervalles réguliers pour soutenir la communauté en cas de catastrophe ou de persécutions. D'ailleurs, dans les synagogues, on laisse un siège vide pour ce prophète.

Le président semblait ne pas écouter, son regard se perdait dans la contemplation du char flamboyant. Ce fut la voyante qui rompit le silence :

— Voulez-vous que je vous prédise votre avenir ?

29

Alice Grier et son adjoint étaient plongés dans les entrailles de l'ordinateur de Bertils depuis deux bonnes heures. Le soir était tombé et ils n'avaient pas vu le temps passer. Carlin avait ouvert la page Facebook du mort avec une joie non dissimulée. Sur sa photo de profil, le défunt plastronnait dans un restaurant, le visage rouge et épanoui après un repas trop copieux. Il n'y avait quasiment aucun message sur son journal et les rares photos de lui le montraient avec son épouse ou dans sa pharmacie. Le profil banal d'un homme sans histoire. Une vingtaine d'amis, tout au plus.

— Après avoir épluché ses mails sans intérêt, j'ai commencé à chercher dans l'historique de ses contacts. Il y a deux semaines, il s'est fait brancher en messagerie privée sur Messenger par une jeune femme avec laquelle il a échangé un seul message. Et devine sur quoi ?

— La franc-maçonnerie ?

242

— Pas du tout. L'inconnue lui a demandé son nouveau RIB d'urgence. Elle n'arrivait pas à le contacter par mail. Or, cette femme n'est pas dans sa liste d'amis. J'ai regardé le RIB en question, c'est celui des nouveaux comptes transmis par ton ami Marcas.

Alice hocha la tête.

— Formidable. Enfin une putain de bonne nouvelle ! Tu as identifié cette fille ?

— Oh oui… Une certaine Gwendy Tarentula.

— Tarentula… Tu te fous de moi ?

Carlin cliqua sur le clavier et le profil de la fille apparut. Une vingtaine d'années, des yeux en amande, une chevelure ondulante à souhait et, surtout, un minuscule bikini ivoire qui s'épuisait à couvrir une poitrine beaucoup trop sphérique et généreuse pour être naturelle. Les messages dans son journal ne laissaient aucun doute sur ses loisirs.

— C'est une escort !

— Finement observé, commandant Grier.

— La pute voulait son RIB ? Ça ne tient pas debout… C'est le monde renversé.

— Gwendy Tarentula n'existe que dans l'imagination de ceux qui ont créé ce profil bidon. Il serait intéressant de savoir qui se cache derrière.

— C'est possible ?

— Oui. On va demander à Raphaël. Ça doit être dans ses cordes…

— Non. Je ne préfère pas. On va passer par le service informatique de nos amis de la police scientifique. L'équipe de Lyon. Ils ont de vraies terreurs là-bas. Hacker les réseaux sociaux ne devrait pas être un problème pour ces vaillants collègues.

Alice agrandit le visage de la jeune blonde aux seins épanouis.

— Gwendy Tarentula, je suis ravie de te rencontrer. Tu es la meilleure chose qui me soit arrivée depuis ce matin. On va bien s'entendre toutes les deux.

À quelques kilomètres de là, dans le nord du 9e arrondissement, Antoine était attablé dans l'arrière-salle du Corso, devant une bière et le frère obèse. La pluie flagellait les vitres, mais ce dernier avait écouté Marcas sans l'interrompre sur sa découverte au Grand Orient et l'altercation avec les officiers de l'IGPN. Ce qui semblait le plus l'intéresser était le manuscrit volé au Grand Orient.

— Le cinquième rituel, murmura Haudecourt à voix basse. Il va falloir que je me renseigne.

— J'ai rempli ma part du contrat, tu connais le mobile probable du tueur. En revanche, tu m'avais promis de faire quelque chose pour les bœuf-carottes. À l'évidence, en perdant tes kilos, tu as aussi perdu de ton influence, mon très cher frère.

Haudecourt adressa un signe au serveur pour commander un troisième café.

— Je t'avais prévenu que ce ne serait pas si facile. Les temps ont changé, l'IGPN fait preuve de beaucoup plus d'indépendance qu'avant en dépit de ce que racontent les médias. Mais bon... Je réfléchis en même temps à cette histoire du manuscrit russe. Ça m'intrigue vraiment. Verser autant d'argent à Bertils, aller jusqu'à tuer pour un possible secret vieux de presque trois siècles... Fascinant. Ça ne te rappelle pas tes anciennes enquêtes ?

— C'est ce que j'ai pensé au début, mais je dois

d'abord retrouver mon fils. C'est ma priorité. Tu n'as qu'à envoyer quelqu'un d'autre chez Poutine. Et dépêche-toi, le compteur tourne, le type a une longueur d'avance. Si ça se trouve il est déjà dans un vol pour Moscou.

— Voilà qui m'étonnerait, l'ambassade de Russie n'accorde pas des visas en express. Il faut plusieurs jours, sauf quand c'est une demande spéciale de la France.

— Ce n'est plus mon problème…

Antoine commençait à se lever de la table. Haudecourt le retint par l'avant-bras.

— Attends. Et si on faisait d'une pierre deux coups ?

— C'est-à-dire ?

— Vu ta charmante rencontre avec eux, les deux officiers de l'IGPN vont se précipiter chez leur supérieur pour obtenir une convocation en bonne et due forme. Ça va être difficile de renouer le contact avec ton fils, parce que tu vas te retrouver serré au cul jour et nuit ou, pire, embarqué pour une série d'interrogatoires.

Antoine se massa la tempe, puis vida sa bière avec une amertume plus marquée que le breuvage ambré. Haudecourt avait raison sur toute la ligne.

— Et donc, tu as la solution miracle ?

— On va t'expédier officiellement à Moscou pour les besoins de l'enquête. Tu vas prévenir ta collègue de la Crim pour te faire bordurer si l'IGPN les appelle et moi je m'occupe de la partie administrative du voyage. Du moins pour l'intérieur de la maison. Et pour le monde extérieur et les Russes en particulier, je reprends ton idée d'une mission culturelle mandatée par Jolier.

— Tu es sûr que l'IGPN ne m'empêchera pas de prendre l'avion ?

— Le temps qu'ils comprennent que tu t'es envolé, ils ne pourront plus intervenir. Rapporte le manuscrit manquant. Pendant ce temps-là, je redouble d'efforts pour t'arranger le coup.

— Et comment ? demanda Antoine, méfiant.

— L'un de mes amis a déjà pris contact avec le vieil emmerdeur, le témoin de la scène avec ton fils. Il doit le voir cette semaine. Peut-être arrivera-t-il à lui faire retirer sa déposition. Et quand tu reviendras, les choses se seront sans doute tassées.

Marcas jaugea Haudecourt. Il ne pouvait s'empêcher de rester sur ses gardes. Son interlocuteur était spécialiste des coups de billard à dix-huit bandes.

— Je ne sais pas pourquoi, mais j'ai l'impression que tu me caches quelque chose.

— Ne sois pas parano. On bosse ensemble depuis combien d'années ? T'ai-je trahi une seule fois ?

— Trahi, non. Manipulé, oui… Tu veux que je te rappelle l'épisode aux États-Unis[1] ? Dis-moi pourquoi tu t'intéressais à Bertils. Pourquoi tu avais ces informations sur ses comptes ?

Haudecourt secoua la tête.

— C'est vrai, je l'avais dans le collimateur, mais pour le moment tu n'as pas à le savoir. Je t'en dirai plus. Alors tu acceptes ou pas ?

— Je suppose que je n'ai pas trop le choix. Ça marche. Donc tu t'occupes du visa, de l'ambassade, des billets d'avion et de l'hôtel cinq étoiles avec vue sur le Kremlin ?

---

1. Voir *Résurrection*, JC Lattès, 2021.

— On verra pour l'hôtel, en revanche tu auras un taxi qui parle français pour te guider. Ravi que tu acceptes.

Le frère obèse se leva pour aller aux toilettes. Antoine contemplait la pluie qui frappait par rafales la devanture. Dans son esprit, les averses se succédaient aussi. Le meurtre au Grand Orient, son fils en fuite, le manuscrit perdu, l'IGPN à ses trousses et maintenant Moscou. Il avait l'impression de se noyer.

Arthur, le patron, qui passait devant les tables, l'interrompit dans ses pensées.

— T'as une sale mine. Pire qu'un supporter de l'OM après une défaite contre le PSG en finale. C'est dire…

Il réussit à arracher un sourire à Antoine et s'éclipsa quand Haudecourt revint vers lui.

— Dis-moi, tu as des contacts à Moscou ? demanda Marcas. Je n'ai jamais mis les pieds en Russie.

Haudecourt régla l'addition et enfila son manteau.

— Des contacts ? Oui, et de premier choix. À part sur la banquise et en Corée du Nord, la franc-maçonnerie est partout dans le monde. Même à Moscou. Tu devrais le savoir, non ? Bon voyage, mon frère…

Marcas le regarda s'éloigner. Il n'arrivait pas à se faire à son nouveau look. Tant qu'il ne lui trouverait pas un nouveau surnom, il continuerait à l'appeler le frère obèse. Il se doutait qu'Haudecourt lui cachait des choses, mais au point où il en était, Antoine aurait marché sur la Lune si ça pouvait lui éviter l'IGPN. Son portable se rappela à son bon souvenir pour interrompre ses pensées. Le numéro d'Alice.

— Vous tombez bien, j'allais vous appeler.

— On dit toujours ça quand on se sent pris en faute. Je vous écoute.

— Alice, vous avez le don de mettre les autres en confiance… Bon, j'ai découvert avec Jolier que le cambrioleur a emporté un manuscrit daté du XVIIIᵉ qui provenait d'archives maçonniques stockées à Moscou et rendues au Grand Orient il y a peu. Les livres précieux étaient un prétexte pour dissimuler l'objet véritable du vol.

— Vous avez trop lu le *Da Vinci Code*…

— Laissez-moi terminer. Ce parchemin maçonnique fait référence à un secret perdu, le cinquième rituel, mais il est incomplet. La partie manquante est encore à Moscou. Il y a fort à parier que le tueur va s'y rendre.

— Bien sûr… Et il est à la solde du Vatican. Il prouverait que Jésus était un trans et le pape ne veut pas que ça se sache. Sérieux, j'ai pas de temps à perdre.

— Je suis on ne peut plus sérieux. Je pars pour Moscou. Voyez ça comme un signe de la providence, vous ne m'aurez plus dans les pattes.

À l'autre bout du fil, Alice ne savait pas quoi penser. Ce type était déroutant. Il surgissait de nulle part, puis s'envolait à l'autre bout de l'Europe. Elle l'avait catalogué comme le prototype du collègue rond-de-cuir, qui avait fait carrière avec son réseau, et voilà qu'elle se retrouvait avec une sorte d'Indiana Jones franc-maçon. Non, plutôt le héros du film *La Neuvième Porte*[1], Corso, le spécialiste des livres anciens.

— Mais on ne part pas comme ça en Russie du jour au lendemain… Le visa, le billet…

— Disons qu'une personne en haut lieu, place

_____

1. Adapté du livre *Le Club Dumas* d'Arturo Pérez-Reverte.

Beauvau, me facilite les choses. Il prend l'affaire au sérieux… Et vous, vous m'appelez pourquoi?

— Je voulais vous proposer un verre demain, dans un café pas loin du Bastion. Pour parler de l'enquête et… m'excuser.

— De quoi?

— J'ai été un peu sèche quand on s'est séparés. Vous m'avez quand même évité l'hôpital.

— Avec plaisir. Vraiment. Mais tout va dépendre de mon départ pour Moscou. C'est une course contre la montre pour retrouver le tueur. Je vous appelle demain. En tout cas merci pour la proposition, vous n'êtes pas si désagréable après tout.

— Je prends ça comme un compliment, répondit-elle avec un petit rire. Si on ne se voit pas, tenez-moi au courant de votre enquête. Bonne journée.

Elle raccrocha. Marcas contempla son portable quelques instants. Cette femme le surprenait. Et l'intriguait. Il regrettait presque de partir en Russie. Avec un peu de chance, il ne s'envolerait que dans deux jours et il pourrait accepter l'invitation. Un verre, c'était déjà un début… Son téléphone vibra de nouveau. Haudecourt.

— Antoine, tu auras ton visa en express et ma secrétaire s'occupe des billets. Tu décolles pour Moscou demain en fin de matinée.

30

Paris
Palais de l'Élysée
Lundi soir

Debout devant la tapisserie flamboyante du prophète Élie, les bras croisés, baigné par la lumière irradiante du lustre de cristal qui pendait au-dessus de sa tête, le président était surpris. Les invités attablés n'osaient prendre la parole, tant la proposition de la voyante leur paraissait incongrue. Visiblement satisfaite de son effet, l'Eurasienne au crâne rasé reprit d'une voix claire et distincte :

— Je serais honorée de vous tirer les cartes. Si le général de Gaulle croyait à l'influence des étoiles, vous pouvez faire preuve de la même ouverture d'esprit...

Le président ne répondait pas, il jaugeait la voyante de son regard clair. Le père Spinelli toussota.

— Ma chère enfant, je ne doute pas un instant de vos compétences, mais n'oubliez pas à qui vous avez affaire.

La femme du président posa sa main sur l'épaule de son amie.

— Je crains que cela ne soit pas une bonne idée, mon mari ne…

— Non, coupa son époux. Au contraire !

Le locataire de l'Élysée était sorti de sa posture de commandeur et s'approcha de la table.

— Je vais suivre les traces du général et de Mitterrand. On va dire que je m'inscris dans la tradition républicaine…

— Comme vous y allez… Tout cela n'est pas très républicain, commenta l'ex-ambassadeur, goguenard.

— Vous seriez étonné de ce que l'on apprend pendant la passation des pouvoirs, répliqua le président avec un air énigmatique. En tout cas ce sera sûrement plus amusant que les prévisions de mes conseillers politiques. Mes amis, auriez-vous la bonté d'aller prendre un digestif dans le salon voisin avec mon épouse ? Je préfère un peu d'intimité.

L'assemblée paraissait gênée, mais l'épouse, qui avait l'habitude des sautes d'humeur du président, se leva et prit un ton enjoué :

— Excellente suggestion. Si Aline te fait des révélations croustillantes, nous serons tous tentés d'appeler *Voici* ou *Le Canard enchaîné*.

Le père Spinelli se fendit d'un sourire.

— Je ne lis que *L'Osservatore Romano*, je doute qu'ils publient ce genre d'informations.

Excepté la voyante, les invités disparurent sous le regard attentif du président. Un silence pesant s'abattit sur la pièce. Il la prit par le bras et lui indiqua les deux fauteuils devant la cheminée.

— Parfait, allons voir Marie-Antoinette !

Il sourit et tendit la main vers le buste en marbre blanc posé sur la cheminée.

— Elle nous observe depuis le début du repas. Je ne sais pas lequel de mes prédécesseurs l'a mise à cet endroit, mais il avait le sens de l'humour. Une reine décapitée qui trône dans le palais de la République…

Ils passèrent devant la reine qui semblait les suivre du regard et s'installèrent dans deux fauteuils Louis XV à l'inconfort historique.

— Vous êtes aussi médium ? Vous parlez avec les morts ? demanda le président en contemplant le buste au destin tragique.

— Non. Ce n'est pas ma spécialité, mais je connais une collègue réputée dans le domaine.

— Je serais curieux d'entendre ce que pourrait nous dire cette chère Marie-Antoinette. Elle a dû voir tant de choses dans cette pièce. Bon, je n'ai, hélas, pas beaucoup de temps devant moi. Est-ce rapide ?

— Ça dépend de vos questions.

— Je n'en ai qu'une.

— Votre réélection ?

Le président secoua la tête. Il se cala dans son siège et déboutonna sa veste.

— Non. Je ne veux pas être influencé. Je…

Il allait continuer, mais on frappa d'un coup sec de l'autre côté du salon. Le président jeta un œil maussade dans cette direction.

— Qu'on ne me dérange pas !

Une voix étouffée jaillit :

— La secrétaire générale essaye de vous joindre. Une urgence.

Le président secoua la tête. Léa attendrait. Si c'était à propos du cinquième rituel, elle appellerait directement sur le portable sécurisé.

— Je la rappellerai tout à l'heure, cria le chef de l'État. Dites-lui que je règle un dossier prioritaire.

Des bruits de pas s'éloignèrent, puis s'estompèrent. Le président soupira.

— Je n'ai pas un instant de tranquillité. Nuit et jour. Et bien sûr, tout est urgent.

— Si vous voulez, je peux revenir une autre fois.

— Non, je crains que vous n'ayez pas d'autre occasion de me prouver vos talents. Bon, vous savez pourquoi je ne vous poserai pas de question sur ma réélection ?

— Vous avez peur du résultat ?

— Pas du tout, ricana le président. C'est plutôt pour mon moral. Imaginez que vous m'annonciez une défaite, je me connais, ça va me mettre dans une humeur détestable, même si je n'y crois pas. En revanche, j'aurais bien une autre question, mais ça m'ennuie de vous la poser directement. Vous êtes obligée de l'entendre de vive voix ?

— Pas du tout. Prononcez-la dans votre esprit. Vous êtes prêt ? demanda la voyante, nullement impressionnée par le décorum.

— Je le suis depuis ma naissance…

Elle sortit un étui de velours rouge de son sac à main et en extirpa un mince jeu de cartes à l'aspect usé. Sur le verso était dessinée une sorte de croix multicolore allongée avec un bouton de fleur en son centre, le tout sur un fond bariolé orange et marron.

— Je suppose que ce sont les vingt-deux arcanes majeurs du tarot de Marseille ? reprit-il.

— Oui et non, dit-elle en brassant les cartes avec lenteur tout en le scrutant. C'est le jeu de Thot, conçu par le mage anglais Aleister Crowley dans les années 1940. Il utilise la symbolique du tarot traditionnel, mais il y a apporté une touche personnelle. C'est le jeu qui me parle le plus. Bien… Pensez à votre question en vous concentrant sur sa matérialisation.

Il ferma les paupières.

Cinquième rituel.

Il s'imagina dans le salon doré, assis face à Léa. Elle lui apportait une sacoche. Elle l'ouvrait sous ses yeux impatients.

— C'est fait.

— Tirez cinq lames[1], puis donnez-les-moi.

La voyante lui tendait le jeu en éventail. Certaines cartes dépassaient du lot, d'autres semblaient plus inaccessibles. Il hésita quelques secondes. Fallait-il prendre les lames les plus évidentes ou celles qui se dérobaient à la vue ? Il trancha et choisit au hasard.

La voyante les ramassa et les plaça en forme de croix allongée sur le guéridon. Avant de les retourner une à une.

— Voyons… L'*Empereur*, La *Papesse*, La *Mort*, La *Tour destruction*, Le *Soleil*… Pas banal.

Le président observait les cartes avec curiosité. Il avait déjà vu des exemplaires du tarot de Marseille dans des expositions, mais ce modèle lui était totalement inconnu. Les dessins étaient étranges, à la fois naïfs et inquiétants. Quelque chose le mettait mal à l'aise, mais il n'arrivait pas à savoir pourquoi.

_____
1. Nom donné aux cartes du tarot divinatoire.

— Et donc ?

La voyante scruta longuement les cartes.

— C'est moins évident en ne connaissant pas la question, mais je me lance. L'*Empereur* vous représente. C'est flagrant.

— Je ne suis que président…

— C'est la carte des gens au pouvoir… et qui veulent le rester. La *Papesse*, elle, pourrait être une femme proche de vous. Une femme qui a de l'influence sur votre destin.

— Mon épouse ?

— Non, nous aurions dû voir apparaître la carte de l'*Impératrice*. Non, la *Papesse* désigne une femme qui ouvre des perspectives, facilite le passage dans d'autres univers. Elle symbolise la déesse Isis. Quoi qu'il en soit, elle va jouer un rôle clé dans la résolution de votre question.

Au moment où elle prononçait ces derniers mots, le portable vibra dans la veste du président. Captivé par les paroles de la jeune femme, il posa le téléphone sur le côté et coupa l'appel sans regarder l'identifiant du numéro.

— Continuez… Je reconnais la carte de la *Mort*. Pas très encourageant. Je suis encore bien jeune.

— Rassurez-vous. La *Mort* est une allégorie. Il s'agit là d'une transformation, une métamorphose. Une lame bénéfique qui correspond à un changement de vie ou une inflexion du cours des événements.

Le président ne laissait rien paraître mais, dans son esprit, un autre puzzle était en train de s'assembler. Ce pouvoir auquel il tenait tant, une femme en avait la clé. La clé qui pouvait tout changer.

— Les deux autres cartes me soucient plus, reprit la voyante, car elles sont radicalement opposées. La *Tour* est symbole de destruction, elle annonce un malheur.

— Fâcheux…

— Oui, mais elle est suivie juste après du *Soleil*. L'une des lames les plus positives du jeu. Et c'est la résolution finale de votre question. Le dessin montre deux enfants ailés qui volent sous un soleil irradiant. C'est la carte de la réussite, du bonheur. Vous seul pouvez comprendre le sens de ce tirage.

Il croisa les mains sous le menton, le cerveau sous pression.

— Si je résume bien : une femme va m'apporter une nouvelle qui va briser le cours de ma vie actuelle, je vais en prendre plein la gueule et je vais finir par me transformer en petit angelot ?

— C'est une image, monsieur le Président.

— Les anges remportent rarement des élections.

Il en avait assez. Il se leva brusquement.

— Je vous remercie pour cette séance. Bien sûr, vous gardez ça pour vous ?

— Je ne pourrais même pas en parler sur Facebook ou Instagram ? Sans dire le résultat bien sûr. Tirer les cartes au président de la République, quel honneur.

Le visage du chef de l'État se durcit, mais il conservait son sourire.

— Nous sommes en démocratie, chère madame. Je n'ai aucun pouvoir de vous interdire quoi que ce soit. En revanche, je peux vous envoyer un contrôleur du fisc qui sera ravi de se faire tirer les cartes et d'éplucher vos comptes.

— Je plaisantais.

— Moi non. Je vous raccompagne.

Alors qu'ils traversaient le salon sous l'œil ironique de Marie-Antoinette, le président consulta son portable. C'était Léa qui avait tenté de le joindre pendant le tirage des cartes. Elle avait laissé un bref SMS.

Ça s'accélère pour le cinquième rituel. Il y a bien eu une fuite, une officine a été mise à sa recherche. Appelle-moi d'urgence.

Il prit un air songeur.

— Je viens de recevoir un message de la *Papesse*.

TROISIÈME PARTIE

« La mort n'est pas derrière les montagnes,
elle est derrière nos épaules. »

Proverbe russe.

31

Dordogne
Château de Castelrouge
30 août 1789

Il y avait longtemps que le pont-levis n'existait plus, remplacé par un pont de pierre délicatement ouvragé : souvenir d'un seigneur de Castelrouge parti se battre en Italie et revenu les yeux embués des charmes de la Renaissance. Il avait aussi édifié une loggia, d'où sa descendante, la jeune comtesse de Turenne, accoudée près d'une colonnette de marbre, regardait ses invités arriver dans la lumière du soleil couchant. Tout le long des murailles du château, à la place des anciennes douves désormais comblées, s'étendaient des carrés de buis d'où montait le parfum entêtant de rosiers grimpants. Illuminé, le château resplendissait comme une pierre précieuse dans l'écrin de sa falaise.

Julie de Turenne contemplait le ballet des carrosses qui déposaient dans la cour d'honneur la fine fleur de l'aristocratie locale. Elle repoussa une mèche blonde qui tombait sur sa joue et sourit. Elle savait très bien pourquoi son père avait organisé cette réception fastueuse. Sortie du couvent depuis le début de l'été, elle était désormais un des plus beaux partis du Périgord, et la jeunesse masculine des châteaux ne manquerait cette soirée sous aucun prétexte. Non seulement elle était belle, mais sa dot valait une fortune. Celui qui l'épouserait ferait une excellente affaire. Julie en était outrée. À la différence de ses parents, confits dans un autre siècle, elle avait lu Voltaire en secret et surtout Rousseau. Elle pestait contre ce sort réservé aux femmes : n'être qu'un ventre à remplir et une bourse à vider.

Elle savait très bien qu'elle ne parviendrait pas à s'opposer frontalement à cette indécente tractation qu'était un mariage noble. Elle avait toutefois bien l'intention de compliquer la tâche de sa famille et de son futur mari. Deux prétendants étaient en lice. Le jeune seigneur de Beaumont, héritier d'une vieille famille, et M. de Tustal, noblesse de robe, mais qui héritera de son père la charge de lieutenant principal de Sarlat et de son oncle un château dans le Bordelais.

Des nobliaux de province, ennuyeux. Sans aspérités. Sans secrets. Sans tragédies. Pas comme sa famille. Julie s'enorgueillissait de la réputation sulfureuse des Turenne qui perdurait dans la région. L'année précédente, son père avait découvert dans l'une des tours un parchemin rédigé quatre siècles plus tôt. Il l'avait recoupé avec d'autres récits, des témoignages. Le donjon était maudit et, chaque fois qu'un seigneur de Castelrouge se manifestait trop, un drame surgissait. Son grand-père, pour des raisons obscures, s'était mis en tête d'explorer les grottes sous le château où nul n'avait mis le nez depuis des siècles. Cette quête était devenue une véritable obsession. Il avait fini par déblayer un premier niveau où avaient été retrouvés les vestiges d'un four et d'une forge, avant de tomber sur un entrelacs de cavités effondrées. C'est là que, voulant désobstruer une galerie, il avait fini enseveli sous un plafond écroulé. Depuis, le sous-sol de Castelrouge était sa tombe. Il y avait aussi cette légende d'une revenante qui aurait lancé la malédiction contre sa famille au temps des cathares. Mais malédiction ou pas, la famille de Turenne était en parfaite santé et ses affaires florissantes.

Que le vieux donjon soit hanté, qu'il soit sous le coup d'une malédiction, exaltait encore plus son esprit romanesque. Et ces histoires de spectres convenaient parfaitement au plan qu'elle échafaudait depuis des semaines.

En contrebas, la ronde ininterrompue de carrosses déversait nobles titrés et bourgeois argentés, attirés comme des oiseaux de proie par l'irrésistible promesse d'une magnifique dot. Julie se doutait bien qu'en plus des deux prétendants qui avaient la préférence de son père, elle allait subir les assauts plus ou moins subtils d'une horde de mâles, autant alléchés par la fraîche promesse de son entrejambe que par la réputation de sa fortune.

Sauf qu'elle avait un moyen de les éprouver. Une fois la soirée de son père bien lancée, elle entraînerait les plus hardis dans le donjon. Vu le grand nombre d'invités, personne ne le remarquerait. Et une fois entrés dans la tour, elle les mènerait à la salle haute.

C'était la chambre d'Alix de Turenne, l'héroïne de la famille, qui avait tenu tête aux croisés. La chambre des prodiges aussi. On racontait qu'un feu s'y était déclaré et qu'il s'était éteint comme par miracle. D'ailleurs, les peintures sur les murs étaient encore intactes. Si un fantôme hantait ces murs, c'est là qu'il se manifesterait. Ce serait follement amusant de voir ses prétendants gravir l'escalier à vis balayé par les vents, pénétrer dans cette chambre qui défiait les siècles et braver un spectre revenu d'entre les morts. Julie éclata de rire. Elle sentait l'âme de ces femmes d'antan pour lesquelles des chevaliers se battaient en duel. M. de Beaumont, M. de Tustal la voulaient ? Eh bien, qu'ils méprisent le vertige, narguent la peur et affrontent la mort !

Il était temps de faire son entrée dans le salon d'honneur. Avec un retard étudié. Et ensuite, elle choisirait le vainqueur.

Dans la grande salle qui se remplissait à vue d'œil de la meilleure société, le jeune seigneur de Beaumont piaffait d'impatience à l'idée de rencontrer la comtesse. Il patientait en s'entretenant avec l'un de ses cousins.

— Que fait donc cette donzelle ? Tout le monde l'attend.

— Cent mille livres de dot, à ce prix vous pouvez attendre toute la soirée.

Les deux aristocrates éclatèrent d'un même rire satisfait.

— Une belle somme, certes, reprit une voix flûtée derrière eux. Mais c'est peut-être cher payé.

Les deux jeunes nobliaux se retournèrent. Celui qui venait de parler était l'abbé du Repaire. Issu d'une des plus anciennes familles du Périgord, il avait choisi de devenir prêtre par vocation. Brillant, érudit, on lui prédisait une carrière exceptionnelle dans l'Église.

— Que voulez-vous dire ?

— Mon cher Beaumont, connaissez-vous bien l'histoire de la famille dans laquelle vous prétendez entrer ? Les Turenne sont dans ce château depuis plus de cinq cents ans. Mais savez-vous combien sont morts de façon violente en vingt-cinq générations ?

Beaumont se mit à rire. Il n'y avait vraiment que l'abbé pour s'intéresser encore à pareilles histoires. Lui s'en moquait bien. Peu importent les tribulations des ancêtres, pourvu qu'ils aient laissé une fortune suffisante pour mener grand train.

— Voyons, l'abbé, au cours d'autant de siècles, chaque famille connaît fatalement son lot de drames. Ce qui signifie, sans doute, que deux ou trois personnages hauts en couleur ont mal fini. Vous qui aimez l'histoire, c'est signe de bonne race, non ?

— Pas moins de dix-sept châtelains de Castelrouge sont morts violemment. Assassinés, noyés, pendus, écartelés, brûlés, suicidés…

— Vous plaisantez, l'abbé ?

— Nullement. Une prédisposition au malheur qui d'ailleurs a fini par inquiéter l'évêché de Sarlat, lequel a commandité une enquête des plus discrètes. Je l'ai retrouvée, par hasard, dans les archives du diocèse.

— Et ces papiers expliquent un tel acharnement du sort ? demanda un ami de Beaumont comme ce dernier, inquiet, se taisait.

— Ils parlent d'une légende : un trésor protégé par une revenante qui, deux fois par siècle, reviendrait tuer les propriétaires du château. Une malédiction venue du fond du Moyen Âge, mais qui n'a pas frappé depuis plusieurs décennies. Peut-être Dieu, ou le diable, s'est-il lassé ? À moins qu'il ne se réserve pour notre ami…

— Allons, l'abbé, vous n'êtes pas sérieux. Nous vivons à l'époque des Lumières !

— Nous vivons à l'époque des grands bouleversements, Beaumont. Croyez-vous que Voltaire aurait prédit un jour que la Bastille serait rasée et le roi réduit à néant ? Il y a parfois des forces obscures qui, longtemps comprimées, détruisent tout lors de leur résurrection.

Beaumont allait répondre quand un long murmure se répandit parmi les invités. D'un coup, toutes les têtes se tournèrent vers l'escalier d'honneur.

Mlle de Turenne venait de faire son apparition.

Tout ce monde l'observait, la pesait, la jaugeait. De la couleur bleutée de ses yeux à la souple dentelle de sa robe, de la délicatesse de sa cheville brodée de soie à sa coiffure endiamantée comme un buisson ardent, tout faisait l'objet d'un examen minutieux dont elle entendait les commentaires enfler comme une rumeur puissante dans son dos.

Visiblement, elle était en train de réussir son examen de passage. Les vieilles familles, les notables, les prélats influents venaient de l'adouber. Pour tous les invités, le sang de ses ancêtres avait parlé, la richesse de sa famille aussi. Désormais, elle voyait la convoitise s'allumer dans les regards : son ventre et sa dot étaient à conquérir.

En même temps qu'elle ne cessait de sourire, elle cherchait à deviner qui était ce Beaumont ou ce Tustal. Était-ce ce nez busqué sous une perruque blonde ou bien cette veste de soie bleue surmontée d'une tête de lune ?

Elle allait devoir rapidement les identifier l'un et l'autre si elle voulait les soumettre à l'épreuve du donjon. Mais avant cela, il fallait qu'elle en finisse avec cette présentation interminable, où elle défilait au pas comme une pouliche de concours.

Juste derrière elle, son père l'observait ardemment. La soirée se déroulait à merveille. Aucun invité ne manquait à l'appel et sa fille était d'une beauté à ravir. Elle allait faire tourner tous les cœurs de la province et peut-être même au-delà… Depuis les événements de Paris, plusieurs hautes familles de la cour avaient jugé opportun de renouer avec leurs racines en venant se mettre au vert en Périgord. M. de Turenne les avait bien sûr invités. On ne savait jamais.

— Dites-moi, mon cher, vous savez ce qui vient de se passer à Cahors ?

Le seigneur de Castelrouge se retourna vers le père du jeune Tustal. Par ses fonctions judiciaires, il était souvent très bien informé. En revanche, il aimait se faire prier pour parler. Mais rien de tel que de minorer ses propos pour le rendre plus bavard.

— Figurez-vous qu'hier l'archevêché a été attaqué par le peuple. Il s'en est fallu de peu que cela tourne à la prise de la Bastille et, depuis, des bandes d'insurgés courent la campagne. Plusieurs châteaux ont déjà été rançonnés et pillés.

— Ah, si le roi avait sévi contre ces maudits députés, ces journalistes infâmes, les Mirabeau, les Desmoulins, nous n'en serions pas là. Ils agitent le peuple, ils le poussent à l'insurrection. Ce sont des rebelles ! s'écria Beaumont père qui venait prendre part à la discussion. Croyez-moi, pour en finir avec les séditieux, il n'y a qu'une seule manière : la forte.

— En attendant, ce qui nous menace, ce sont ces bandes armées. Elles sont constituées de paysans désespérés et d'artisans ruinés…

— Et armées de quoi, ironisa Beaumont. De faucilles et de fourches ? Des armes de gueux ! Ils se disperseront au premier coup de feu !

— Ne les sous-estimez pas. À Cahors, ils ont pillé toutes les armureries de la ville. Et puis ce qui les rend dangereux, c'est qu'ils ont des meneurs à leur tête. On parle d'un avocat… Un franc-maçon…

— Ça ne m'étonne pas ! explosa Beaumont. Cette engeance nous a entraînés dans cette maudite révolution. Ils adorent Satan dans l'arrière-cuisine de leurs loges.

— Vous exagérez, comte, ce sont des racontars, j'en connais de fort bonne lignée.

— Mes amis, les arrêta Turenne, il suffit. Nous sommes réunis ce soir pour fêter ma fille, pas pour parler politique. D'ailleurs, Beaumont, votre fils semble partir à l'assaut de la forteresse. Mon cher Tustal, si votre fils ne se dépêche pas d'arriver, je crains que la messe ne soit dite.

— Je ne comprends pas, il devrait déjà être là depuis longtemps. Je ne sais pourquoi il est en retard. Je cours aux nouvelles.

De l'autre côté du salon, Julie souriait en découvrant la tête poudrée de frais qui s'inclinait presque ventre à terre, comme si elle était Marie-Antoinette en personne.

— Madame, permettez-moi de vous présenter mes

respects, je suis François Charles-Brandelis, marquis de Beaumont, seigneur de la Roque. Ébloui par votre beauté, je dépose mes hommages à vos pieds.

Julie esquissa une révérence tout en détaillant le jeune homme. L'œil vif, la taille bien prise, le mollet avantageux, il avait tout du coq de province, habitué à ce que rien ni personne ne lui résiste. Et bien sûr, il devait la prendre pour une oie blanche tout juste sortie de son couvent. Eh bien, elle allait lui donner du fil à retordre.

— Beaumont ? Beaumont ? Mais oui, je vois ! Votre famille est arrivée en Périgord il y a trois petits siècles, c'est cela ?

— Mademoiselle, s'offusqua le jeune Beaumont, nous sommes de fort vieille noblesse, croyez-le bien !

— Jamais autant que moi, marquis. Savez-vous que ma famille, les Turenne, porte blason depuis avant l'an mille ? Il vous manque juste sept siècles pour être à mon niveau.

Devant la mine stupéfaite de son prétendant, Julie reprit :

— Mais je suis une femme de mon temps et je ne juge les gens ni sur leur nom, ni sur leur famille, ni sur leur fortune. Êtes-vous homme de courage, monsieur de Beaumont ?

— En douteriez-vous, madame ?

— Pas si vous me rejoignez au pied du donjon dans un quart d'heure. On dit qu'il est hanté, vous n'avez pas peur des fantômes ?

— Je n'ai peur que de ne point vous plaire, madame.

Julie s'inclina.

— Alors vous savez ce que vous avez à faire, marquis…

32

Moscou
Octobre

Antoine Marcas se pencha vers la vitre du hublot qui reflétait un soleil désespérément anémique. Même les nuages semblaient pâles et délavés. À croire que le ciel, au-dessus de la Russie, était à l'image de la campagne désolée qu'il apercevait. Des étendues de bois gris et squelettiques, parsemées de rares clairières où de mornes champs sombraient dans la boue. Vu d'en haut, Antoine avait l'impression de découvrir un nouvel état de la matière, ni solide ni liquide, mais intermédiaire.

Un instant, il pensa à ces soldats de Napoléon qui, après avoir arpenté victorieusement toute l'Europe, avaient fini par disparaître, absorbés par l'immense terre sans fin et sans fond de la Russie éternelle. Il avait la même sensation lorsqu'il pensait au lieu improbable où il se rendait : les archives de l'Armée rouge. Rien que le nom évoquait une histoire de feu et de sang. Des morts par millions et des massacres par milliers. Il avait du mal à imaginer que cette armée, qui avait vaincu les nazis et conquis la moitié de l'Europe, ait aussi eu le temps d'amasser des archives. Et pourtant, s'il en croyait les rares informations recoupées – les Russes étaient d'un naturel cachottier –, il allait se retrouver au milieu d'un labyrinthe de papiers dont le nombre semblait aussi aléatoire qu'insensé.

Certains experts évoquaient onze millions de documents, mais qui pouvaient aussi bien être une simple feuille dactylographiée qu'un épais registre à l'écriture serrée. On estimait qu'environ soixante-quinze millions de pages s'entassaient dans ces archives devenues dantesques, car on pouvait y retrouver un ordre de mission pour un groupe de blindés soviétiques autant qu'un parchemin médiéval volé par les nazis en France et récupéré – on ne sait comment – par les Russes. *Tout s'égare, mais rien ne se perd*, pensa Antoine, *et un jour le passé refait surface*. Pourtant, il se demandait bien comment il allait retrouver la dernière page d'un manuscrit, écrit au XVIIIe siècle, perdu au XXe, et désormais enfoui dans les entrailles tentaculaires des plus stupéfiantes archives du monde.

Comment allait-il retrouver la suite du cinquième rituel ?

En guise de sésame il n'avait que la référence de la boîte envoyée au Grand Orient.

CZ-3.

Et le nom de la loge qui avait conduit les travaux.

Athanor.

Il se les répétait comme un mantra, pour les apprendre par cœur. Au moins il était à égalité avec le mystérieux cambrioleur qui ne devait pas être non plus un habitué des archives. Difficile de recruter un tueur dans ce genre de milieu… Antoine s'étira. Peut-être qu'il arrivait trop tard et que son adversaire avait déjà mis la main sur le cinquième rituel. Peut-être pas. De toute façon, il n'avait rien à perdre. Au pire, il se mettait au vert quelques jours à Moscou, à l'abri des limiers de l'IGPN.

Que pouvait être ce cinquième rituel ? Un rituel ? Un secret ? Un livre ? Une carte au trésor ?

Le choc sourd du train d'atterrissage le fit sursauter et, avec lui, ses pensées. L'Airbus A320 arrivait enfin à l'aéroport de Moscou-Cheremetievo. Il déconnecta le mode avion de son portable, attendit que le réseau fonctionne et espéra un nouveau message. Pas du frère obèse. Mais de son fils. Marcas lui avait envoyé toute une série de SMS avant son départ. En vain. Aucune réponse. Il réprima son agacement et rassembla ses affaires.

Les passagers s'étaient levés pour se ruer sur les coffres à bagages et un magasin entier de sacs Vuitton apparut dans la carlingue. Antoine se demanda lesquels venaient de la flambante enseigne de la place Saint-Germain et lesquels des trottoirs de Barbès. Une question essentielle pour la balance commerciale française, mais dont il se rendit rapidement compte qu'elle n'intéressait absolument pas la douane russe au moment de tamponner son visa. Il observa le jeune policier, glissant sans ciller son passeport dans le système d'identification avant de le lui rendre sans même un regard. Pourtant un flic français qui se déplaçait à Moscou au mois d'octobre pour faire du tourisme, ça devrait attirer l'attention… Eh bien non, visiblement, il ne pesait pas plus lourd qu'un sac Vuitton de contrebande.

Ce n'était pas l'avis d'un des voyageurs posté avec lui devant le tapis roulant où les bagages se faisaient attendre. Serrant un étui à violon contre sa poitrine durant tout le vol, il avait longuement raconté à sa voisine, sous le charme, son enregistrement de *L'Île des morts* de Rachmaninov à Paris. Et, en même temps, il avait observé Marcas durant tout le voyage, notant mentalement le moindre geste du Français. Sa mémoire exceptionnelle, qui provoquait l'admiration de ses professeurs au conservatoire, faisait désormais la joie de ses supérieurs au FSB[1]. Mais son rôle était terminé. Ses collègues, au sortir de l'avion, avaient déjà méticuleusement fouillé les bagages du Français qui serait pris en filature dès qu'il monterait dans un taxi.

Une fois sa mince valise récupérée, qu'on l'avait obligé à mettre en soute, Antoine se dirigea vers le hall de sortie. Une nuée de chauffeurs attendaient et brandissaient des tablettes où s'inscrivait, dans une orthographe souvent hésitante, le nom de leur client. Marcas finit par repérer un jeune homme qui, adossé à un pilier, tenait entre ses mains un carton où était inscrit son nom. Quand il aperçut Antoine qui s'avançait, il se précipita pour lui prendre son bagage.

— Bonjour, je suis Vassili. Bienvenue à Moscou. J'espère que vous avez fait un bon voyage.

— Vous parlez parfaitement français.

Vassili haussa discrètement les épaules, fataliste.

---

1. Service fédéral de sécurité de la fédération de Russie, chargé du renseignement intérieur, qui a succédé au tristement célèbre KGB.

— Je l'ai étudié à l'université. Une belle langue. Mais pour gagner de l'argent, mieux vaut parler anglais ou surtout allemand. Résultat, je suis chauffeur de taxi pour les rares Français qui débarquent ici.

— À vous entendre, il n'y en a pas beaucoup.

Vassili haussa encore les épaules.

— Les Français ne comprennent rien à la Russie. Vous, par exemple, vous venez pour quoi?

— Je suis historien, je viens étudier des archives d'État.

— Et voilà! C'est toute la différence : la France nous envoie des intellectuels, l'Allemagne des hommes d'affaires.

Ils venaient d'arriver sur le parking submergé de voitures. Partout des SUV aux vitres fumées s'alignaient comme à la parade. Antoine eut beau chercher, il n'y avait aucune berline. Si ce n'est, à l'écart, une vieille Mercedes, croulant sous les bagages, entourée d'une famille aux vêtements colorés, piaillant comme dans un poulailler.

— Ce sont des Caucasiens, expliqua Vassili. Dans l'échelle sociale, ils sont très en dessous du premier barreau, d'ailleurs…

Deux policiers russes venaient de surgir, entraînant un torrent de lamentations de la part de la famille affolée.

— Ils vont leur faire sortir toutes leurs affaires, provoquant cris et pleurs, ensuite ils vont fouiller chaque valise et puis tout ce petit monde va négocier.

— Comment ça négocier? s'étonna Antoine.

— Ben oui, s'étonna Vassili, ils vont se mettre d'accord sur l'amende.

— Mais quelle amende?

274

— Ah, mais ça, ça n'a aucune importance ! Voiture trop chargée, autorisations dépassées, denrées périmées, papiers d'identité écornés… L'imagination créatrice de notre police est sans limites. Vous montez ?

Vassili venait de s'arrêter devant un van qui sembla gigantesque à Antoine.

— Vous savez, Vassili, je n'ai qu'une valise.

— Oui, mais ça nous évitera de subir le même sort que les Caucasiens. Ici, plus votre voiture est grosse, moins vous êtes contrôlé. Un policier aura toujours peur de tomber sur un collègue qui a mieux réussi que lui.

Antoine n'insista pas. Il se remémora son timing. Tiré au cordeau. Avant de se rendre aux archives, il avait un rendez-vous particulier que lui avait organisé le frère obèse. Pas question de jouer au touriste. Il avait juste le temps de se rendre à son hôtel dans le centre-ville pour déposer ses bagages et se rafraîchir, puis de repartir pour le rendez-vous. C'était son premier voyage en Russie, mais il sentait déjà qu'une surprise risquait de surgir à chaque pas.

Toutes les banlieues du monde se ressemblent dans la laideur et Moscou n'échappait pas à la règle. Rattrapée par la frénésie du monde capitaliste, la capitale de la Russie avait mis les bouchées doubles pour combler son retard. Des autoroutes à profusion, des zones commerciales à foison, tout ce qui avait défiguré les villes occidentales semblait ici avoir poussé en rangs serrés. Antoine commençait à se demander s'il restait encore quelque chose du Moscou véritable, si la place Rouge n'avait pas été transformée en parc d'attractions et le Kremlin en Holiday Inn. Ils venaient de passer le

MKAD, le gigantesque périphérique de Moscou qui enserrait la ville comme un anneau de bitume. Pas moins de dix voies crachaient leur flot saccadé de voitures et de camions dans un vacarme d'apocalypse.

— Ne baissez pas votre vitre, l'air est très pollué, ici, annonça Vassili.

Marcas avait presque l'impression de sentir l'haleine du Léviathan, ce monstre mythique qui dévorait les âmes à l'entrée des enfers. Franchement, il se sentait mal à l'aise dans ce tourbillon de sensations qui l'avait saisi depuis son arrivée. Il avait hâte d'être à l'hôtel pour se recentrer sur lui-même et sa mission.

— Nous sommes encore loin ?

— Une dizaine de kilomètres.

Les zones commerciales avaient disparu, remplacées par des barres d'immeubles trapus qui se ressemblaient toutes. Parfois, comme une fleur oubliée entre deux pavés, se devinait la façade fanée d'une demeure bourgeoise, miraculeusement réchappée de l'inflation urbaine. Antoine se demandait qui pouvait encore bien vivre là, dans l'ombre des immeubles de béton et le vacarme incessant de la circulation. Il imaginait une vieille *babouchka*, dans un salon d'un autre temps où trônait encore le portrait du dernier tsar de Russie…

Il délaissa ce décor déprimant pour prendre son smartphone. Son fils ne donnait toujours pas signe de vie, mais un SMS d'Alice s'afficha.

Bonjour Marcas, ce serait bien de mettre la main sur le tueur d'ici ce soir. Je dois écrire un prérapport d'enquête. Dix-huit heures serait parfait.

Il sourit et envoya une réponse dans la foulée.

Très chère collègue, navré de vous décevoir, mais pas question de vous voir attribuer la vedette et obtenir de l'avancement sur mon dos. Si je le trouve, je le ficelle et je le ramène avec moi. Si votre proposition tient toujours, je viendrai prendre un verre avec lui.

Amusé, il compta le temps écoulé avant sa réponse. Vingt-neuf secondes…

Les trios avec un tueur c'est pas ma came. Trouvez autre chose. Je vous laisse, j'ai un vrai métier. Moi. Et faites attention à vous.

Il renvoya un message en prenant soin d'attendre une minute, histoire de se laisser un peu désirer.

Promis. Je continue ma promenade touristique… Je vous tiens au courant.

Marcas rangea son portable. La voix de Vassili le ramena à Moscou.

— Regardez sur votre droite, vous allez être surpris.

Antoine manqua de se frotter les yeux. Face à lui s'élevait un immeuble gigantesque, dont la tour centrale semblait se perdre dans les nuages. Le mélange improbable d'un immeuble new-yorkais des années 1930 et d'un palais viennois du XVIIIe siècle. Le résultat était aussi sidérant qu'hallucinant.

— On dirait une pièce montée, commenta ironiquement Antoine.

Le conducteur éclata de rire.

— Et le pâtissier s'appelle Staline ! En 1947, il a voulu concurrencer les gratte-ciel américains. Les architectes soviétiques ont été priés de s'exécuter rapidement. Le style s'en ressent un peu de cette précipitation…

— C'est le moins que l'on puisse dire, répliqua Marcas, auquel cette création architecturale donnait le tournis.

— Juste après la guerre, il fallait montrer au monde entier la puissance et le savoir-faire de la Russie soviétique. Sept gratte-ciel sont ainsi sortis du sol pour conquérir les airs. Les Moscovites les appellent les *sept sœurs*, mais on ne sait pas trop si ce sont des fées qui veillent sur la ville ou des sorcières qui la maudissent.

— Charmants pour ceux qui y vivent !

— Vous ne croyez pas si bien dire ! Plein de légendes courent sur ces immeubles. On dit qu'une statue gigantesque de Staline est emmurée dans les caves de l'un d'eux, que des pièces secrètes parsèment les étages…

Antoine sourit. Le besoin de merveilleux était immuable, éternel, et le règne de fer du communisme n'y avait rien changé. Le grand rêve rouge sang d'éradiquer toute religion, de balayer toute croyance avait échoué. Pour vivre et espérer, l'homme avait besoin de croire en ce qui le fascine et le dépasse.

— … d'ailleurs on dit que ces sept tours n'ont pas été construites au hasard et que Staline a fait appel à des initiés pour les édifier.

— Des initiés ?

Vassili baissa la voix.

— Oui, des francs-maçons. Vous savez, ils sont très puissants en Russie.

Antoine ne réagit pas. Le van venait d'atteindre un nouveau périphérique. Moins large, plus ancien, il devait ceinturer le Moscou historique.

— Cette fois, regardez à gauche.

Un nouveau gratte-ciel venait de surgir. Tout aussi démesuré que le précédent.

— C'est le ministère des Affaires étrangères. Personne n'aime y entrer.

— Pourquoi, les visiteurs y disparaissent?

— Pire. Il est peuplé de fantômes. Les *sept sœurs* ont été construites par des prisonniers politiques. Beaucoup sont morts d'épuisement ou par accident. Mais pour le ministère…

Vassili savait graduer son suspense. Pourtant Antoine ne relança pas. C'était le meilleur moyen d'en savoir plus. Provoquer la parole par le silence: une habitude de flic.

— On dit que l'architecte, qui était terrifié par Staline, décida de faire un pacte avec le diable pour s'assurer que son édifice ne s'écroule jamais.

Cette fois, Marcas ne put s'empêcher de réagir.

— Allons, on ne croyait pas au diable sous Staline!

— Quand Dieu a disparu, remplacé par les folies des hommes, dit gravement Vassili, on ne peut croire qu'au Malin. C'est pourquoi l'architecte décida de lui offrir un sacrifice. Il choisit trois ouvriers et les coula dans la dalle du gratte-ciel. Ils y sont toujours.

Antoine baissa la vitre. Il avait l'impression que l'air se refroidissait rapidement. En se penchant, il aperçut au loin de hautes toitures en forme de bulbe que le soleil teintait d'or pâle. Ils se rapprochaient du centre de Moscou.

— ... et depuis ces malheureux sacrifiés hantent le ministère, reprit Vassili. On raconte qu'ils apparaissent à chaque employé qui va mourir dans les cinq jours.

Marcas se demanda ce qu'il ferait si on lui annonçait qu'il allait disparaître dans cinq jours. Prendre une cuite magistrale avec ses frères de loge, faire un ultime voyage avec son fils ou se réconcilier avec son ex-femme ? Qu'est-ce qui était le plus important ? Il secoua la tête. C'était n'importe quoi. Tout ça à cause d'une légende urbaine de fantômes. Décidément, la Russie lui flinguait le moral.

— On est dans Moscou, annonça Vassili. Votre hôtel est juste en bordure du centre historique. On va en profiter.

Plus on s'approchait de la masse colorée du Kremlin où le rouge brique des murailles le disputait à la surprenante couleur émeraude des toitures, plus le nombre de voitures diminuait. En revanche, le nombre des policiers, lui, était en inflation. D'abord des fonctionnaires impassibles sous de lourdes chapkas grises, vite remplacés par de massives silhouettes noires, cagoulées et casquées.

— Ce sont les *omon* : les unités antiémeutes, expliqua le chauffeur. Il doit y avoir une manifestation de prévue.

Effectivement, un cortège de drapeaux rouges frappés de la faucille et du marteau soviétiques surgit, tandis que les premières notes de *L'Internationale* éclataient dans la rue. Un ancien militaire, bardé de décorations, brandissait un portrait de Staline couronné de fleurs tandis que des jeunes portaient à bout de bras une immense étoile rouge.

Vassili arrêta la voiture pour les laisser passer.

— Ils manifestent toutes les semaines. Ce sont des nostalgiques de l'époque communiste. En général, des retraités qui n'arrivent pas à joindre les deux bouts, mais il y a de plus en plus de jeunes…

Les *omon* qui barraient le passage s'écartèrent pour les laisser passer avant d'encadrer la manifestation. Une étudiante au regard extatique leur jeta des fleurs. Antoine était sidéré.

— Je ne comprends pas…

— Ces exaltés vont aller se recueillir sur le mausolée de leur idole, Lénine. Son cadavre embaumé repose sur la place Rouge. Juste à côté.

— Et les autorités laissent faire ? s'étonna Antoine, pensant aux millions de morts de la Révolution russe.

— Bien sûr, ça fait de jolies images pour la télé. Une police fraternelle, des manifestants qui célèbrent les grands hommes de la Russie… en fait, ils servent la propagande de notre cher président à vie.

Antoine se garda bien de répondre. En Russie, quand on se moquait du président, qui était systématiquement et largement réélu à chaque nouvelle élection, on ne savait jamais si c'était une conviction ou au contraire une provocation. Vassili ralentit devant une façade aussi grise que du caviar.

— Voilà votre hôtel.

— J'aurai encore besoin de vos services. Laissez-moi deux heures. Le temps de prendre une douche. J'ai un rendez-vous à l'autre bout de la ville.

— Pas de souci, je me gare un peu plus loin. Voici ma carte, appelez-moi quand vous serez prêt.

Dehors, le froid saisit violemment Antoine. Sur un

panneau lumineux, une alerte en anglais acheva de le crucifier sur place : *Attention ! Demain tempête de neige exceptionnelle sur Moscou ! Prenez vos précautions !*

Des âmes errantes dans les immeubles, des nostalgiques de la terreur rouge, et maintenant la neige qui allait tout recouvrir comme un linceul… Marcas était bien arrivé au bout de la nuit.

33

Dordogne
Château de Castelrouge
30 août 1789

Sous son amoncellement de jupons et de dentelles, Julie avait l'impression de brûler en pleine nuit. Son esprit aussi était en feu. Sans doute l'excitation d'avoir échappé à la surveillance de son père, d'avoir faussé compagnie à tous ses invités et surtout d'avoir entraîné avec elle ce marquis de Beaumont, si sûr de lui. Pour une jeune femme tout juste sortie du couvent, elle était à deux doigts du scandale. Sauf qu'elle adorait ça. On voulait lui imposer un mariage réglé à l'avance, un mari choisi par intérêt? On lui tendait un jeu truqué où elle était sûre de perdre? Eh bien, elle allait rebattre les cartes à sa manière. Quant à ce Beaumont qui voulait l'épouser, elle et sa fortune, elle lui réservait un tour dont il se souviendrait.

Julie leva la tête et son regard fut arrêté par la haute masse compacte du donjon qui semblait monter jusqu'à la Voie lactée. Jamais il ne lui avait paru si grand. Il ressemblait à un arbre qu'on aurait soigneusement émondé pour en favoriser la croissance et dont les racines, à travers les grottes de la falaise, s'abreuvaient à des sources aussi puissantes qu'obscures. Comme elle tournait la tête vers l'escalier d'honneur pour voir si le marquis arrivait, un détail l'arrêta, de l'autre côté de la rivière, sur le bord de la falaise, le village de Turnac venait de surgir de l'obscurité. Des dizaines, des centaines de points lumineux éclairaient les façades, les toitures. Surprise, Julie regardait ce serpent de feu qui semblait étreindre tout le village. Pourquoi les habitants portaient-ils des torches dans la nuit? Était-ce une fête, une procession, un mariage?

— J'espère que je ne vous ai pas fait attendre…

L'héritière de Castelrouge sursauta. À ses côtés, Beaumont lissait son habit du revers de la main comme s'il avait dû traverser une foule pour arriver.

— Vous ne vous imaginez pas le mal que j'ai eu à m'éclipser. Il est vrai que je connais tant de gens… Vous ai-je dit que nous étions parents avec les Talleyrand? Ils sont désespérés: un de leurs rejetons, un abbé je crois, a pris fait et cause pour la Révolution et ne cesse de faire parler de lui à Paris.

Julie ne répondit pas. Elle regardait toujours le village de Turnac où le nombre de feux ne cessait d'augmenter.

— Non seulement je n'arrivais pas à me libérer de mes amis, mais en plus, arrivé sur le perron, il a fallu que j'écoute les lamentations du père Tustal. Le bougre a perdu la trace de son fils. Personne ne sait où il est. On craint un accident.

— Tustal, interrogea Julie, n'est-ce pas…

— … le fils de l'apothicaire de Sarlat, bien sûr ! répliqua le marquis, pas mécontent de rappeler les origines roturières de son possible rival.

— Et il a disparu ?

Beaumont haussa les épaules.

— Son père lui avait offert une nouvelle monture pour se rendre à votre soirée. Sans doute espérait-il faire une entrée triomphale… mais ces bourgeois ne savent pas monter à cheval. Il a dû faire une simple chute et, le nez dans la poussière et son costume dans la boue, il n'ose plus se présenter ici. On le retrouvera demain, honteux et cabossé, mais vivant.

Julie sourit discrètement. Exit donc le jeune Tustal. Voilà qui ferait un prétendant de moins. Elle se tourna vers le marquis.

— On dit que vous souhaitez m'épouser.

Beaumont tomba aussitôt à genoux.

— Ce serait pour moi le comble du ravissement, la justification de toute mon existence, la grâce suprême…

Discrètement, Julie passa une main sous sa robe et montra une clé au marquis.

— Il suffit, monsieur. Ne me prenez pas pour ce que je ne suis pas. C'est-à-dire une idiote confite dans l'ignorance et l'obéissance. Vous prétendez vouloir faire de ma personne votre épouse ? Alors sachez que chez les Turenne existe une tradition qui se transmet de génération en génération…

— Parlez et je vous obéirai.

— … une épreuve à laquelle tout futur mari doit se soumettre. Si vous triomphez, je serai à vous. Si vous échouez, vous disparaîtrez. Êtes-vous prêt à vous y engager sur l'honneur?

Beaumont bomba le torse en essayant de ne pas sourire. Encore une de ces filles élevées au couvent qui avaient lu trop de romans en cachette et qui se croyaient à l'époque des preux chevaliers. Il n'allait faire qu'une bouchée de son épreuve.

— Je le jure sur le nom des Beaumont que vous porterez bientôt.

— Dans ce cas, je vais vous demander de monter avec moi jusqu'au dernier étage du donjon.

Le marquis se retint de s'esclaffer. C'était ça l'*épreuve*? Gravir un escalier usé et affronter des toiles d'araignée? Il avait vu juste : un simple caprice de gamine.

— Mais je me dois de vous prévenir : le château est hanté.

Un instant, Beaumont pensa à ce que lui avait dit l'abbé. La malédiction jetée sur les Turenne, les morts suspectes dans leur famille... Des contes de bonnes femmes, tout ça! À la vérité, il n'y avait pas cru une seconde.

— Pour vous, j'affronterai tous les fantômes de la terre.

— Un seul suffira.

Elle lui tendit la clé.

Les marches de l'escalier à vis étaient tellement usées en leur centre qu'elles ressemblaient à des demi-lunes. Beaumont avait failli déraper dès les premières. Depuis, armé d'une simple chandelle qui jetait un éclat incertain sur les murs souillés de coulées de salpêtre, il avançait avec précaution, la perruque mise en péril par les gifles du vent qui sifflait à travers les étroites meurtrières.

— Vous qui savez tout de ce vieux castel, pourriez-vous m'expliquer pourquoi nous sommes déjà gelés alors qu'il faisait une chaleur de purgatoire dans la cour d'honneur ?

— C'est le *souffle du dragon*... On dit que le château est relié à des grottes qui n'ont jamais vu la lumière et où l'air est quasiment glacé.

— C'est curieux, je croyais que c'était un souffle qui venait de l'extérieur…

— Ici, tout ce qui vient d'en haut est comme tout ce qui vient d'en bas.

Quelle manie ont les filles de toujours pérorer ! Beaumont n'avait jamais été d'une nature très patiente, mais déjà il commençait à se lasser de cette aventure qui tournait au ridicule. Quelle idée de venir se tordre le cou ou attraper la mort dans ce donjon oublié ! Mais bon, cent mille livres de dot inclinaient à la persévérance.

— Nous y sommes bientôt ?

La voix essoufflée du marquis résonnait entre les parois de l'escalier.

Arrivée sur le palier, la jeune femme esquissa une révérence moqueuse.

— Désormais, vous pouvez souffler à votre aise. C'est ici que nous entrons.

À l'aide de la bougie, Julie alluma un chandelier qu'elle posa sur le rebord de la cheminée. La pièce apparut dans toute son étrangeté. Au centre, un lit calciné achevait de se dissoudre en poussière tandis que, sur les murs, un voile de suie recouvrait les pierres. À en juger par la cheminée, dont une partie s'était effondrée dans l'âtre, personne n'avait séjourné ici depuis des siècles.

— Mais où m'avez-vous amené ? demanda Beaumont, intrigué malgré lui.

— Dans la partie la plus ancienne du château. On l'appelle la *chambre des dames*. Un incendie y a éclaté il y a des siècles. Un prêtre y serait mort brûlé vif. Depuis, on ne l'utilise plus. C'est du moins la raison officielle.

— Et je suppose que vous allez me dire que, depuis que ce curé est parti en fumée, cette chambre est hantée, n'est-ce pas ?

Julie leva le chandelier et éclaira le fond de la pièce.

— Regardez ce mur qui n'a pas été noirci par l'incendie. On y voit encore une fresque. On dit qu'elle a été peinte sur ordre des premiers seigneurs de Turenne et qu'un secret y est dissimulé.

— Un secret ? répéta le marquis, subitement intéressé. Pour l'instant, je ne vois qu'une représentation du paradis terrestre : un jardin avec Ève…

— … mais sans Adam.

— L'arbre de la tentation…

— … mais sans pomme.

— Quant au serpent, d'habitude il est enroulé dans les feuilles.

— Regardez bien tout le long du tronc, c'est là qu'il se trouve. Mon grand-père disait que l'arbre symbolisait le donjon et que le serpent indiquait un passage pour atteindre des salles dissimulées sous le château.

— Et qu'y aurait-il dans ces salles souterraines ?

Julie le regarda fixement.

— Une femme qui réclame vengeance.

Alors que le marquis allait répondre par un sourire condescendant, une violente clameur jaillit dans leur dos. D'un même élan, Julie et Beaumont se précipitèrent à la fenêtre qui donnait sur le logis.

Une mer de torches illuminait le château, portées à bout de bras par des flots serrés de paysans. La cour d'honneur était envahie par une émeute.

La Révolution, qui jusque-là avait épargné le Périgord, éclatait comme un orage longtemps contenu. Stupéfaite, Julie regardait le château de ses ancêtres succomber à la violence. Elle pensait aux paroles de son père sur la malédiction de Castelrouge. Et si c'était elle qui en était désormais la victime?

— Ce sont des gueux révoltés, dit Beaumont. Reculez-vous, qu'ils ne vous voient pas.

— Mais que veulent-ils? s'étonna la jeune fille que les nouvelles d'une révolution à Paris avaient à peine atteinte dans la solitude de son couvent de Sarlat.

— Ce qu'ils veulent c'est notre tête au bout d'une pique comme ce malheureux gouverneur de la Bastille ! Mais reculez-vous donc, vous allez nous faire tuer !

Éclairée par des centaines de torches, on voyait dans la cour d'honneur comme en plein jour. Armés de fourches, de faux et pour certains de fusils, des paysans hurlaient leur rage devant les portes du logis que les invités du seigneur de Castelrouge avaient barricadées à la hâte. Déjà des pierres volaient contre les vitres. Mais ce qui attirait le regard de Julie, c'était un homme solidement encadré par les révoltés et dont le visage était couvert d'un sang qui dégoulinait jusque sur ses bottes. D'un geste brusque, elle fit revenir le marquis à la fenêtre.

— Regardez, au centre de la foule, cet homme qui a été frappé…

Beaumont se lova contre une des colonnes pour se faire le plus discret possible.

— Pardieu, c'est le fils de l'apothicaire Tustal! Voilà pourquoi il n'est jamais arrivé, il a été capturé par ces marauds.

— Mais enfin, pourquoi l'ont-ils martyrisé?

— Mais parce que nous sommes des riches, des possédants, des privilégiés et qu'il faut nous traquer, nous chasser, nous dépouiller, nous...

— ... nous tuer?

— À votre avis? répliqua le marquis en montrant une charrette de foin que des paysans déversaient devant la porte principale du logis.

Julie se rua vers l'escalier. Jamais elle ne laisserait sa famille se faire enfumer comme un vil renard dans un terrier. Elle frémit pour son père et voulut lui porter secours.

— Restez ici, hurla Beaumont en lui barrant le passage. Si vous sortez, ils vous tueront... et moi aussi.

— Mais vous n'allez pas abandonner votre père sans intervenir?

— Nous ne pouvons plus rien pour eux. Notre seule chance de survivre, c'est qu'ils ne nous trouvent pas.

Une nouvelle clameur jaillit de la cour d'honneur. La porte principale venait de s'ouvrir. Plutôt que de périr incendiés, les invités préféraient tenter la confrontation. Un flot d'insurgés se rua dans le château. Aussitôt, on entendit des cris, des hurlements et un premier meuble vola à travers les fenêtres.

Le pillage commençait.

— Vous êtes un lâche, clama Julie à l'intention de Beaumont. Ils vont tous mourir!

— Grand bien leur fasse ! Moi, j'ai encore ma peau et je n'ai pas l'intention de la perdre inutilement.

Écœurée, la jeune femme détourna le regard. Désormais la cour était vide, à l'exception d'un petit groupe, armé de fusils, à l'arrêt devant la porte close du donjon. Parmi eux se trouvait le jeune Tustal qui tentait d'éponger son sang à main nue. Juste à côté, un inconnu qui n'était pas un rustre : vêtu d'une redingote noire, les cheveux noués dans le cou, il regardait fixement le sommet du donjon. Avant que Julie n'ait pu appeler Beaumont, il fit signe à ses compagnons d'épauler. Une rafale éclata.

— Par le sang de Dieu, c'est quoi ?

— Des assaillants. Ils viennent de tirer sur la porte.

Le marquis se précipita vers la fenêtre qui donnait sur la Dordogne, mais la hauteur était vertigineuse.

— Nous sommes piégés !

34

Moscou
Boulevard Gogolevsky

Situé au rez-de-chaussée d'un immeuble à la façade rose pâle, le restaurant Chemodan, protégé inutilement par un store déjà inondé de pluie, ne correspondait pas à ce qu'avait imaginé Alex. La terrasse déserte, avec ses tables de faux marbre et ses fauteuils en osier dépareillés, donnait l'impression d'un lieu dont le standing périclitait dangereusement. Pourtant, le boulevard Gogolevsky était considéré comme un des lieux emblématiques de Moscou, avec sa large allée centrale bordée d'arbres et ses immeubles historiques. Alex vérifia l'adresse sur le portable. Il n'y avait pourtant pas d'erreur. Son commanditaire lui avait bien fixé rendez-vous avec son contact russe dans ce restaurant de quartier, où même les habitués ne se pressaient pas.

Alex n'était pas spécialement inquiet, son client faisait preuve d'une rigueur remarquable depuis l'organisation de sa première mission au Grand Orient. Mais que ce Maxime Sampère ait le bras suffisamment long pour organiser sa petite virée à Moscou en si peu de temps, et lui trouver des contacts locaux pour l'épauler pour cette mission, ça le bluffait. Qui était-il ? Il ne le saurait sans doute jamais. En règle générale, Alex préférait connaître l'identité de ses clients. Sampère l'avait recruté via une connaissance commune, un ex-lieutenant-colonel reconverti dans le renseignement économique, pour qui il avait assuré quelques missions. L'officier les avait mis en contact, en ayant touché une com au passage, et le mystérieux Maxime s'était entretenu avec lui par téléphone. Toujours la voix brouillée. Au début, Alex avait cru à une mauvaise blague quand son client lui avait proposé un cambriolage au Grand Orient, mais les fonds versés sur son compte offshore attestaient grandement de son sérieux.

Un vent glacé remonta l'allée où il se trouvait. Il espérait que son contact ne le fasse pas trop attendre. Il referma sa parka et envoya un SMS à son alter ego féminin à Paris pour la tenir au courant de ses pérégrinations. Celle-ci répondit deux minutes plus tard.

Prends une vodka à ma santé. Sampère ne m'a pas encore contactée. Ça va être la mission la plus lucrative et la moins fatigante de ma vie. Il va falloir que je te remercie dignement.

Alex sourit et rangea son téléphone dans sa poche. Cette fille était formidable. Toujours partante, pro jusqu'au bout des ongles, elle le changeait des rares autres *collègues*, imbuvables, avec qui il travaillait occasionnellement. Et mignonne de surcroît. Il se demandait s'il n'allait pas aller plus loin avec elle une fois revenu de Moscou. Partir une petite semaine au soleil aux Caraïbes ou au Brésil. Il s'imaginait avec elle en bikini sur des transats... Loin du froid.

Le courant d'air moscovite le ramena à la raison. La plage et les cocotiers s'évanouirent en un clin d'œil. Il se concentra sur les allées et venues des passants autour de lui.

Les Russes étaient vraiment déroutants. Déjà, dans le métro, il avait été surpris du nombre incroyable de Moscovites qui lisaient un livre, tandis qu'à Paris chacun était rivé à l'écran de son portable. En attendant son rendez-vous, il s'installa sur un banc dans l'allée et, à son tour, sortit un livre. Le temps n'était vraiment pas de la partie pour découvrir *La Dame de pique* de Pouchkine, mais il avait remarqué que les passants regardaient d'abord ce que vous lisiez et ensuite votre visage : une aubaine quand on ne voulait pas se faire remarquer. Comme il fixait une page couverte de caractères cyrilliques, une main se posa sur son épaule.

— Que la paix du Seigneur soit avec toi.

Sans manifester d'émotion, Alex leva les yeux pour découvrir le visage barbu d'un jeune pope à la chevelure retenue par une queue-de-cheval.

— Merci, mais vous devez faire erreur, répondit Alex poliment.

— Dieu ne se trompe jamais. Vous n'avez pas rendez-vous au Chemodan ?

Alex sourit. Par expérience, il savait que c'était la meilleure défense. Ça laissait le temps de jauger le potentiel physique de son adversaire, d'estimer les dangers en périphérie et surtout de prendre son opposant par surprise.

— Si vous pensez me frapper au plexus, sachez que je porte un gilet pare-balles sous ma soutane, vous allez vous briser les mains. De plus, je vous conseille de regarder votre genou gauche.

Un point lumineux venait tacher de rouge le tissu de son pantalon.

— Le tireur se trouve au premier étage du restaurant. La fenêtre juste au-dessus de l'enseigne. Faites-lui bonjour de la main.

Alex s'exécuta.

— Parfait. Vous avez faim ?

— Un peu moins depuis que je vous ai rencontré.

— Laissez-moi vous redonner de l'appétit.

La salle centrale du restaurant était remplie de clients dont le tapage assourdissant contrastait avec la façade solitaire du bâtiment. Mais ce qui étonnait plus encore, c'était la décoration du lieu. De longues nappes en dentelles, des couverts en argent et de hautes chaises de bois sombre où se vautraient des hommes ventripotents dans des costumes de luxe, secouant des bouteilles de Roederer Cristal pour en asperger la poitrine siliconée de sosies de Kim Kardashian version platine. À la stupéfaction d'Alex, le pope traversa cette faune comme Moïse la mer Rouge, se frayant un passage au milieu des fêtards subitement silencieux. Il désigna une mezzanine vitrée à l'étage.

— J'ai pensé que vous aimeriez un peu plus de tranquillité et surtout de discrétion. Le patron du restaurant est un ami : il n'a pas pris d'autre réservation pour la salle du haut.

— Un saint homme, vous le remercierez pour moi.

— Il n'est qu'un pauvre pécheur, comme nous tous.

— Amen.

Le pope fit signe au Français de s'asseoir, puis croisa les mains sur la poitrine. Alex remarqua à son index un anneau d'or frappé de la croix de Saint-Georges. Entre la soutane, la barbe et la queue-de-cheval, ce pope paraissait plus vrai que nature. Presque trop.

— Seigneur, ayez pitié de nous…

— Et si on arrêtait ce petit jeu, le coupa Alex. Vous n'êtes pas plus prêtre que moi.

— Seigneur, pardonnez-lui, il ne sait pas ce qu'il dit, répondit le Russe en s'asseyant à son tour. En fait, vous êtes déçu : vous vous attendiez à un apparatchik au crâne rasé, dans un costume voyant, de la vodka à foison et du caviar débordant d'une soupière en argent. Sans compter quelques beautés, élevées au grain en Ukraine, pour faciliter votre digestion… Désolé, mais vous ne traitez pas avec les incultes du FSB. Pour ça, il faut voir en bas…

Malgré lui, Alex jeta un œil en dessous. Une fille vêtue d'un mouchoir de poche venait d'entamer une danse endiablée sur la table, pulvérisant coupes et assiettes. Impassible, le pope claqua des doigts pour passer commande.

— Vous me faites confiance pour le menu ? Ce ne sera pas le même qu'au rez-de-chaussée.

Le Français hocha la tête. Il savait que l'organisation à laquelle on l'avait adressé était la meilleure sur le marché très concurrentiel du crime organisé. Pourtant, il ne se sentait pas à l'aise. Devoir négocier avec un pope – vrai ou faux – pour organiser une opération illégale lui paraissait le comble de la provocation ou de l'absurde.

— Ça ne se devine pas, reprit son interlocuteur, mais nous sommes dans un restaurant sibérien. Le meilleur de Moscou, et vous allez manger ce dont raffolent les oligarques. C'est notre manière à nous d'accueillir les clients qui nous sont spécialement recommandés. En attendant, dégustez ces *pelmeni* fourrés à la viande de renne qui viennent de nous être servis. Je vous promets un délice.

Le Français saisit, avec une fourchette au manche en corne, une fine raviole en forme d'oreille, à la pâte presque translucide, dont le parfum odorant montait à l'assaut de ses narines. Plus bas, l'intensité des voix et des cris avait diminué, remplacée par des chuchotements et des rires à l'ambiguïté de plus en plus suggestive.

— Vous m'avez parlé du FSB… Si vous éclairiez ma lanterne ?

Le pope saisit une serviette immaculée dont il tamponna le peu de lèvres encore visible sous sa barbe fournie.

— En Russie, si vous voulez faire des affaires, vous ne le pouvez que si vous êtes coopté et appuyé par une des deux seules administrations qui fonctionnent encore au cœur de l'État : le FSB, principalement spécialisé dans la lutte contre les opposants politiques ou le GRU, le renseignement militaire.

— Vous parlez d'affaires légales ou illégales ?

Le pope éclata de rire.

— Une distinction d'Occidental ! Ici, la loi est une pure fiction, un contrat ou un acte de propriété : une illusion. Tant que vos amis sont puissants, vous êtes dans la légalité, quand ils ne le sont plus…

— Et je suppose qu'il faut choisir son camp, une bonne fois pour toutes ?

— Que voulez-vous, nous les Russes sommes d'incurables romantiques : nous croyons à la fidélité.

Une des forces d'Alex était son absence de réaction visible. Son visage ne trahissait aucun sentiment. Il était comme ces rochers que la houle recouvre d'écume sans jamais les altérer. Même si la situation lui paraissait aussi surréaliste que son interlocuteur excentrique, il n'en laissait rien paraître. Et surtout, il n'était pas assez naïf pour se croire en confiance.

— J'espère que vous aimez le poisson, car voici du nelma. Il est pêché dans les rivières de l'extrême Nord sibérien et on le mange glacé en carpaccio. Un goût unique. Mais je vous conseille de boire de la vodka ensuite. Après la glace, le feu.

Alex examina le carafon qu'un serveur venait de poser sur la table. L'alcool était aussi transparent que de l'eau.

— Contrairement à ce que croient les étrangers, ce qui fait la valeur d'une vodka, ce n'est pas la subtilité de sa distillation, mais la qualité de son eau de source. Plus elle est pure, meilleur est l'alcool. Vous ne buvez pas ?

— Quand nous aurons conclu notre affaire.

Le pope fit signe au serveur de sortir.

— Ils sont en train de préparer le plat de résistance en cuisine. Nous avons du temps devant nous. Si vous me disiez ce qui vous amène à Moscou.

— Je dois récupérer un document en toute discrétion et le rapporter sans risque à Paris.

— Quel genre de document ?

— Disons, une page d'histoire qui intéresse particulièrement un collectionneur.

— Vous devez le récupérer dans un musée ?

— Dans des archives publiques.

— Et vous faites appel à nous pour ça ? Franchement inutile. En Russie tout est à vendre et d'abord les fonctionnaires : ils ont des salaires avec lesquels même un chien ne survivrait pas. Vous voulez mettre la main sur un document rare ? C'est tout simple. Glissez une liasse de billets et vous repartez avec. Seulement, prévoyez de payer en dollars : les Russes se sentent toujours humiliés quand on les corrompt avec leur monnaie nationale.

— Ce document est essentiel pour mon commanditaire. Rien ne peut être laissé au hasard. C'est la raison pour laquelle il a fait appel à vos services. Il n'est pas question d'échouer.

— Alors nous sécuriserons la transaction et nous assurerons son transfert en France.

Alex planta son regard dans les yeux clairs du pope.

— Je rentre avec le document à Paris ! Il ne me quitte pas.

— Vous avez tort. Le fonctionnaire qui vous l'aura vendu va courir vous dénoncer au FSB et vous serez arrêté à l'aéroport. Pour vol, si les relations diplomatiques sont au beau fixe, pour espionnage, si les relations de Poutine avec votre président tournent à l'orage.

Le Français tapota la nappe des doigts.

— Laissez-moi deviner pour la suite ? Un interrogatoire convivial à la Loubianka[1], suivi d'un séjour tous frais payés dans une prison cinq étoiles de l'Oural ?

— Au minimum. Mais je comprends fort bien que

_____

1. Quartier général du FSB à Moscou qui, depuis la Révolution russe, abrite les services d'espionnage et de répression.

vous ne vouliez pas vous dessaisir de ce que vous êtes venu chercher. Je vous propose donc qu'un de nos membres prenne le même vol retour que vous pour Paris. Il transportera les documents et vous les remettra aussitôt sorti de l'aéroport.

— Et bien sûr, il ne sera pas contrôlé au départ ?

— Je peux vous le garantir.

Le pope se servit un verre de vodka qu'il avala d'un trait.

— Dès demain, deux hommes vous accompagneront aux archives. Une fois le document identifié, ils négocieront sa cession. Vous n'aurez à vous occuper de rien. Simple, méthodique, efficace. Un vrai plaisir que de travailler ensemble. Portons un toast à...

Alex ne toucha pas à son verre.

— J'ai aussi besoin de votre capacité à m'exfiltrer si, par hasard, nous devions nous défaire d'un gêneur.

— Délicat euphémisme pour parler d'un assassinat.

— Vous comprenez mieux pourquoi nous avons fait appel à votre organisation.

L'écran du portable d'Alex, posé sur la table, s'alluma. Un nouveau SMS de son alter ego de charme.

J'ai parlé trop vite. Les affaires reprennent. Enfin !
Sampère vient de m'appeler. Te tiens au courant. Ton
contact est-elle une superbe Russe à la poitrine rava-
geuse ?

Alex sourit pendant que le serveur entrait pour déposer un plat où s'enlaçaient de minces filets de chair à la couleur de perle.

— Voici l'omoul, commenta le pope. Un poisson

très rare que l'on trouve uniquement dans le lac Baïkal. On le pêche autour de moins trente degrés, ce qui lui donne un goût incomparable. Les Sibériens en raffolent fumé, mais je le préfère nature.

Le pope piqua sa fourchette dans un des filets de poisson qu'il dégusta d'un air extatique.

— Bien sûr, pareil délice génère quelques frais de transport... Mais comme vous dites en français : *quand on aime, on ne compte pas*. À ce propos... garantir la logistique d'une élimination physique a un tout autre prix que voler un simple document d'archives, vous vous en doutez : il y faut une arme fiable et discrète, organiser la disparition du corps et prévoir votre exfiltration...

— Mon commanditaire a crédité ce matin le compte de votre organisation de la somme suivante.

Alex lui montra l'écran de son portable.

— Ça devrait couvrir les premiers frais...

— Absolument, confirma le prêtre. Et je n'ai désormais qu'une seule question : s'il y a cadavre, il sera russe ?

— Non.

— Voilà qui simplifie les choses.

Le pope brandit sa fourchette.

— La chair de ces poissons est absolument fabuleuse. D'ailleurs, j'y songe, l'avion qui les a convoyés jusqu'ici est toujours sur le tarmac de Cheremetievo. Sa chambre froide est une merveille de technologie : on y recrée la température exacte à laquelle le poisson a été pêché.

Alex allait poser une question quand un message visuel apparut sur son portable. Trois cœurs noirs. Le code qu'il attendait. La cible venait d'arriver à Moscou. Le pope reprit :

— Et comme on ne coupe jamais la chaîne du froid, rares sont les policiers qui font une inspection à moins trente degrés.

Le Français prit le verre de vodka auquel il n'avait pas touché jusque-là.

— Cet avion ne va peut-être pas retourner en Sibérie à vide.

35

Dordogne
Château de Castelrouge
30 août 1789

— Laissez-moi réfléchir. Il doit y avoir un moyen.

— Mais c'est tout réfléchi, se lamenta Beaumont, ces fous seront là dans moins d'une minute. Vous n'entendez pas leurs cris de haine dans l'escalier ? Moi, ils vont me tuer et vous…

— La fresque ! cria Julie. Mon grand-père disait que si l'arbre représentait le donjon, le serpent, lui, symbolisait un passage vers le monde souterrain. Peut-être est-ce la cheminée ?

Beaumont ne l'écoutait plus. Il s'était jeté dans l'âtre, dégageant les gravats effondrés et frappant les pierres de ses poings. L'une d'elles se descella et disparut dans un trou noir à l'arrière.

— Ça y est ! J'ai trouvé…

Il ne termina pas sa phrase. Dans un flot rageur, les révoltés venaient de se répandre dans la chambre.

— Toi, l'aristo, tu recules d'un pas, les mains bien visibles sur la tête, puis tu te retournes. Lentement.

Tenu en joue par un paysan dont la main tremblait dangereusement sur la détente, Beaumont s'exécuta. Tous ces hors-la-loi semblaient effrayés comme s'ils commettaient un sacrilège. Seul l'inconnu qui venait de parler était parfaitement calme. Juste à côté se tenait le jeune Tustal, le front en sang, tenu en joue par des émeutiers. L'intrus s'approcha de la cheminée, examina avec attention le boyau découvert par le marquis, puis se tourna vers ses hommes.

— Vous autres, descellez toutes les pierres pour agrandir le passage. Je suis certain que les aristocrates cachent des armes derrière.

Un lourd silence lui répondit.

— Eh bien, vous avez peur ?

Une voix osa s'élever :

— À Turnac, tout le monde sait qu'il ne faut pas s'occuper du donjon. C'est l'antre du mal pour l'éternité. Des damnés le hantent : une femme et son enfant morts. On dit qu'ils gardent un trésor maudit.

Sans paraître étonné par autant de superstition, l'inconnu se tourna vers Beaumont et Tustal, que l'on venait de placer près d'une des fenêtres.

— Toi, le fils de l'apothicaire, tu sais quelque chose ?

— Rien, je le jure.

— Et toi, l'aristo ?

Beaumont ne répondit pas. L'inconnu s'avança d'un pas.

— Mon nom est Taillefeu. Georges Taillefeu. Je suis avocat et je reviens de Paris pour apporter le souffle de la liberté qui balaye ce pays du nord au sud. Depuis hier, à la tête de mes hommes, nous réquisitionnons les châteaux des nantis au nom du peuple.

D'un doigt moqueur, Julie montra la cour d'honneur où des paysans amassaient tout ce qu'ils pouvaient emporter. Armoires à linge, coffres à bijoux, tonneaux de vin s'amoncelaient sur le pavé.

— *Réquisitionner…* vous voulez dire *piller* ?

— Le peuple ne vole rien, il récupère ce qui lui appartient ! Mais toi, la donzelle, tu me sembles en connaître plus que tu ne dis. Que sais-tu de ce trésor ?

La jeune femme jeta un œil à ses deux prétendants. Ils faisaient piètre figure. Tustal tremblait comme une feuille au vent d'automne. Quant au marquis, il était aussi livide qu'un matin de gel. Désormais, elle savait qu'elle n'en épouserait aucun, mais elle pouvait encore les sauver. Peut-être. Elle s'adressa à Taillefeu :

— Libérez ces deux hommes et je vous dirai ce que je sais.

L'avocat sortit un long pistolet de sous sa redingote.

— Un seul aura la vie sauve. Choisis.

— Jamais !

— Alors je le ferai à ta place.

Un coup de feu retentit et Tustal, le visage en lambeaux, bascula dans le vide. Julie entendit le choc sourd de son corps sur le pavé de la cour. Il y eut un long silence de stupéfaction. Puis, d'un coup, les paysans se débandèrent. Leur courage les avait lâchés. Quelques secondes plus tard, on n'entendit plus que l'écho précipité de leurs sabots dévalant l'escalier. Impassible, l'avocat ramassa un fusil jeté au sol, vérifia son amorce et le braqua sur la tempe de Beaumont.

— Alors, la donzelle, vous voilà déjà avec un mort sur la conscience, vous en voulez un autre ?

Julie secoua la tête. Tout cela était absurde.

— Mais enfin, vous voyez bien que cette histoire de trésor est invraisemblable. C'est une légende inventée par des paysans, voyons !

Taillefeu arma le chien de son fusil et poussa Beaumont vers la cheminée.

— Ce n'est pas une légende. D'ailleurs votre ami va continuer le travail qu'il a commencé.

Terrorisé, le marquis se jeta à genoux et commença à ôter les pierres restantes de l'âtre. D'un coup, un vent froid se répandit dans la pièce en même temps qu'une odeur pestilentielle, comme si on venait d'ouvrir un caveau. Pour la première fois, Julie eut peur.

— Vous ne devriez pas faire ça.

Le révolutionnaire s'approcha de la jeune femme.

— Parce que vous avez peur que je découvre ce trésor volé depuis des siècles par votre famille ? Mon aïeul était forgeron à Turnac et lui aussi racontait d'étranges histoires. Celle d'une femme et d'un religieux que vos ancêtres ont massacrés. D'un prêtre au ventre rempli de pierres précieuses.

— J'ai froid…

Beaumont regardait sa main, devenue subitement blanche comme neige.

— Mes doigts, ils sont glacés… Mon bras, je ne le sens plus…

Julie se précipita et lui posa la main sur la nuque. Elle

était froide comme du marbre. Deux larmes coulèrent de ses yeux et se changèrent en glace.

— Non, il est en train de mourir de froid !

Taillefeu l'écarta violemment et épaula.

— Ne tirez pas !

La balle frappa en plein front Beaumont qui s'écroula sur le sol.

Julie ne comprenait pas. Son monde venait de basculer dans la folie. Elle se revoyait encore dans le salon, admirée, parée comme une princesse et maintenant… Tout n'était que mort et désolation. Elle se retourna, égarée. Taillefeu chargeait son arme. D'abord la poudre, puis une nouvelle balle… Il s'arrêta net. Une apparition prenait forme sous ses yeux.

Une femme. Surgie de nulle part. Flottant dans ses guenilles. Livide, les yeux coulés dans une encre noire. Un rictus décharné.

Une forme.

Ni morte ni vivante.

Mais au-delà.

Taillefeu abaissa son arme.

Il a compris, pensa Julie, *rien ne peut la tuer. Elle est là depuis des siècles. Elle…*

Brusquement, Taillefeu saisit Julie par les cheveux et plaqua son arme sous sa mâchoire.

— Vous croyez que je vais mourir à votre place ? Ce qu'*elle* veut, c'est un cadavre. Et *elle* va avoir le vôtre.

— Mais pourquoi ?

— *Elle* hait votre famille. Ce sont eux qui l'ont tuée. Alors moi, je vais vous offrir en sacrifice. Avancez.

Il la poussa.

— Plus près ! Quand votre visage volera en éclats,

je veux que votre sang l'inonde. Je suis certain qu'*elle* aimera.

Julie regardait la forme. Il lui semblait distinguer un visage. Les restes d'un visage. Et au milieu, des lèvres sanglantes qui bougeaient.

— Elle parle ! Je suis sûre qu'elle parle !

Taillefeu ricana.

— Vous vous trompez. Elle a faim. Faim de vous.

Il lui enfonça le canon sous la gorge.

— Il est temps d'en finir.

— Et si je vous disais où est le trésor ?

— Vous mentez. Vous n'en savez rien.

— Moi non, mais *elle* ?

Un instant, Taillefeu détourna son regard. La forme se précisait, devenant silhouette. Une femme livide et décharnée. Déjà, des mains avides se détachaient du corps. Julie frappa violemment la crosse dont le canon bascula sur la droite, atteignant Taillefeu au visage. Le coup partit et se perdit dans la voûte. En hurlant, le révolutionnaire roula jusqu'aux pieds de la forme.

Comme s'il n'existait pas, la forme l'enjamba. Taillefeu rampa jusqu'à la cheminée. Le trou dégagé dans l'âtre était juste devant lui. S'il parvenait à s'y glisser… Il agrippa une pierre, puis une autre… brusquement une brèche s'ouvrit, et il plongea dans la nuit.

Julie ouvrit la bouche pour hurler, mais ce qu'elle voyait la rendit muette.

Muette de terreur. La forme appuya sa main sur la poitrine de la jeune femme.

Puis brusquement elle tira. Et le cœur de Julie jaillit dans une pluie de sang et de chair.

Étourdi, Taillefeu se releva sur un rebord de pierre qui surplombait un trou abyssal. Sur un côté, il aperçut, fixé dans la paroi, un crampon de fer, semblable à un barreau d'échelle, puis un autre qui s'enfonçait dans l'obscurité. Ainsi la légende était vraie, qui se perpétuait dans sa famille depuis des siècles : il y avait bien un passage caché pour descendre jusqu'à l'ultime niveau des grottes. Un passage que les seigneurs de Castelrouge n'avaient jamais retrouvé. Malgré son épaule qui le faisait souffrir, il se prit à sourire. Et cette aristocrate qui croyait qu'il cherchait un trésor ! Elle était bien de la race des nantis, qui ne pensaient que par et pour l'argent. Non, c'était pour tout autre chose qu'il descendait dans ces abîmes.

Pour protéger l'humanité d'un secret mortel.

Épuisé, il venait de poser le pied sur un autre barreau de métal. Tout son corps n'était que souffrance. Plusieurs fois, il avait failli renoncer et se laisser tomber dans le vide, mais il devait mener sa mission jusqu'au bout. Et puis il avait un espoir : il entendait un grondement qui se rapprochait. Et ce bruit, il le connaissait depuis l'enfance, c'était celui de la Dordogne quand elle se fracassait contre les falaises. Elle était toute proche.

Son pied atterrit sur du sable. Il se laissa glisser et battit le silex de son briquet. La mèche s'alluma, révélant des parois ruisselantes d'humidité. La grotte était aussi basse qu'étroite. Il s'avança puis recula aussitôt. Deux squelettes étaient étendus sur le sol. Tout autour, l'éclat fugitif du briquet faisait étinceler des pierres translucides.

Des diamants !

La légende du trésor, elle aussi, était vraie. Il les ramassa un par un. Cette fortune, venue du fond des âges, allait financer son idéal : la Révolution !

Mais il était venu pour autre chose.

Et il l'avait trouvé. Là où nul ne pouvait pénétrer sans payer le prix d'une vie.

L'antre du Mal, défendu depuis des siècles par une ombre meurtrière.

Là où Julie de Turenne avait dû mourir pour qu'il puisse entrer.

Il posa sa main au-dessus de sa gorge et fit le signe de reconnaissance des francs-maçons. Il avait besoin de ce symbole de fraternité pour conjurer le sort. Quelques semaines auparavant, ses frères de la loge Athanor, passionnés d'alchimie et de sciences occultes, avaient expérimenté un nouveau rituel.

Le cinquième rituel.

Et tout avait dégénéré. Tous ceux qui avaient pratiqué ce rituel avaient connu une fin tragique, tandis que le vent de l'histoire balayait en un éclair mille ans de royauté. Comme s'ils avaient réveillé des forces oubliées.

Taillefeu était le dernier survivant d'Athanor. Le seul, parce qu'il était le plus jeune, qui n'avait pas pratiqué le cinquième rituel.

Il dégrafa la poche de sa veste et sortit un tube de cuir.

À l'intérieur, le rituel secret d'Athanor.

Le cinquième rituel.

Il avait réfléchi des nuits entières. Il avait d'abord pensé à le détruire, mais une phrase prononcée par le vénérable de la loge ne cessait de le hanter.

Le rituel est puissance pure. Il n'est pas le Mal. Il n'est pas cette lumière noire qui provoque malheurs et catastrophes. C'est nous seuls qui ne sommes pas assez purs. Un jour viendra celui qui en révélera toute la Lumière.

Taillefeu en doutait, mais il ne voulait pas que le cinquième rituel tombe entre des mains malsaines qui en feraient un usage destructeur. Il allait le cacher dans ce château maudit. Baigné de cette lumière noire du Mal qui empêcherait tout curieux de s'y aventurer. Gardé par ce spectre décharné.

Il posa le tube derrière une pierre mal scellée.

Désormais, il serait enseveli dans les entrailles de Castelrouge.

Là où la malédiction ne cesserait jamais.

36

Moscou

— C'est rare que les touristes viennent ici.

Le ton de Vassili était sans appel. Le choix de Marcas de venir se perdre dans ce quartier excentré de Moscou, surtout avec ce blizzard qui commençait à gifler les vitres du van, lui paraissait incompréhensible. Ils avançaient lentement pour ne pas dépasser l'adresse qu'ils cherchaient. La rue semblait tracée dans une friche industrielle. De longs bâtiments à toiture grise penchaient dangereusement sur le côté, tandis qu'une végétation vorace s'appropriait des cours abandonnées.

— En fait, vous cherchez quoi?

Antoine vérifia l'adresse que lui avait fait passer le frère obèse.

— Une usine désaffectée. On devrait arriver à la reconnaître : il y a à l'entrée une cheminée assez haute en brique.

Vassili ne posa pas plus de questions, au grand soulagement d'Antoine. Difficile de lui raconter qu'il allait participer à une tenue maçonnique au milieu d'une zone artisanale désaffectée. Plus délicat encore de lui expliquer que les frères russes avaient investi et rénové cette ancienne usine pour pouvoir se retrouver en toute discrétion. Déjà que les francs-maçons ne semblaient pas avoir bonne presse en Russie, mieux valait rester discret sur leurs lieux de réunion, surtout s'il s'agissait d'un endroit désert et oublié, sinon on risquait fort d'entendre parler de messes noires et d'invocation au diable.

— C'est là.

La voiture ralentit. Un hangar venait d'apparaître, surmonté d'une tour en brique grise. Derrière, un autre bâtiment plus haut et plus massif se perdait dans une sorte de parc abandonné. Antoine saisit sa mallette aux décors maçonniques et sortit.

— Appelez-moi une demi-heure avant, quand vous voudrez que je vous récupère.

Marcas lui fit un signe de la main pour lui indiquer qu'il avait compris. Vassili repartit aussitôt. Ce quartier que menaçait la neige le déprimait. Il brancha la radio pour écouter un peu de jazz. Le scanner eut du mal à trouver sa fréquence habituelle, la réception semblait brouillée. Vassili haussa les épaules. Encore ces petits malins du FSB qui procédaient à une écoute dans le quartier.

La cour devant le hangar était presque dans la pénombre à cause de la tempête de neige et Antoine progressait difficilement, chahuté par le vent. Une porte s'ouvrit sur un rectangle de lumière et une voix l'interpella :

— Par ici, mon frère.

Marcas se précipita et découvrit, un cigare à la main, un homme aux cheveux rares, mais au smoking impeccable, comme s'il était convié à un dîner officiel. Antoine se sentit ridicule avec sa simple cravate noire. Il avait oublié que les frères qui pratiquaient le rite écossais avaient tendance à être très stricts sur l'étiquette vestimentaire.

— Je vais faire bien piètre figure à côté de toi, mon frère.

— Appelle-moi Alexandre et ne t'inquiète pas pour ça. Finis d'entrer plutôt.

Comme il pénétrait dans le hangar, Marcas s'arrêta, stupéfait. Devant lui, au sol, traînait une gigantesque tête coupée de Lénine. Un peu plus loin, un groupe de soldats au front volontaire brandissait un drapeau soviétique.

— Tu es dans une ancienne fonderie d'État. Ici, on concevait et fabriquait des statues à la gloire du régime communiste, qui partaient orner la plus petite place de la moindre ville d'URSS. Autant te dire qu'après la chute de la dictature, le carnet de commandes est vite redevenu vierge. Aujourd'hui, les lieux appartiennent à un de nos frères : un artiste qui customise ses sculptures.

— Je suppose qu'elles s'arrachent en Europe ?

— Oui, et j'ai beaucoup de mal à comprendre comment on peut apprécier d'avoir un dictateur dans son salon, même repeint aux couleurs de l'arc-en-ciel.

Cette remarque fit sourire Antoine.

— Parce que aujourd'hui les nantis ne se contentent plus d'étaler leur argent, ils veulent aussi qu'on les admire pour leur bonne conscience. Le beurre et l'argent du beurre…

— Et un Lénine habillé en travesti, ça permet de passer pour un progressiste ?

— Bien sûr. Toute la subtilité est là. Comme les favorisés ne sont pas assez stupides pour scier la branche privilégiée sur laquelle ils sont assis, ils mettent en avant des symboles qui les font passer pour des amis des opprimés. Les naïfs et les imbéciles les likent par milliers sur Instagram et le tour est joué. Mais dis-moi…

Antoine montra un long drap blanc qui recouvrait une statue. Alexandre tira une longue bouffée de son cigare avant de répondre :

— Tu peux regarder, si tu veux. Une fois transformé, ce sera une pièce majeure.

D'un geste, Marcas ôta le drap et recula, stupéfait. Un Staline grandeur nature venait d'apparaître, la moustache superbe et le poing fermé, avec deux jeunes enfants sur ses genoux.

— Une fois qu'il l'aura modifiée à son goût, notre frère sculpteur veut en faire le clou de sa prochaine exposition…

— Un clou dans son cercueil, oui.

Alexandre écarquilla les yeux.

— Mais tu m'as dit que…

— Visiblement, mon frère, la *cancel culture* n'est pas arrivée jusqu'à toi. Un garçon en culottes courtes et une petite fille en jupe assis sur les cuisses d'un homme blanc de plus de cinquante ans ? Mais toutes les bonnes âmes vont crier à la culture du viol, de l'inceste…

— Mais c'est juste une…

— Un conseil fraternel : que ton ami oublie cet odieux projet réactionnaire et patriarcal ! D'abord il va se faire mettre en pièces par tous les aigris de la Terre, et ensuite qui voudrait d'un Staline *pédophile* dans son salon ?

— Staline, un pédophile ?

Antoine éclata de rire. Il trouvait enfin du charme à la Russie, un pays qui semblait miraculeusement épargné par l'inépuisable haine de soi et l'incessante culpabilisation d'autrui. À son tour, Alexandre se mit à rire.

— Ça y est, j'ai compris ! C'est de l'humour, de l'humour français !

— C'est ça, mon frère, le rassura Antoine. C'est de l'humour. Et si tu me montrais le temple où doit avoir lieu la tenue ?

Ils sortirent du hangar pour traverser une cour où la neige recouvrait doucement le sol. Un peu plus loin, entouré d'arbres aux branches noircies, se dressait un bâtiment en brique nue. Une vaste porte, en forme de voûte, était entrebâillée sur un rai de lumière. Alexandre entra le premier.

— Mon cher Antoine, permets-moi de te présenter à nos frères.

37

Paris
11ᵉ arrondissement

— Ah oui, j'oubliais… la directrice de l'école déteste les retards des parents à la sortie de l'école. Vous vous souvenez de l'adresse ? Vous avez bien retenu que Roxanne prend son bain avant le dîner et qu'elle est allergique aux noix ?

Alice avait du mal à masquer sa fébrilité, même si elle était consciente de l'inanité de ses angoisses… C'était comme ça. La « super nounou » envoyée par le service de protection des témoins ne l'emballait pas. Elle qui avait l'habitude de jeunes baby-sitters, étudiantes de première année en tout et n'importe quoi, avait découvert une femme dans la cinquantaine avancée, un peu replète, au visage aussi expressif qu'une porte de lave-vaisselle soviétique.

— Ne vous inquiétez pas. Je connais mon métier, commandant. J'ai lu vos consignes. Je vous appellerai si j'ai un problème, mais il n'y en aura pas.

317

Alice espérait qu'elle se dériderait avec les enfants, mais l'usage du sourire ne semblait pas être compris dans ses attributions.

— D'accord. Je serai là pour les coucher. Bon, vous avez les clés. Servez-vous dans le frigo, regardez la télévision. Je vous laisse.

— Ce ne sera pas nécessaire, je me suis permis de prendre un polar dans votre bibliothèque, dit la nounou en brandissant une édition de poche de *Visages* de Jesse Kellerman.

Alice fronça les sourcils. Le livre l'avait terrifiée, ça parlait d'œuvres d'art torturées et d'enfants disparus. Insoutenable. Elle n'avait pas pu le terminer. Drôle de lecture pour une nounou. Elle s'abstint de faire un commentaire déplacé et consulta sa montre. Le temps redevenait son ennemi. Elle était partie en catastrophe de la brigade criminelle juste pour donner les clés à la nounou et lui transmettre ses consignes. Et maintenant il fallait se taper le trajet de retour jusqu'au Bastion. Le genre d'emmerdements qui n'arrive jamais à ses collègues hommes.

Le prochain candidat aux élections présidentielles qui proposerait une prime pour les mères débordées aurait son bulletin de vote, et elle lui roulerait une pelle en supplément. Elle repensa à Antoine Marcas. En voilà un qui n'avait pas à se coltiner des emmerdements avec des mômes. Il était parti pour Moscou du jour au lendemain. La belle vie.

Elle avait aimé sa façon de répondre à ses messages. Il devenait de plus en plus intéressant, mais il l'agaçait avec son espèce de désinvolture, aux antipodes de son caractère.

Elle prit son sac à la volée et salua la nounou.

— À ce soir.

Elle claqua la porte et descendit l'escalier quatre à quatre, un peu chamboulée à l'idée de laisser son appartement à une inconnue. Mais elle n'avait pas le choix. Brassac avait tenu parole, c'était déjà ça.

Quand elle arriva en bas, son téléphone vibra. C'était le spécialiste de la police scientifique, chargé d'identifier le profil Facebook trouvé dans l'ordinateur de la victime.

— Allô Paris ?

— Salut Lyon. Merci de nous avoir pris en urgence, je te revaudrai ça. Des nouvelles de Gwendy ?

— Notre superbe miss Tarentula est bien évidemment un faux profil d'escort comme il en existe des dizaines de milliers sur la Toile. Je te passe les détails. J'ai pu entrer dans son compte et remonter à l'adresse mail bidon utilisée pour le créer. Elle renvoie à une autre adresse mail tout aussi fictive. Un peu comme les sociétés écrans pour ouvrir des comptes dans les paradis fiscaux. Le petit malin a utilisé un VPN[1] pour ne pas se faire repérer quand il a créé ses comptes.

— On est donc bloqués ?

— Il y a un an, je t'aurais répondu oui, mais maintenant les choses sont différentes. Nos nouvelles bécanes nous permettent de contourner les VPN et d'assurer une traçabilité plus performante. J'ai fini par identifier

---

1. Le VPN permet, moyennement un abonnement, de changer l'adresse IP de son ordinateur – sa carte d'identité numérique – pour s'en voir attribuer une nouvelle dans un autre pays et devenir invisible.

un ordinateur localisé en France, à Paris. Dans le 4e au 45, rue Vieille-du-Temple. Gwendy Tarentula n'est autre qu'un certain Alex Fortaine, gérant de la société Protelor. Une petite boîte de sécurité.

Alice se sentit pousser des ailes.

— Formidable. Je suppose que tu as vérifié si son nom sortait sur le TAJ[1].

— Oui, mais il n'y a rien, à part un retrait de points de permis il y a quatre ans, pour excès de vitesse. Et encore, il les a regagnés. J'ai quand même quelques infos. C'est un ancien capitaine des forces spéciales, du centre de Dieuze, reconverti dans le civil.

— Dieuze, ça me dit quelque chose.

— Le régiment de formation du service action de la DGSE. *Le Bureau des légendes* en version musclée. Je t'envoie sa photo.

— Cet Alex Fortaine devient de plus en plus intéressant. Je serais curieuse de savoir pourquoi ce respectable chef d'entreprise joue les putes la nuit sur Facebook. Tu as pu consulter ses autres mails perso ?

— Tu plaisantes… Grier. Tu veux que je brave la loi ? En revanche si tu as l'autorisation du proc, rappelle-moi. Je suis obligé de te laisser.

Alice sortit sur le boulevard Richard-Lenoir et s'arrêta sur le trottoir. C'était idiot de remonter à la brigade alors que ce Fortaine avait ses bureaux à côté de chez elle. Elle envoya un SMS pour prévenir Carlin de la rejoindre devant la boîte de la cible. Le règlement exigeait la présence de deux policiers pour une intervention chez un suspect. Son adjoint lui confirma dans l'instant qu'il

---

1. Fichier informatisé des antécédents judiciaires.

prenait une voiture de service pour débarquer le plus vite possible. Avec la sirène, il en avait pour une vingtaine de minutes, en comptant les embouteillages.

Satisfaite, elle prit une trottinette de location, traversa le boulevard encombré, puis fila vers la rue Vieille-du-Temple. Il ne lui fallut que dix petites minutes pour arriver à sa destination et déposer son engin sur une place autorisée. L'immeuble à la façade un peu biscornue typique de cette partie du haut Marais, ravalée il y a peu, datait probablement de quelques siècles. Les deux battants du porche étaient grands ouverts, mais une grille interdisait fermement l'accès à la cour intérieure et aux escaliers.

Alice jeta un œil aux plaques d'activité professionnelle apposées à l'interphone, qui se résumaient à un orthophoniste, une avocate et un prof de yoga ayurvédique. Alice grimaça à la troisième profession. Elle avait essayé une seule fois de prendre un cours de yoga, jamais elle ne s'était autant ennuyée. Une bonne fois pour toutes, elle avait eu confirmation que le seul moyen de se relaxer, c'était d'enfiler des gants de boxe. Et de frapper. À la méthode thaïe, de préférence.

Elle inspecta la colonne de l'interphone, mais il n'y avait aucun nom d'inscrit, seulement des numéros.

Ce cher Alex Fortaine cultive la discrétion.

Elle se planta devant la rangée de boîtes aux lettres fichées sur l'un des murs et les passa en revue. Les noms étaient indiqués ainsi que les numéros correspondants. Son regard s'illumina.

Protelor. Cour. Rez-de-chaussée. Interphone 2.

Alice s'avança devant la grille et balaya du regard la cour joliment arborée. De gros pots de terre cuite mettaient en valeur des buis grassouillets et des oliviers touffus. Au fond, en face, on distinguait une sorte d'atelier, orné d'une verrière aux vitres masquées par de grands voilages blancs. Nulle part il n'y avait d'autre porte d'entrée dans la cour.

Son portable vibra. Un SMS de Carlin lui indiquait qu'il venait juste de mettre la main sur une voiture de service. Au moment où elle remettait son portable dans sa poche, la porte de l'atelier s'ouvrit, laissant passer une jeune femme blonde aux cheveux courts qui portait une caisse remplie de papiers. La femme de ménage probablement. La fille déposa la caisse au local poubelles, puis revint en courant. Un téléphone sonnait dans l'atelier.

Alice bouillonnait. Son adjoint ne serait pas là avant au moins vingt minutes. Elle prit son mal en patience et se colla sous le porche. Elle détestait deux choses dans la vie. Attendre et son ex-mari. Ce dernier lui avait d'ailleurs envoyé un autre message deux heures plus tôt, illustré d'insultes graveleuses, qui l'avait mise en joie. Il avait raté son avion et perdu sa réservation à Marrakech avec sa dernière conquête : tous les autres vols étaient complets pour le week-end.

Son portable vibra de nouveau. Marcas.

Pas encore trouvé le tueur. Désolé pour cet amateurisme. Navré pour votre augmentation. Plus sérieusement, je ne vais pas tarder à me rendre aux archives. Je vous tiens au courant. Si je ne donne plus de nouvelles, c'est que j'ai rencontré une belle Russe, gardienne de manuscrits.

Elle répondit aussi sec.

Moi, je suis devant les bureaux de Fortaine. Si je rencontre un beau mec entre le local poubelles et le pot de yucca je vous fais signe.

La réponse ne tarda pas.

Vous ne me rendrez pas jaloux. N'insistez pas. À bientôt.

Alice secoua la tête et répliqua :

Ce n'était pas mon intention, c'est vous qui avez ouvert le feu. À bientôt.

Elle entendit un claquement sec derrière la grille. La porte d'entrée de l'escalier qui donnait sur l'aile droite de l'immeuble venait de s'ouvrir. Une vieille dame aux cheveux violets et aux lunettes en cul de bouteille traînait un cabas à roulettes aussi vénérable qu'elle. L'octogénaire poussa la grille et passa devant Alice sans la voir.

Au même moment, la fille aux cheveux courts sortit, un trousseau de clés à la main.

Merde, elle va partir !

S'il n'y avait personne dans l'atelier pour leur ouvrir, la piste s'arrêtait là. Il fallait attendre une commission rogatoire délivrée par un juge.

La policière hésita en voyant la fille qui cherchait la bonne clé tandis que la grille se refermait lentement.

La procédure... Respecte la procédure.

Elle craqua et poussa la grille.

Au diable la procédure.

38

Moscou

Dans la salle qui ressemblait à un fumoir anglais, plusieurs hommes étaient assis dans de confortables canapés, tandis qu'un petit nombre se tenait près de la bibliothèque. Marcas rangea son portable. Cette fille lui plaisait de plus en plus.

Il sourit en observant ses frères. Enfin, il se retrouvait en famille. À chacun il rendit son salut dans la forme rituelle, tout en observant les nombreux éléments de collection qui décoraient les lieux. Des tabliers anciens protégés par des cadres se partageaient les murs avec d'illustres inconnus. Une photo en noir et blanc retint son attention. On y voyait Nicolas II, le dernier empereur de toutes les Russies, en grand uniforme de parade. Mais ce qui le frappa, c'était que son portrait était barré d'un cordon noir, au bout duquel pendaient une équerre et un compas.

— Le dernier tsar était franc-maçon? s'étonna Marcas.

— Ça ne serait pas étonnant, répondit un frère. Paul Ier et surtout Alexandre Ier, le vainqueur de Napoléon, l'ont été.

— Rien ne le prouve pour Nicolas II, continua un autre. D'autant qu'il a été justement assassiné par des francs-maçons, c'est pourquoi nous avons mis un cordon funèbre sur sa photo, en signe de repentance.

— Ce sont les communistes qui ont fusillé le tsar et sa famille, il n'y avait aucun franc-maçon parmi eux ! tonna une voix outrée.

— Pardon ? Mais qui a fait arrêter le tsar ? Le Premier ministre Kerenski, un franc-maçon notoire ! Qui l'a fait abdiquer ? Le général Rousky, lui aussi un maçon ! Qui l'a condamné à l'exil en Sibérie où il sera finalement exécuté ? Le président du comité exécutif provisoire, Nicolas Tcheïdzé, un autre franc-maçon.

— Tcheïdzé, cette crapule ! Mais il n'a jamais été franc-maçon !

Alexandre entraîna Marcas dans un coin en riant sous cape.

— Mon cher Antoine, je crois que tu viens d'ouvrir la boîte de Pandore. En Russie, quand il s'agit d'histoire, personne n'est d'accord sur rien. Et les francs-maçons encore moins que les autres.

— Il doit pourtant y avoir des archives qui permettraient de…

— Les frères les ont eux-mêmes détruites de peur d'être arrêtés, déportés ou pire. Tu sais, dès que Trotski, en 1922, a décrété que « la franc-maçonnerie était un outil bourgeois qui anesthésie la conscience du prolétariat », tous les frères sont devenus des cadavres potentiels.

Trois coups secs retentirent. Le frère Grand Expert, chargé de l'application du rituel, venait de faire son apparition. Une longue canne à la main dont il venait de frapper le plancher.

— Mes frères, il est temps que le silence revienne sur les parvis, nous allons entrer en tenue. Préparez vos esprits.

Par habitude, Antoine vérifia sa tenue. Son tablier le serrait un peu – il avait dû prendre du poids –, son baudrier lui barrait la poitrine aussi – dès qu'il rentrerait en France, il entamerait un régime sec –, quant à ses gants blancs, ils avaient quelque peu perdu de leur virginité immaculée au fil des tenues.

— Mes frères, mettez-vous à l'ordre, nous allons rentrer en loge rituellement !

La tenue allait commencer.

Assis confortablement dans un siège qui avait dû faire le bonheur d'un cinéma des années 1960, Antoine n'en revenait pas du lieu où se déroulait la tenue : une ancienne église qui conservait encore son autel – derrière lequel officiait le vénérable – et son dôme d'où pendait désormais un fil à plomb. En fait, le hangar aux statues servait de couverture discrète. Derrière l'atelier de l'artiste se trouvait un ancien lieu de culte orthodoxe, que les frères avaient magnifiquement transformé en temple maçonnique. De la spiritualité des lieux se dégageait une profonde impression de sérénité, amplifiée par le rituel que les frères russes pratiquaient avec exigence. Chacun à sa place apportait sa pierre pour que l'édifice de la tenue soit parfait et, désormais, c'était au tour de l'orateur du jour de quitter les colonnes et de venir à l'Orient. Par égard pour leur hôte d'un soir, la planche serait lue en français, précisa le vénérable, ce qui faisait d'ailleurs grand plaisir aux frères de cet atelier qui étaient tous d'ardents francophiles. Antoine remercia d'un discret hochement de tête. Comme l'orateur prenait place, Alexandre se pencha vers Marcas.

— Notre frère qui prend la parole est… comment dire, un habitué des sujets épineux. Il aime les défis et pourtant ce n'est pas son métier qui l'incite à la provocation.

— Il fait quoi dans la vie civile?

— C'est un ancien médecin légiste… il a maintenant une tout autre carrière.

L'orateur, dont la longue chevelure blanche tombait sur ses larges épaules, prit la parole :

— Ce soir, le thème de ma planche sera : «Qui a vraiment assassiné Raspoutine?»

Raspoutine! Un paysan du fin fond de la Sibérie, qui avait bouleversé l'histoire de la Russie en devenant le gourou illuminé du dernier tsar Nicolas II, se souvint Marcas. Un destin véritablement hors norme. Il se pencha vers Alexandre.

— Rafraîchis ma mémoire, comment est mort Raspoutine déjà?

— Il a été victime d'une conspiration à l'automne 1916. On était en pleine guerre contre les Allemands, et Raspoutine militait ardemment pour la paix. Impensable pour l'élite militaire et les industriels de l'armement. Le prince Felix Ioussoupov et ses amis l'ont invité à dîner en empoisonnant les plats avec du cyanure, mais comme Raspoutine ne s'effondrait pas, ils lui ont tiré deux balles dans le corps. Ensuite, comme il n'était toujours pas mort, ils l'ont jeté dans une rivière glacée.

— Je suppose que ça a été définitif?

— On l'a retrouvé congelé, deux jours après. Mais en Russie, on n'aime pas trop en parler. D'ailleurs, regarde la réaction de nos frères. La rumeur propagée a été que Ioussoupov était franc-maçon.

— On ne prête qu'aux riches, répliqua Marcas.

À voir les mines stupéfaites de l'assemblée, Antoine comprit que le sujet était vraiment sensible.

Antoine avait particulièrement apprécié la planche. Sans doute parce que dans le travail de l'orateur se voyaient trois qualités maçonniques essentielles : la patience, avec laquelle il avait construit sa démonstration pas à pas, l'humilité, quand il n'hésitait pas à raconter ses fausses routes et ses échecs, la volonté, parce qu'il avait dû remuer des montagnes pour déterrer la vérité sur un *cold case* vieux de plus d'un siècle. D'ailleurs, les visages de ses frères, marqués par le doute au début, exprimaient maintenant un intérêt captivé. C'était peut-être ça, la véritable sagesse maçonnique : cette capacité à transcender l'intime pour atteindre à l'universel.

— En conclusion, dit l'orateur, après avoir déterré les rapports et surtout retrouvé les photos de l'autopsie, je peux affirmer que Raspoutine n'est mort ni d'empoisonnement – il n'y avait pas de cyanure dans son corps – ni de noyade – il était mort avant –, pas plus que des deux balles qui lui ont traversé le corps – elles n'étaient pas létales –, mais bien d'une balle en plein front tirée par un calibre différent des deux autres. Une blessure et un tir dont ne parle aucun témoin. Ce qui pose la question : « Qui a vraiment tué Raspoutine ? »

L'orateur maîtrisait une autre qualité qui n'avait rien de maçonnique : l'art du suspense. Il sortit une photo en noir et blanc et annonça calmement :

— Voici le véritable assassin de Raspoutine.

Fasciné, Antoine fixait le portrait de l'inconnu. Un homme au visage anguleux, aux yeux peu expressifs, les cheveux plaqués sur le crâne découvrant deux oreilles trop larges. L'aspect d'un majordome plus que d'un tueur.

— Il s'appelle Oswald Rayner. Il travaillait pour le Secret Intelligence Service. Raspoutine prêchait la paix. Trop pour Londres. Car, si les Russes abandonnaient le combat, plus de deux cent mille soldats allemands allaient déferler à l'ouest face aux Français et aux Anglais épuisés. De quoi faire basculer le destin de la Première Guerre mondiale.

L'orateur laissa l'auditoire déguster sa révélation.

— Donc vous ne serez pas étonnés d'apprendre que, le soir du meurtre, Oswald Rayner se trouvait justement au premier étage de la maison où fut tué Raspoutine... Comme vous ne serez pas surpris que, dans le télex qui annonce la mort de Raspoutine au Secret Intelligence Service, seul le nom d'Oswald Rayner est cité... Pas plus que de savoir que le calibre 455 de la balle qui a perforé le crâne de Raspoutine est celui des revolvers Webley, l'arme favorite des espions anglais...

D'un coup, l'attention des frères se détendit comme un ressort. Grâce à ces trois preuves, assenées avec force, l'orateur venait de conquérir son auditoire.

— Mes très chers frères, j'espère que cette escapade

dans le temps à la recherche de la mort mystérieuse d'un des personnages les plus énigmatiques de notre histoire vous aura intéressés, mais surtout fait réfléchir. L'histoire n'est pas toujours celle que l'on croit et les puissants sont souvent prêts à tout pour en renverser le cours. Voilà pourquoi il nous appartient, à nous francs-maçons, d'être toujours en quête de vérité. De la Vérité.

L'orateur se tourna alors vers l'Orient et prononça la phrase rituelle qui clôturait sa planche.

— J'ai dit, vénérable maître.

Les agapes se déroulaient dans le fumoir et les frères discutaient avec passion du cas Raspoutine. Chacun y allait de son avis. Comme les échanges avaient repris en russe, Antoine s'était mis à l'écart, l'esprit encore sous le charme de la tenue – à moins que ce ne soit la vodka dont il venait de boire un second verre. Dans la poche de son veston, un peu plus lourde que d'habitude, il sentait les cartes de visite que les frères lui avaient glissées. Une tradition de solidarité qu'Antoine avait rencontrée partout. En tout cas, s'il avait besoin d'un banquier, d'un agent de change ou d'un conseiller en placement, il savait à qui s'adresser à Moscou. Des relations qui, vu son salaire de flic, ne lui serviraient jamais à rien. En revanche, il avait hérité des coordonnées d'un dentiste, d'un fleuriste et d'un restaurateur, un triptyque relationnel toujours utile dans une ville étrangère.

— Antoine, permets-moi de te présenter le frère Sergueï, notre orateur.

Marcas le salua rituellement avant de le féliciter sur sa planche.

— J'ai été très impressionné, mon frère, par ton

analyse des photos de l'autopsie. Déduire des calibres d'arme à partir de clichés qui ont plus d'un siècle, c'est un vrai talent.

Alexandre, qui les avait présentés, éclata de rire.

— Du talent, notre frère Sergueï n'en manque pas, il est très connu pour ça.

Marcas n'eut pas le temps de relever l'allusion.

— D'ailleurs, notre ami commun à Paris m'avait demandé...

Antoine sourit au rappel du frère obèse qui, bien entendu, ne lui avait pas conseillé de visiter cette loge francophile pour le seul plaisir du rituel et de la fraternité partagée.

— ... si tu avais... disons... besoin d'aide à Moscou, de te présenter à Sergueï, qui est le frère qu'il te faut. Il n'est ni flic ni avocat, il est bien plus que ça.

L'orateur à la chevelure blanche sortit sa carte dont il griffonna le revers avant de la tendre à Antoine.

— Voici mon adresse et mon téléphone. Appelle-moi si tu as besoin d'aide.

39

Paris
Rue Vieille-du-Temple

Alice s'engouffra par l'entrebâillement de la grille avant de la bloquer avec un pot de fleurs. Ça permettrait à Carlin de la rejoindre. Puis elle traversa la cour d'un pas souple en direction de la fille qui n'avait pas encore fermé la porte.

— Madame ! Attendez !

La fille jeta un regard méfiant à Alice qui arrivait à son niveau en brandissant sa carte.

— Commandant Grier, de la police criminelle. Je désire voir Alex Fortaine.

— Il est en déplacement à l'étranger. Il ne rentrera qu'à la fin de la semaine.

Alice jeta un œil à l'intérieur des bureaux.

— Je peux vérifier ?

— Si ça vous chante…

Alice s'engouffra dans les locaux, remerciant le ciel que la jeune femme ne connaisse pas les subtilités de la procédure judiciaire. Sans un papier officiel, elle n'aurait jamais pu entrer en l'absence du propriétaire des lieux.

La verrière abritait une salle d'attente avec un canapé, deux fauteuils et un magnifique palmier qui avait toutes les apparences de la réalité. L'un des murs était décoré d'une grande photo artistique d'un avion de chasse ondulant dans un crépuscule rougeoyant. De chaque côté du Rafale, deux portes. L'une, à demi ouverte, donnait sur des toilettes, l'autre sur un bureau où on discernait le dos d'un écran d'ordinateur. Alice fonça dans le bureau. Vide.

— Satisfaite ? Je peux fermer maintenant ?

Alice enrageait. Il n'y avait aucun moyen légal de pousser plus loin ses investigations. L'ordinateur était à portée de main, mais elle n'avait aucune autorité pour l'embarquer.

C'était planté…

Elle jeta encore un regard au bureau. Dans un cadre en acier brossé se remarquait la photo d'un homme en treillis militaire, béret vissé sur la tête, planté devant un hélicoptère, un Famas en bandoulière. Pour en mettre plein la vue aux clients probablement.

— C'est pas que je m'ennuie, mais…

— Qui êtes-vous ? demanda Alice.

— Une amie d'Alex. Je viens lui faire son ménage quand il n'est pas là. Les temps sont durs et tout le monde n'est pas fonctionnaire.

— Je peux voir vos papiers ? répliqua Alice, agacée.

Le regard de la fille se durcit. Encore une qui détestait les flics.

— Pourquoi ?

— Parce que j'enquête sur un meurtre et que c'est mon droit de policier de connaître votre identité.

— Vous croyez vraiment que j'ai que ça à faire?

La jeune femme fouilla dans son sac, ouvrit un portefeuille et lui tendit une carte d'identité écornée.

Violaine Demassay... née en 1988... demeurant à Antony...

Après avoir vérifié la photo, Alice lui rendit la carte. Il n'y avait rien à en tirer.

— Merci, désolée de vous avoir importunée, dit-elle. Je pensais que vous vous appeliez Gwendy Tarantula.

Violaine la scruta avant de répondre sur un ton ironique :

— J'ai une tête à porter le nom d'une araignée?

La policière, qui continuait de fouiller le bureau du regard, sourit. Par l'entrebâillement de la porte d'une armoire métallique, si ses yeux ne lui jouaient pas des tours, elle apercevait un pistolet posé sur une étagère. La jeune femme remarqua son expression et lança d'une voix traînante :

— Vous emballez pas, c'est une réplique. Alex adore les armes. C'est son truc.

— On va voir ça tout de suite, répliqua Alice. On dirait un Glock de la police.

— Pas du tout, ricana la fille. C'est un Sig Sauer P226.

Alice perçut une différence dans l'intonation de la voix, mais trop tard. Violaine lui envoya son poing dans les côtes. La policière s'écroula en hurlant, juste avant de se tordre de douleur, évitant au passage un violent coup de pied au visage. Comme elle tentait désespérément de reprendre son souffle, un pistolet apparut dans la main de la jeune femme.

— Vous aviez raison, c'est bien un Glock. Sur ce, bienvenue dans un monde meilleur.

Dans un ultime sursaut, Alice propulsa ses talons devant elle, frappant en plein dans les genoux de son adversaire. Deux balles sifflèrent à quelques centimètres de sa tête, faisant exploser la paroi vitrée derrière le bureau. Déséquilibrée, Violaine s'écroula en lâchant son arme. Retrouvant ses réflexes de boxeuse, Alice se précipita pour la frapper à la gorge, une attaque interdite sur le ring, mais qui paralysait n'importe qui.

Violaine bloqua l'attaque avec son avant-bras, avant de lui saisir la main pour la tordre violemment. Alice hurla de nouveau, mais son adversaire l'avait déjà plaquée par terre de tout son poids et lui agrippait le cou. La fille maîtrisait parfaitement les techniques de combat au sol et ses mains se resserraient comme un étau autour de sa gorge. L'étranglement était imparable, l'air se raréfiait.

— Endors-toi, ma belle, lança Violaine. Pour toujours.

Alice n'arrivait pas à desserrer la prise qui l'étouffait. Carlin ne serait jamais là à temps. Son espérance de vie se comptait désormais en secondes. Sa main agrippa le bord du bureau et fit tomber le cadre photo. Elle le saisit et frappa son adversaire à toute volée.

Violaine roula à terre.

Alice aspira une grande bouffée d'air, comme si elle remontait à la surface de la mer après un concours d'apnée. Sa vue se brouillait, elle toussait, mais elle réussit à se reprendre pour ramper vers son sac qui contenait son pistolet de service. Derrière elle, la fille bougeait aussi. Son arme était à l'autre bout de la pièce. Alice arracha le Glock de son sac et déverrouilla la sûreté.

Puis elle tira. Trois fois. Au jugé.

Une salve de deux balles lui répondit. L'une d'elles explosa au passage le moniteur posé sur le bureau, la seconde ricocha sur la partie supérieure de l'ordinateur et passa à un demi-cheveu de la jambe d'Alice.

La policière resta figée, les deux mains crispées sur son arme. Elle se déhancha et entendit des claquements de talons qui s'éloignaient.

Elle se releva péniblement, haletante. La gorge encore meurtrie. La douleur lui cisaillait les côtes. Elle s'avança prudemment dans la salle d'attente et jeta un œil par la fenêtre. La fille s'enfuyait à travers la cour. C'était foutu. Elle se maudit d'avoir posé ce pot de fleurs pour laisser la grille ouverte.

Alice s'appuya contre le mur pour reprendre son souffle. Cette fois, elle avait vraiment failli y laisser sa peau. Mais sa prise de risque et son refus de respecter la procédure s'étaient révélés payants. Fortaine et sa délicieuse amie étaient mouillés jusqu'au cou. Elle tenait les deux premiers vrais suspects de son enquête. Elle ramassa le PC ou du moins ce qu'il en restait. Si c'était vraiment son jour de chance, peut-être que ses collègues pourraient lui faire cracher des infos sur Fortaine et Violaine la cogneuse.

40

Moscou
Archives de l'Armée rouge

Après sa tenue maçonnique, Antoine avait repris le taxi de Vassili et fonçait dans Moscou. Il bouillonnait d'impatience à l'idée de découvrir ces fameuses archives russes. De retrouver la partie manquante du cinquième rituel. Et, pourquoi pas, de mettre la main sur le tueur qui avait ensanglanté le Grand Orient ?

La neige avait gagné toute la région de Moscou et la route devenait aussi lente que périlleuse entre les camions aveuglés par le blizzard et les vieilles Lada dérapant sur la croûte de gel qui avait recouvert le bitume. Vassili conduisait avec prudence, tâchant d'éviter les trajectoires erratiques des autres conducteurs.

— On n'a jamais vu ça ici, autant de neige à cette époque de l'année, ça doit être le réchauffement climatique.

La banlieue s'effilochait lentement : les tours ultra-modernes remplacées par des immeubles collectifs de l'époque soviétique, qui respiraient de plus en plus la pauvreté. Comme ils venaient de tourner dans une allée longeant la route centrale, Antoine remarqua des gamins qui débitaient un canapé à la hache en pleine tempête de neige.

— Ces habitations sont toutes chauffées au gaz, qui marche une fois sur deux. Alors les habitants se débrouillent… Bon, on arrive.

Le téléphone de Marcas vibra. C'était le numéro d'Alice. Il prit l'appel en contemplant le morne décor urbain qui défilait sous ses yeux.

— Ça fait plaisir d'avoir de vos nouvelles, commandant Grier. Vous voulez que je vous envoie des photos de Moscou sous la neige ? C'est incroyable…

— Écoutez-moi, Marcas !

Le ton était tranchant. Pas ce à quoi il s'attendait.

— J'ai été victime d'une tentative d'assassinat.

— Comment ça ?

— Je n'ai pas le temps de vous raconter les détails. Je suis persuadée que c'est en lien avec notre enquête. Une femme, plutôt jeune. J'y ai échappé de justesse. Faites attention à vous.

— Merci de me prévenir.

— Tenez-moi au courant de vos recherches. Je suis à l'identification pour voir si cette fille est connue de nos services, je dois vous laisser.

Elle avait raccroché. Sans un mot de plus. Un ton professionnel. Et elle avait raison. Marcas était heureux qu'elle s'en soit tirée, mais il sentit un frisson aussi glacé que le vent extérieur lui remonter la nuque. Le dépaysement, la tenue maçonnique fraternelle, les échanges avec Alice, il en avait presque oublié qu'il avait affaire à des adversaires dangereux. Il se redressa sur son siège, envoya un SMS au frère obèse pour le prévenir de l'agression de sa collègue, puis posa la main sur l'épaule de Vassili.

— C'est encore loin?

— Non. On arrive.

Marcas aperçut une haute façade de pierre terne surmontée d'un fronton, ce qui le surprit dans ce quartier populaire. La porte d'entrée était hermétiquement close et les fenêtres, très étroites, avaient toutes les stores baissés. Vassili sortit de la voiture, alla parler à l'interphone et revint en courant.

— L'entrée est de l'autre côté. Un bâtiment en verre. Si ça ne vous dérange pas, je préfère qu'on y aille à pied. (Il montra la façade du doigt.) Vu le quartier, c'est mieux de laisser la voiture devant les caméras de sécurité.

À son tour, Antoine se jeta à l'assaut du blizzard qui lui rougit le visage en un instant.

— Par là.

Bientôt ils arrivèrent devant une large porte vitrée, tatouée du blason de la Russie, où ils furent accueillis par deux gardes armés aussi avenants que l'hiver sibérien. Antoine remarqua l'AK47 porté en bandoulière et le doigt bien en évidence sur la détente.

— Toutes les administrations sont surveillées ainsi. Moscou craint toujours des attaques terroristes, surtout des Tchétchènes. Vous avez votre passeport?

Derrière un long comptoir, un fonctionnaire au visage anémique chaussa ses lunettes rondes pour étudier les papiers de Marcas. Au bout de plusieurs minutes de silence, Antoine interrogea Vassili.

— Que fait-il? J'ai reçu la confirmation de mon rendez-vous par mail via l'ambassade de Russie à Paris. Je peux la lui montrer.

— Il s'en fout. Il n'a d'yeux que pour votre visa.

— Mais il n'y a pas de scan d'identification numérique?

— C'est lui, le scan.

Sans un mot, l'employé referma le passeport et le rangea avec les papiers d'identité d'autres visiteurs. Deux, remarqua Marcas. Apparemment les archives militaires russes n'attiraient pas les foules. Un signal d'alerte résonna dans sa tête. Et si l'un d'eux était le tueur du Grand Orient?

— Vous pouvez lui demander la nationalité des autres visiteurs?

Vassili parlementa tant bien que mal, son interlocuteur grommela en consultant les autres passeports, puis glapit une réponse mal embouchée. Vassili se tourna vers Antoine.

— Russes. Deux chercheurs de l'Institut historique de Saint-Pétersbourg.

La tension d'Antoine baissa d'un cran.

— A-t-il déjà reçu un visiteur français ces derniers jours?

Après traduction, Vassili haussa les épaules sous le regard méfiant de l'employé.

— Non, vous êtes le premier. Il dit qu'il ne répondra plus à vos questions. Il n'est pas une agence de tourisme. Un conservateur va arriver.

Antoine jubilait: il gardait une longueur d'avance sur le tueur. La chance lui souriait enfin.

Tous les regards étaient tournés vers un escalier en faux marbre où achevait de dépérir une collection insolite de cactus. Tout à coup, l'escalier trembla et un personnage apparut. Il saisit les mains de Marcas avant de se lancer dans un discours à la cadence de tir d'une mitrailleuse russe.

— Que dit-il? demanda le Français, un peu abasourdi.

— Sa joie immense de vous recevoir... l'honneur indescriptible que vous lui faites... l'amitié inébranlable entre la Russie éternelle... et la France de la Révolution... De Gaulle...

— Il est fou?

— Non, il est bourré. Et vous arrivez juste à temps pour qu'il puisse ouvrir une nouvelle bouteille en votre honneur... bien sûr vous ne pouvez pas refuser.

— Mais il est dix heures du matin!

Vassili sourit et se mit à parler. Aussitôt le conservateur saisit Marcas dans ses bras tandis que les deux gardes lui frappaient chaleureusement dans le dos.

— Vous lui avez dit quoi?

— Que là, vous devez travailler, mais que, sitôt que vous aurez trouvé votre document, vous boirez avec plaisir avec eux tous.

— Et c'est ce qui les rend aussi joyeux?

— Je leur ai aussi dit que c'est vous qui alliez payer les bouteilles de vodka.

— Vous plaisantez?

— Pas du tout, ça va accélérer grandement vos recherches.

Tout à son enthousiasme, le conservateur s'était rué sur un téléphone.

— Il appelle la responsable du fonds d'archives que vous voulez étudier. Elle arrive. Elle s'appelle Tamara.

Alors que Vassili était retourné à la voiture, Tamara apparut. À la différence du conservateur, qui avait déjà disparu, elle parlait calmement et sans faire de gestes. Son français était parfait, même si, à certaines expressions, on s'apercevait qu'il datait un peu. Sans doute l'enseignement du français en Russie n'avait pas encore intégré les dernières évolutions de la langue, issues du monde anglo-saxon et des banlieues. Mais ce phrasé délicatement désuet s'accordait bien avec ses choix vestimentaires : ni accessoires de mode ni bijoux – Antoine n'avait pu s'empêcher de regarder si elle portait une alliance – et un tailleur d'une élégante sobriété. Mais Marcas finit par comprendre que cette apparente simplicité servait d'abord à mettre en valeur le visage de Tamara. *Comme la transparence d'un vase la beauté d'une rose*, pensa-t-il en se souvenant d'un vers du lycée.

— Monsieur Marcas… Vous êtes envoyé par le Grand Orient de France, c'est bien cela ?

— Absolument. Je suis président de la mission Mémoire et maçonnerie au sein de mon obédience et, à ce titre, je dois faire un rapport global sur la restitution des archives. J'ai besoin d'y voir un peu plus clair sur ce qu'il vous reste du fonds maçonnique français, même si je ne suis pas un spécialiste de cette affaire.

Elle le détailla avec une pointe de méfiance.

— Vous avez pourtant un expert reconnu dans le domaine, Pierre Jolier je crois. Nous avons eu affaire à lui.

— Il ne pouvait pas venir pour des raisons de santé et je le remplace au pied levé. Vous me pardonnerez mes questions si elles vous semblent basiques, mais je dois absolument boucler mon rapport.

— C'est toujours un plaisir de parler de mon travail. C'est si rare…

Antoine sourit. À détailler le visage de Tamara – il semblait comme ciselé dans de l'ivoire ancien –, il avait fini par ne plus l'écouter.

— Excusez-moi, j'ai eu une soirée un peu longue.

— Ce n'est pas grave, je vous disais que j'étais chargée du nouvel inventaire des archives françaises, ce qui n'avait pas été fait depuis 1975. Si vous voulez bien me suivre, je vais vous montrer… Comment dit-on en français déjà ? Mon *royaume*.

Après avoir passé une série de sas sécurisés, ils entrèrent dans une salle immense sans fenêtre, éclairée uniquement par des néons de faible intensité. À perte de vue s'étendaient des rangées de cartons disposées dans de hautes étagères métalliques.

— Il y a combien de documents dans cette pièce ?

— Nous sommes en train de faire le décompte, mais sans doute plusieurs centaines de milliers. En revanche, je peux vous dire que toutes les allées de cette salle représentent près de trois kilomètres de long.

Il connaissait bien l'histoire des archives spoliées par les nazis, il y a dix ans il avait failli y laisser sa peau à cause de certaines d'entre elles. Mais il fallait absolument qu'il fasse parler l'archiviste pour la mettre en confiance. Il prit son air le plus candide.

— Fascinant ! On m'a briefé très rapidement au Grand Orient, j'aimerais en savoir plus sur l'origine de tout ce qui est réuni ici.

Tamara lui montra un carton entrouvert d'où sortaient des liasses de papiers parcheminés.

— Ce sont des prises de guerre. Au fur et à mesure de leur avancée en Allemagne à partir de 1945, les troupes soviétiques se sont emparées de tous les documents qu'elles ont trouvés, parmi lesquels tous les fonds d'archives pillés par les nazis en France depuis 1940.

À nouveau, Antoine jeta un œil à ces murs entiers de cartons grisâtres. Il y avait de quoi fortifier toute une ville médiévale.

— Quel type d'archives exactement?

— Les nazis ont délibérément volé toutes celles qui étaient pour eux stratégiques en matière de communication, d'infiltration ou de répression. Par exemple, les archives du Quai d'Orsay les intéressaient beaucoup parce qu'ils voulaient absolument prouver que la France avait été manipulée par l'Angleterre pour déclencher la guerre.

— Ce n'est plus de la communication, mais de la manipulation.

Tamara sourit. Elle avait des lèvres extrêmement fines.

— En Russie, nous savons depuis longtemps que c'est la même chose.

— Et pour les autres archives?

— Les Allemands se sont, par exemple, emparés des archives du Deuxième Bureau[1] afin d'infiltrer les réseaux de renseignements français et les mettre à leur

---

1. Nom des services d'espionnage français avant la Seconde Guerre mondiale.

service. Sans grand succès d'ailleurs, parce que les documents les plus sensibles avaient été détruits.

— À vous entendre, j'ai l'impression d'un plan parfaitement concerté.

— Vous ne vous trompez pas. Le jour même où les nazis sont entrés à Paris en mai 1940, des commandos spécialisés se sont rués dans les ministères, les sièges de syndicats, les partis politiques et ont tout raflé.

— Et ensuite, que sont devenus ces documents ?

— Pour une partie, ils ont été analysés directement sur place pour plus d'efficacité et de réactivité : il fallait arrêter au plus vite certains leaders syndicaux ou politiques. D'autres archives, considérées comme devant faire l'objet d'une analyse globale, sont parties directement à Berlin dans des services spécialisés.

— Comme les archives maçonniques, conclut Antoine.

Ils venaient d'arriver devant une étagère où s'entassaient des cartons grisés par le temps. Tous étaient frappés de l'aigle nazi. Certains étaient même encore scellés. Tamara soupira.

— Une partie des archives n'a jamais été ouverte depuis le premier inventaire. Faute de temps et d'employés. Sans compter les bibliothèques de province qui nous envoient des documents datant de la Seconde Guerre mondiale, mais dont on ne sait vraiment pas comment ils se sont retrouvés là.

Antoine ne relança pas. Mais, parmi les spécialistes de la franc-maçonnerie française, beaucoup savaient qu'à la bibliothèque de Minsk, en Biélorussie, avait été retrouvé par hasard un ensemble d'archives exceptionnel, qui éclairait d'un jour inédit la naissance de la franc-maçonnerie, en France au XVIIIe siècle[1]. Nul ne semblait savoir comment ces papiers avaient atterri là, même si, après enquête, il semblait bien qu'un groupe de soldats chargés de les convoyer jusqu'à Moscou avait jugé que le voyage était trop long et s'était évaporé en les laissant sur place.

— Mais vous savez que nous les avons restituées à votre pays en décembre 2000 ?

— Absolument, pourtant il semble qu'il reste encore des archives ici même. D'ailleurs, vos services nous ont envoyé une boîte, il y a quelques semaines au Grand Orient. La CZ-3. C'est précisément pour cela que j'ai été mandaté.

— Il se trouve que les archives non restituées avaient été entreposées par erreur dans une autre section. J'y ai donc jeté un œil, or l'un des cartons – celui dont vous parlez – était estampillé Grand Orient de France. Avec l'accord de ma hiérarchie, je l'ai fait renvoyer à Jolier.

— Et les autres boîtes ?

— C'est plus compliqué, car je ne connais pas leur provenance maçonnique : est-ce la Grande Loge de France, le Droit Humain ou bien des obédiences belges qui, elles aussi, ont été spoliées ? Tant qu'elles ne sont pas authentifiées je les garde sur place. D'autant plus que je ne vous cache pas qu'elles sont très demandées en ce moment. Depuis la diffusion d'un documentaire français sur le sujet, nous avons de plus en plus de consultations.

Elle indiqua de l'index une table en inox brillant et une chaise, coincées entre les étagères.

---

1. En particulier pour la ville de Bordeaux.

— Je n'ai que cette modeste place à vous proposer. N'y voyez rien de personnel. D'autres chercheurs, russes, sont logés à la même enseigne un peu plus loin dans les coursives. Nous sommes en pleins travaux de modernisation des salles de lecture.

— Des chercheurs qui s'intéressent aussi aux archives maçonniques ?

— Pour des raisons de confidentialité, nous ne divulguons rien sur les travaux de nos invités. Vous ne faites pas pareil en France ?

— Bien sûr, excusez-moi.

Tamara attendit qu'il se soit assis puis déposa un cahier dactylographié sous ses yeux.

— Voici le répertoire qui décrit le contenu de chaque boîte. Il a été réalisé dans les années 1970, ce qui signifie qu'il est plutôt sommaire, mais si vous trouvez ce que vous cherchez…

Tamara consulta sa montre et désigna un téléphone mural.

— … indiquez-moi la référence. On vous l'apportera. J'ai un rendez-vous important avec un historien. Je suis obligée de vous laisser.

Dehors, Vassili attendait en fumant une cigarette, la vitre légèrement ouverte. Il regardait la façade des archives. Avec sa porte qui semblait scellée, ses fenêtres en forme de meurtrières, elle lui faisait penser à l'entrée, immense, d'une tombe. Et ce qu'il y avait derrière était pire : les archives de l'Armée rouge. Si, pour les Européens, il s'agissait de l'armée héroïque qui, au prix de millions de morts, avait vaincu le nazisme, pour les Russes, c'était l'armée de la répression intérieure, responsable de massacres dont même le diable ne pouvait avoir idée.

Vassili se signa. Ce n'est pas qu'il était très religieux, mais ce bâtiment lui inspirait une crainte superstitieuse. Il regarda de nouveau la façade. Derrière ces murs se cachait la mémoire de crimes sans égal et sans pardon. Il se demandait ce qu'un chercheur français pouvait faire dans cette nécropole de papiers. Ça l'intriguait. Comme l'intriguait le lieu où il avait d'abord amené son client. Ce hangar abandonné dans un quartier qui ne l'était pas moins. Il en avait discuté avec ses collègues et l'un d'eux avait eu un drôle de sourire. Un de ces sourires qui signifient : «Mon vieux, tu t'es foutu dans un drôle de guêpier.» Vassili se sentit oppressé. Et s'il conduisait un mafieux ou, pire, un espion? Comme il tirait nerveusement sur sa cigarette, il vit un van noir ralentir à proximité. La plaque le fit sursauter. Elle brillait comme si on venait de la nettoyer... ou de la changer. Par réflexe, Vassili remonta la vitre.

Le véhicule se gara. Un homme en descendit, inspecta minutieusement les lieux, puis les portes du van claquèrent brusquement. Un ouvrier en bleu de travail sortit, suivi d'un balayeur, puis d'un livreur, son colis à la main. Tous portaient une sacoche en bandoulière. Vassili sentit une écume froide lui envahir le ventre. C'était le FSB, il en était certain! Qu'est-ce qu'ils foutaient là? Déguisés en plus? *Shlyukha*[1], et s'ils venaient pour le Français? Vassili posa la main sur la clé de contact et se ravisa. S'il foutait le camp, il attirerait aussitôt l'attention. Il jeta un œil affolé à son portable.

---

1. L'équivalent de «putain» en français.

Et s'il prévenait le Français? De la folie, tout le quartier devait déjà être sur écoute. Non, il n'y avait qu'une seule solution. Ne pas se faire remarquer. Et si les choses tournaient mal, abandonner discrètement le van et disparaître dans le quartier. Les mains tremblantes, Vassili décrocha la croix orthodoxe suspendue à son rétroviseur et commença à prier.

41

Moscou
Archives de l'Armée rouge

Où pouvait bien se trouver la dernière page du manuscrit du cinquième rituel de la boîte CZ-3 ? Glissée par erreur dans une autre caisse voisine dans la numérotation ? C'étaient les questions qui taraudaient Antoine, un stylo coincé entre ses lèvres.

Assis sur une chaise bancale, devant une table branlante baignée par la lumière blafarde d'un néon souffreteux, le Français étudiait chaque page du descriptif constitué du texte russe suivi d'une version en français. Visiblement, le vocabulaire maçonnique avait souvent posé problème aux traducteurs et parfois leurs interprétations semblaient aussi énigmatiques que les caractères cyrilliques correspondants. Malgré tout, Antoine avait l'impression d'avoir découvert un trésor oublié. À chaque nouvelle page d'inventaire surgissait un témoignage de l'histoire de la franc-maçonnerie. Derrière la traduction approximative, Marcas découvrait aussi bien des planches d'avant-guerre que des rituels de hauts grades du siècle des Lumières. Le tout dans un chaos indescriptible. C'est ça qui était le plus frappant. Visiblement, les nazis n'avaient rien classé. Et sans doute rien étudié en profondeur. Heureusement, les spécialistes russes, en procédant à l'inventaire – quoique rapide – de chaque boîte, avaient chaque fois indiqué la date probable de rédaction des documents, qui commençait au milieu du XVIIIe siècle pour finir dans les années 1930. Deux siècles d'histoire inédite.

Antoine finit ainsi par repérer trois cartons numérotés CZ-2, CZ-4 et CZ-5, dont le contenu pouvait correspondre à ce qu'il recherchait. Il n'y en avait aucun autre de la collection CZ. Il nota soigneusement les références, puis les vérifia de nouveau. Depuis quelque temps, sa mémoire lui jouait des tours. Et il ne savait pas si c'était son ancienne blessure qui lui avait laissé des séquelles ou si avec l'âge il devenait plus angoissé, jusqu'à douter de lui-même. Il haussa les épaules – ce n'était pas le moment de penser à ça –, décrocha le téléphone et transmit les cotes. Quelques minutes plus tard, il entendit le bruit grinçant d'un chariot qui remontait une allée.

Une employée mutique posa la première caisse sur la table et, comme si elle décapsulait une bouteille de Coca, fit sauter les scellés d'un seul coup de main. Elle sortit ensuite les documents. En fait, la boîte ne contenait qu'un seul dossier dans une chemise brune où était indiquée l'année *1774*. Elle recula et attendit, l'œil aussi fixe que l'objectif d'une caméra. Antoine comprit que la consultation se ferait sous surveillance.

Il saisit la paire de gants de coton posée sur la table

d'inox et les enfila pour ne pas détériorer ces papiers qui avaient traversé tant de tourmentes. Une simple empreinte pouvait effacer une encre déjà décolorée par le temps. Au premier abord, la chemise ne semblait contenir que des pièces purement administratives. Il repéra d'abord les tracés d'une loge parisienne qui répondait au nom aussi symbolique qu'énigmatique de Lion Vert, puis découvrit toute une série de convocations à des tenues. L'une d'elles indiquait qu'après la réunion maçonnique aurait lieu un dîner, suivi d'un bal. Antoine sourit : l'heureux temps de la maçonnerie des origines, où l'on fumait et buvait en loge avant que de s'adonner à des agapes au son d'un orchestre de chambre... L'époque avait bien changé. Le reste des documents était moins étonnant. Il s'agissait d'appels répétés à capitation. Décidément, quelle que soit l'époque, les trésoriers avaient toujours autant de mal à faire rentrer en caisse les cotisations des frères ! Si cette dernière pensée fit de nouveau sourire Marcas, en revanche cette première recherche venait de se révéler vaine.

Pas de trace du cinquième rituel ou de travaux de la loge Athanor. Et il ne lui restait plus que deux cartons.

Derrière ses vitres teintées, Vassili tentait d'analyser la situation. À deux pas de lui, le faux balayeur remontait lentement la rue, chassant méticuleusement la neige du trottoir. Quand il s'approcha du van, il se pencha, puis se releva, un mégot à la main qu'il mit dans un sac-poubelle transparent. Un vrai professionnel. Sauf qu'il jetait un œil régulier aux caméras de surveillance et à la porte d'entrée du bâtiment. Si quelqu'un tentait d'en sortir, il tomberait directement sur lui. Inquiet, Vassili ne quittait pas du regard la sacoche que le balayeur portait en bandoulière sur sa droite. Il était certain qu'elle dissimulait une arme. Sans doute un pistolet automatique. De quoi vous transformer en gruyère en quelques secondes. Vassili sentit la respiration lui manquer. Mais dans quel traquenard s'était-il fourré ?

Sans un mot, l'employée déposa la deuxième boîte devant lui. Antoine plissa les lèvres de dépit. Il n'y avait qu'un cahier. Rien de plus. À croire qu'il n'y avait plus grand-chose dans cette salle, à part des caisses quasiment vides : celles qui ne valaient rien dans un échange tarifé. Ce n'était pas un secret : la France avait payé pour récupérer ces archives et, pour faire monter les prix, les Russes avaient dû proposer à la vente des cartons remplis jusqu'à la gorge. Visiblement, ici il ne demeurait que des rebuts. Antoine prit néanmoins le cahier et l'ouvrit. C'était un manuscrit dont le titre l'étonna : *L'Apocalypse philosophique et hermétique*. Intrigué, il le feuilleta avec minutie. Le texte était un manuscrit de travail, truffé d'ajouts, de corrections et même de dessins… Il parlait d'alchimie, de cabale et de sociétés secrètes comme les Rose+Croix, mais surtout il était signé à la dernière page.

Du Chanteau :.

Ce nom lui disait quelque chose, il en était certain. Où l'avait-il vu ou entendu ? Il tapa le nom dans la barre de recherche de Google sur son téléphone, mais ne trouva que des *Duchanteau* contemporains qui avaient une page Facebook ou LinkedIn. Puis, en cherchant dans la rubrique *Livres*, il tomba sur un extrait d'un ouvrage d'érudition : le frère du Chanteau avait bel et bien existé, il avait même fait partie d'une loge parisienne mythique, juste avant la Révolution, les Philalèthes. Des financiers, raides dingues d'ésotérisme, qui avaient monté un laboratoire d'alchimie en plein siècle des Lumières. Et c'était le fameux frère du Chanteau qui s'était mis à la recherche de la pierre philosophale. Antoine ouvrit une page au hasard, non pour la lire, mais pour en caresser le vélin surchargé de ratures… Plus de deux siècles après, il tenait entre ses mains le travail d'un homme qui avait voué sa vie à chercher le secret de la transmutation des métaux et de la vie éternelle.

Un Nicolas Flamel des temps modernes ! Un trésor pour les amateurs d'ésotérisme. Il photographia la page de titre avec son portable, puis celle où se trouvait la signature de l'auteur. Il imaginait déjà la tête du conservateur de la bibliothèque du Grand Orient quand il lui montrerait pareil trésor. De quoi le convaincre de demander la restitution – ou au moins la copie – de ces archives oubliées. Malheureusement, ce n'était pas ce qu'il était venu chercher à Moscou. Il ferma le cahier et demanda d'un signe muet à l'employée de décacheter l'autre boîte.

C'était sa dernière chance.

Tétanisé dans son van, Vassili se demandait où étaient passés les deux autres agents du FSB. Il n'y avait plus aucune trace du livreur ni de l'ouvrier. Ils avaient dû prendre position aux autres sorties, prêts à intervenir. Il n'y avait aucun doute : ils attendaient quelqu'un et ce quelqu'un ne pouvait être que ce maudit Français qu'il avait emmené jusqu'ici. Mais pourquoi lui? Ils avaient peur qu'il ne découvre un document compromettant? Les responsables russes avaient beaucoup de mal avec les histoires de l'époque communiste. Ils craignaient toujours que l'on ne déterre un massacre de masse ou que l'on ne découvre une tragédie dont s'empareraient les médias internationaux. La plupart des politiques refusaient d'assumer la vérité et cherchaient toujours à masquer la réalité des faits historiques. Une attitude héritée de la période stalinienne où, quand un dirigeant rival était liquidé, on le supprimait jusque dans la moindre photographie officielle, comme s'il n'avait jamais existé. Subitement, Vassili eut des sueurs froides. Si par malheur il avait convoyé un espion, le FSB l'effacerait de la même manière.

La dernière boîte était ouverte. Cette fois, la moisson était plus importante. Deux volumes élégamment reliés de cuir basane firent leur apparition. Antoine feuilleta rapidement le premier et grimaça: un simple compte rendu des tenues d'une loge de Montauban, en 1773. Il se sentait abattu: il n'y arriverait pas. Ce qu'il cherchait, c'était une aiguille dans une botte de foin maçonnique et ses chances désormais s'amenuisaient comme peau de chagrin. Décidément, le Grand Architecte de l'Univers n'était pas avec lui.

Pourtant, avant de refermer le volume, il s'attarda sur une page ouverte au hasard: c'était un registre de noms calligraphiés avec soin. *Lacoste, Belvès, Vigouroux...* En les prononçant, il se demandait qui étaient ces frères qu'il venait de ressusciter de l'oubli. Par-delà les siècles, il se sentait relié à ces inconnus par un fil invisible, celui de la fraternité. Il se sentit subitement ému, mais le regard fixe de l'employée qui l'observait le ramena vite à sa quête initiale. Il ouvrit le second volume.

Et tout de suite, il comprit qu'il ne trouverait rien. Il s'agissait d'un cahier de rituel manuscrit. On y décrivait, étape par étape, le processus d'initiation d'un futur apprenti en quête de vérité. Curieusement, les mots ou les expressions employés n'avaient quasiment pas changé. En bientôt trois siècles, c'était le même parcours de l'ombre à la lumière, le même rituel qui faisait d'un individu un initié. Dans la marge, une main anonyme commentait chaque étape en faisant des recommandations précises. L'une d'elles amusa Antoine : « Icy, il faut presser le mouvement pour que l'impétrant ait l'impression d'un tourbillon. » On aurait dit un compositeur indiquant le tempo pour jouer sa musique.

Marcas ferma le volume. Il avait échoué.

Il reprit l'inventaire que lui avait donné Tamara. Qu'avait-il raté ? Il restait une quarantaine de caisses avec d'autres références que la collection CZ. Quelle chance y avait-il pour que le fragment de manuscrit qu'il cherchait se soit égaré dans les cartons qu'il n'avait pas fouillés ? Et si, tout simplement, ce texte s'était perdu ? Définitivement.

Antoine enleva ses gants et les posa sur la table. Il devait tout reprendre de zéro. Fouiller chaque carton si nécessaire, mais il fallait d'abord prévenir Vassili qu'il en avait au moins pour le reste de la journée. Il appuya sur la touche d'appel.

— Vassili, je vais en avoir pour un long moment. Le mieux, c'est que vous ne m'attendiez pas.

La voix vacillante du chauffeur le surprit. Comme s'il parlait à un fantôme.

— Écoutez, je ne me sens pas très bien. Je ne sais pas si je pourrai revenir vous chercher. Je vais rentrer en métro. Je vous laisse la voiture. Les clés sont dans la boîte à gants.

Antoine s'étonna.

— Mais vous m'aviez dit que le quartier n'était pas sûr ?

— La voiture est juste devant les caméras de l'entrée des archives : il n'y a aucun risque. Et puis le quartier est très surveillé en ce moment.

Vassili raccrocha. *Décidément les Russes sont imprévisibles*, pensa Marcas. Conduire seul jusqu'au centre de Moscou ne l'enchantait guère mais, avec le GPS, il devrait s'en sortir. Il laisserait le van au parking de l'hôtel. Vassili n'aurait qu'à le récupérer plus tard. Antoine reprit l'inventaire. Il allait faire une sélection plus large. C'était sa seule chance. Comme il saisissait un stylo pour prendre des notes. Le téléphone mural sonna. L'employée décrocha et lui tendit le combiné.

— Antoine ? Mon historien m'a posé un lièvre. C'est l'expression que vous employez ?

— Un lapin serait plus juste, sourit Antoine. Ça tombe bien, j'allais vous appeler. Je n'ai rien trouvé dans les cartons. Il faut que je reprenne l'inventaire. Pourriez-vous venir m'aider ? Il y a sans doute des différences entre le descriptif en russe et sa traduction qui m'échappent.

— C'est bizarre… Il faut que je vous parle d'un détail curieux.

— Quoi donc ?

— Je vous ai parlé des deux chercheurs russes de Saint-Pétersbourg ?

— Oui.

— Eh bien, quand je suis passée à côté d'eux en remontant pour mon rendez-vous, j'en ai surpris un qui parlait en français au téléphone. Un français sans accent. Je lui ai ordonné d'interrompre son appel, on ne passe pas ses appels privés dans des archives.

— Et donc ?

— C'est l'autre qui m'a répondu en russe. Celui qui téléphonait est devenu subitement muet. Or ils sont venus eux aussi consulter les archives maçonniques françaises. Je ne voulais pas vous le dire tout à l'heure pour des raisons de confidentialité.

Le cœur de Marcas fit un bond dans sa poitrine.

— Et ce qui est curieux, reprit Tamara, c'est qu'ils connaissaient exactement la référence qu'ils voulaient étudier.

— Où sont-ils ?

— Installés dans une autre travée juste à côté du musée.

Antoine se souvint que le site abritait aussi un musée de l'Armée rouge, rempli d'uniformes et d'armes d'époque. Il avait vu des photos sur la page Internet des archives. Le genre de lieu qui sentait la naphtaline et un passé envolé.

— On leur a déjà donné le carton qu'ils vous ont demandé ?

— Oui.

Le Français se leva aussitôt.

— J'arrive tout de suite.

42

À l'intérieur du palais, le bureau de la secrétaire générale était le lieu de passage obligé aussi bien pour les informations que pour les visiteurs qui parvenaient de l'extérieur. Un peu comme une fortification avancée à l'entrée d'un château, filtrant ce que le seigneur devait voir et savoir. Et, en ce moment, le filtre fonctionnait à plein régime. Depuis le début de l'automne, Léa était devenue l'armure du président, celle qui le protégeait de toutes les mauvaises nouvelles. Elle réécrivait toutes les notes de synthèse. Le vocabulaire était soigneusement choisi.

La vague des faillites qui avait suivi l'épidémie de Covid s'appelait *ralentissement de la vocation entrepreneuriale,* quant à la trahison des proches qui, après la débâcle des dernières élections, changeaient précipitamment de camp, on parlait de *reconversion stratégique transitoire.* Tout était dit, fait pour que le président ne prenne pas conscience de l'ampleur du traumatisme social que traversait le pays et de la fermentation des esprits qui en découlait. C'est Léa qui, avec une poignée de conseillers, avait décidé de cette stratégie. L'analyse était simple : la nation, angoissée, démobilisée, avait besoin d'un vrai leader et seul le président, jeune, dynamique, moderne, pouvait encore l'incarner. Les autres n'étaient que de vieux acteurs sur le retour, dépassés par les événements et incapables de la moindre vision. Mais, pour que le président soit capable, encore une fois, d'incarner l'homme providentiel, il fallait qu'il soit préservé de tout. Sinon, il serait taraudé par le doute et ne serait pas le candidat charismatique dont la France avait besoin. Autant dire que le bureau de la secrétaire générale bourdonnait comme un rucher au printemps. À tel point que, pour échapper à la pression incessante, Léa avait fait aménager un nouveau bureau où elle pouvait réfléchir au calme et recevoir ceux qui comptaient vraiment. Ici, pas de tapisseries des Gobelins surchargées de thèmes mythologiques, pas de fauteuils Louis XV à l'inconfort légendaire, mais un décor strict et minimaliste. Ce qui d'ailleurs impressionnait toujours ses visiteurs qui avaient, d'un coup, l'impression de se trouver au cœur véritable du pouvoir : là où se prenaient les décisions cruciales.

Léa regardait l'analyste responsable des sondages qui venait d'entrer. Rien qu'à sa tête, on pouvait se douter des résultats. Autant ne pas perdre de temps.

— N'entrez pas dans les détails. Faites-moi une synthèse.

L'analyste se gratta la gorge.

— Au vu des chiffres des dernières élections, et en

tenant compte des réactions de la société civile suite à différents événements…

— Je vous ai demandé une synthèse, pas une dissertation.

— Eh bien, face à un candidat de la droite traditionnelle, l'actuel président perd avec un différentiel de sept points…

— Tant que ça ! ne put s'empêcher de réagir Léa. Et face à l'extrême droite ?

— Nous ne savons pas.

— Je vous demande pardon ?

— Il n'y a que deux points d'écart : cela correspond à la marge d'erreur. On ne peut rien prévoir.

La secrétaire générale croisa les mains sous son menton, signe que l'entretien était terminé.

— Vous me ferez passer l'analyse complète.

L'analyste hocha la tête et disparut. Léa appuya sur un bouton de l'interphone.

— Dites au conseiller spécial pour les élections de venir immédiatement.

Émilien Delteil donnait toujours l'impression d'avoir été éjecté de son lit. Des cheveux roux en bataille, une barbe de trois jours, sans compter un costume éternellement fripé. Dans les couloirs de l'Élysée, on le surnommait La plume. Sauf que ce touche-à-tout qui avait été militant de gauche par conviction, puis journaliste de droite par opportunisme, était le meilleur fouille-merde que la terre avait jamais porté.

— Nous perdons de sept points face au candidat de droite, annonça Léa alors qu'il entrait dans son bureau.

— Candidat qui a pourtant le charisme d'une huître

chaude, répliqua La plume. Preuve que le véritable problème, c'est bien ton président qui agit comme un repoussoir. Un épouvantail qui bientôt va faire peur aux enfants.

— N'exagère pas.

— Tu sais bien que je dis la vérité.

— Je veux que tu t'occupes de son adversaire. Il devient un problème. Tu as quelque chose sur lui ?

— Non, mais je trouverai. *Il y a toujours quelque chose.* C'est ma devise.

— Alors dépêche-toi. Les élections sont dans moins de six mois.

— Justement… Si je trouve une info qui fasse chuter le bonhomme au fin fond d'une fosse septique, tu veux la sortir quand ?

Léa répondit :

— Juste avant le premier tour ?

— Déjà fait durant les dernières élections présidentielles, les gens ne tomberont pas deux fois dans le même panneau.

La secrétaire générale sourit. La plume lui coûtait cher, mais elle savait pourquoi.

— Je vais y réfléchir. En attendant, dépêche-toi de me rapporter un bâton bien merdeux.

Comme son visiteur sortait tout sourire, un huissier glissa une tête.

— Madame la secrétaire générale, juste pour vous dire que le déjeuner du président avec ses invités se termine. Vous m'aviez demandé de vous prévenir.

Tous les jeudis, le président déjeunait avec des responsables locaux de sa formation politique. Des femmes et des hommes qui connaissaient très bien la France

362

réelle, et ils pouvaient être tentés de témoigner du désespoir du pays. Mais Léa ne les craignait pas : il y avait longtemps que ces déjeuners s'étaient transformés en un monologue ininterrompu du président...

— Dès qu'il sort du déjeuner, dites au docteur Brenner de passer me voir.

Une fois la porte refermée, la secrétaire générale sortit un dossier de son plus proche tiroir. La couverture était grise, usagée et sans titre. Pourtant, dessous se cachait la quête d'un secret qui pouvait changer le destin de l'élection. Avec précision, Léa avait noté tout ce que le président lui avait appris du cinquième rituel, ce qu'elle avait pu reconstituer des recherches d'Hélène et tout ce qui avait été entrepris depuis. Elle connaissait le dossier par cœur, pourtant elle le rouvrit quand même. Elle avait besoin de s'en imprégner. Jamais avant elle quelqu'un n'avait réuni autant d'éléments sur ce secret... Jamais avant elle quelqu'un n'avait risqué autant pour le découvrir...

— Madame la secrétaire générale ?

Le docteur Brenner venait d'apparaître dans l'entrebâillement de la porte.

— Entrez, Charles. Comment allez-vous ? J'ai vu votre dernière intervention sur BFM. Vous avez pulvérisé vos adversaires. Impérial.

Brenner rougit de plaisir. Il était de ces médecins que la pandémie avait rendus célèbres. Devenu grand expert par la grâce du petit écran, ce psychiatre de formation venait régulièrement délivrer la bonne parole à des Français démoralisés par des mois de doute et d'angoisse. Rapidement, on avait vu son visage rassurant faire la couverture des magazines. «Le psychiatre qui fait du bien» – comme l'appelaient les médias – diffusait l'image d'un médecin exemplaire, se faisant mitrailler en blouse blanche auprès d'un agonisant ou avec sa charmante épouse dans leur nid d'amour. C'est d'ailleurs après cette photo iconique du bonheur familial que Léa avait fait la connaissance du professeur Brenner.

En pleine torpeur estivale, le médecin «le plus aimé des Français» avait eu la généreuse idée d'ouvrir la portière de son coupé BMW à une âme esseulée, juchée sur de hauts talons au bord de la route de Ramatuelle, à Saint-Tropez. La philanthropie étant rarement payée de retour, le docteur Brenner s'était fait arrêter par la gendarmerie, qui lui avait révélé que la brebis égarée qu'il avait si naïvement recueillie était roumaine, pute et surtout mineure. C'est là que Léa était intervenue pour lui éviter une suite de déboires aussi humiliants que susceptibles de détruire sa carrière médiatique. Depuis, le «psychiatre le plus populaire de France» était devenu l'ami le plus cher de la secrétaire générale.

— Alors, cher docteur, ce déjeuner avec le président s'est-il bien passé?

— Très bien, et je tenais encore à vous en remercier.

Léa sourit ironiquement.

— Il n'y a vraiment pas de quoi. D'autant que vous savez pourquoi vous avez été invité?

Le professeur Brenner déglutit.

— Oui.

— Malgré vos *petits ennuis*, Charles, vous êtes d'abord, à mes yeux, un excellent psychiatre. Et votre avis de spécialiste m'importe beaucoup. Donc soyez clair, précis. Et surtout franc.

Le médecin se racla la gorge.

— Vous vous doutez bien que diagnostiquer un président de la République n'est pas facile, d'autant plus lors d'un déjeuner… Cependant, j'avais préparé certaines questions et…

— Mon temps est précieux, docteur Brenner.

Le psychiatre prit un air grave.

— Le président est dans un déni total du réel. Un déni volontaire qui accroît à la fois sa paranoïa et le risque de comportements irrationnels.

— Développez.

— Tout en continuant de refuser de voir la réalité, il va se méfier de plus en plus de ses collaborateurs, se couper de ses soutiens les plus proches qu'il va bientôt soupçonner de le trahir…

— Pourquoi?

C'est un processus connu quand le pouvoir qu'incarne un homme commence à vaciller : celle ou celui qui n'adhère pas à 100 % aux idées du chef est un traître en puissance.

Léa remarqua que le psychiatre avait d'abord employé le pronom *celle* pour désigner qui risquait de perdre la confiance du président. Il ne l'avait pas fait au hasard.

— *Déni du réel*, *paranoïa,* je comprends, mais que voulez-vous dire par *risque de comportements irrationnels*?

— Quand le roi est seul, il ne croit plus qu'en lui-même. En son *destin*. Mot que le président a employé quatre fois lors du déjeuner. À partir de là, toutes les idées qui lui viennent sont des signes de ce destin. Même les pires.

La secrétaire générale resta silencieuse.

— Écoutez, Léa, je ne vais pas y aller par quatre chemins. Vous m'avez tiré d'un mauvais pas, je vais vous aider à mon tour : il va perdre la présidentielle. Et mal la perdre.

Elle songea à ce que lui avait dit l'analyste des sondages.

— Et selon vous, que faudrait-il faire ?

— Il n'y a qu'une seule solution et vous la connaissez déjà : changer de candidat !

43

Moscou
Archives de l'Armée rouge

Alex contemplait l'objet de toutes ses convoitises.

Le secret qui conduisait au cinquième rituel se cachait à l'intérieur de cette boîte défraîchie. Enfouie depuis plus d'un demi-siècle. Une simple page glissée au milieu de tant d'autres. Il savoura ce moment, retardant l'instant où il ouvrirait le carton. Personne n'allait venir le déranger.

Les hommes de main du pope lui avaient ouvert les portes du centre des archives comme par enchantement. À peine arrivé dans le hall, le préposé avait été pris d'une envie pressante et les deux gardes s'étaient précipités pour faire une pause en même temps. Trois cents dollars chacun, la moitié de leur salaire. Au pied de l'escalier, l'un de ses deux gardes du corps, qu'il avait baptisé Tolstoï à cause de ses yeux d'un bleu halluciné, était monté directement voir le conservateur. Le second était retourné dans la voiture. Dix minutes après, on lui avait alloué un badge officiel au nom de Vladimir

Chestov. Malgré son anglais hésitant, Tolstoï s'était montré pédagogue.

— Désormais… tu es universitaire russe, s'était-il esclaffé. Comme moi ! On va laisser deux faux passeports en échange des badges.

Alex avait regardé la tête sur son badge. Un barbu avec des lunettes d'écaille. L'air d'avoir avalé sa bonne humeur à la naissance.

— Chestov… il a perdu son badge… deux ans…

— Il n'y a pas beaucoup de ressemblance…

— Pas problème. Lui mort. Ressemble plus à rien maintenant.

Alex n'avait pas insisté. Tolstoï lui avait montré un inventaire.

— Toi chercher dedans ce que tu veux. Mais à rendre au conservateur. Si tu prends quelque chose, doit pas rester trace.

Le Français avait compris que, sitôt qu'il aurait récupéré le document cherché, le conservateur se précipiterait sur le fichier informatique de l'inventaire pour l'alléger de quelques lignes.

— Donc, tu lui as parlé du document que je veux *emprunter* ?

— Pas problème. Lui, fatigué des vieux papiers. Préfère billets neufs.

Alex avait hoché la tête. Pour l'instant, c'était un sans-faute de la part des affiliés du GRU. Il n'y avait plus qu'à mettre la main sur le document et, pour ça, aucun Russe ne pouvait l'aider. Il fallait être un frère pour y arriver. Tout se présentait sous les meilleurs auspices. À un détail près, son alter ego à Paris avait raté sa mission. Elle lui avait envoyé un message peu de temps avant qu'il n'arrive au centre des archives. Pire, elle avait été blessée. Légèrement. Mais blessée quand même. Elle était maintenant en sûreté, sauf qu'il ne pouvait plus se permettre aucune erreur.

Il se pencha sur la boîte et l'ouvrit délicatement. Le moment était venu.

Marcas enrageait de ne pas avoir son Glock et se sentit brusquement fébrile. Il ne pouvait pas y avoir de hasard. Il n'y avait qu'une personne susceptible de chercher le même document que lui… Le tueur du Grand Orient n'était qu'à quelques pas. Antoine crispa les poings, il devait mettre la main sur ce salopard. Jamais une autre occasion ne se présenterait.

— Il est là depuis longtemps ? demanda Antoine qui venait juste de rejoindre Tamara.

— Les deux hommes sont arrivés sur ordre direct du conservateur, qui a aussi demandé qu'on les laisse seuls. Je ne comprends pas, c'est contraire au règlement…

Marcas regardait par la fenêtre qui séparait le bureau de Tamara de la salle de conférences. On ne voyait qu'un dos et, à intervalles réguliers, une main qui posait un document sur le côté. Une main de gaucher.

— L'autre est près de la porte.

— Quel carton a-t-il demandé ?

— OP 3721.

Antoine sortit l'inventaire de sa poche.

— Vous pouvez me traduire précisément le descriptif de cette référence ?

— *Loge sans nom… Périgord… papiers divers sans date.*

Marcas manqua d'écraser son poing sur la table. *L'imbécile qu'il était... des papiers sans date... ça pouvait très bien correspondre.*

— Il cherche la même chose que vous ?

Marcas ne répondit pas. Il ne tenait pas à mettre Tamara dans la confidence, pour sa propre sécurité.

— Je suppose que ça veut dire oui.

— Mieux vaut que vous ne vous en mêliez pas. Dites-moi plutôt où donne cette salle.

— C'est une annexe du musée de l'Armée rouge. Elle ne donne nulle part.

En bas, la main gauche continuait d'examiner des documents. Visiblement, le tueur n'avait encore rien trouvé.

— Vous savez, je ne suis pas dupe : si vous êtes deux à chercher le même document, c'est qu'il a de la valeur. Sauf que votre *ami*, lui, est venu avec des amis russes qui ont déjà *convaincu* le conservateur.

— Vous voulez dire que je ne fais pas le poids ?

— Pas d'ami, pas d'argent. Autant dire qu'en Russie, c'est comme si vous n'existiez pas.

Alex examinait avec soin chaque document. Il avait tout son temps. Derrière lui, Tolstoï veillait. Il venait de reposer le manuscrit d'une chanson à boire qui prouvait que les frères d'antan ne s'ennuyaient guère pendant les agapes, quand il sentit sous ses doigts une plissure verticale sur le côté gauche de la feuille qu'il était en train de saisir. Il prolongea son toucher : ce n'était pas une simple pliure, la feuille avait été déchirée sur toute sa longueur. Il comprit qu'il venait de *la* trouver. Il se redressa sur sa chaise et frappa le rebord de la table en signe de victoire. Enfin ! Lentement, il *la* sortit. Et il reconnut tout. La texture duveteuse du papier, l'écriture légèrement inclinée sur la droite… Il recula lentement son siège et posa la page déchirée sur la table.

Cette fois, le cinquième rituel était complet.

Malgré lui, il sentit une émotion. Le seul problème, c'est qu'il ne savait pas laquelle. Par sécurité, il la prit en photo sous toutes ses coutures et l'envoya à son alter ego. Si le pope et ses amis décidaient de le doubler, le commanditaire aurait une copie numérique.

Marcas décida de prendre l'initiative. Chaque seconde comptait.

— Mieux vaut que vous sortiez, Tamara, dit-il en se levant.

— Sortir d'où ? De mon bureau ?

Marcas jeta un œil au tueur qui, lui aussi, venait de se lever.

— Quittez les archives. Vite.

44

Moscou
Archives de l'Armée rouge

Laissant Tamara stupéfaite, Antoine s'engouffra dans l'escalier en béton qui descendait au musée. Il franchit une porte à double battant et pénétra dans une salle largement illuminée par des baies vitrées. C'était la première fois depuis qu'il était entré aux archives qu'il apercevait la lumière naturelle. En revanche, les vitres devaient avoir l'épaisseur d'un papier à cigarettes, car la température était glaciale. Il avança de quelque pas, longeant un mur jauni où des photos en noir et blanc achevaient de se décrocher. Juste à côté se trouvait la reconstitution d'un campement militaire. On y voyait, sous une tente, des mannequins revêtus de différents uniformes de l'Armée rouge qui se passaient une bouteille de vodka. Dans un coin, un moujik affublé d'une casquette à la Lénine jouait d'un accordéon déployé en éventail. À l'entrée, près d'un tas de bois surmonté d'un chaudron, un soldat montait la garde, les mains rivées à une mitrailleuse, tandis qu'un autre coupait du bois avec une hache.

En s'avançant, Antoine aperçut une sorte de tablette d'où émergeaient deux gros boutons-poussoirs sur lesquels étaient gravés des dessins stylisés. Antoine appuya sur celui orné d'une flamme. Le feu de camp de la scène de bivouac se mit à rougir, puis à grésiller dans une odeur épouvantable de gaz. Marcas relâcha aussitôt la pression. Les scénographes du musée avaient l'art du détail.

Une porte claqua, puis des bruits de pas. Antoine se replia dans l'ombre protectrice de la tente. Le souffle déjà court, il sentait renaître en lui la sordide angoisse qui l'avait balayé rue Cadet.

Les pas se rapprochaient.

S'il n'agissait pas tout de suite, sa peur allait revenir et le terrasser.

Un homme à la carrure impressionnante surgit dans son champ de vision. Il était aussi haut que massif. Ses yeux très bleus étaient pointés sur lui. À ses côtés, un type plus svelte, le regard sombre, tenait une serviette de cuir à la main.

Antoine tendit la main et appuya sur le second bouton. Craché à l'unisson par quatre haut-parleurs, le rugissement cadencé de la mitrailleuse du mannequin explosa dans la salle. Antoine roula au sol. Tolstoï, lui, réagit en professionnel : de la main gauche il projeta Alex en arrière pour le protéger, de l'autre il braqua son PP-2000 et arrosa devant lui. Les vitrines furent les premières à exploser, projetant des débris de mannequins en tous sens. Marcas vit rouler une tête coupée, tandis qu'une jambe trouée de balles volait dans les airs. En quelques instants, la salle ne fut plus qu'un champ de ruines, jonché de membres épars et hérissé de débris de verre.

Antoine s'était caché derrière un banc de béton pour éviter les balles. Il rampa au sol et jeta un œil sur le côté. Les valeureux soldats de l'Armée rouge en plastique n'étaient plus que des cadavres en lambeaux. Tout autour, les vitrines avaient été réduites en miettes. Il leva la tête et aperçut le géant au pistolet-mitrailleur dans son champ de vision. Il se tenait debout les jambes écartées, les genoux fléchis, son arme braquée devant lui. Il balayait la salle d'un regard froid. Derrière lui, son compagnon était à genoux.

Au loin on entendit une sirène se déclencher. Quelqu'un avait donné l'alerte. Comme par un effet de dominos, la sirène se propagea dans les entrailles de l'immeuble pour finir par hurler dans la salle d'exposition. Le son leur déchira les tympans. Marcas vit le géant lever les yeux vers le plafond et lancer une imprécation en russe. Il rechargea son arme et mitrailla copieusement les bouches de sortie des sirènes. Des pans entiers de plâtre et des plaques de faux plafond tombèrent en bloc tout autour d'eux.

— Arrête, crétin, cria son compagnon en français. Ça va nous tomber dessus ! Il faut se barrer. Tout de suite !

Antoine se raidit. C'était LUI ! L'assassin de la rue Cadet. Il n'y avait plus de doute. LUI qui était en train de récupérer la serviette, qui avait glissé à terre.

Marcas sentit son sang bouillir. Ils allaient s'échapper sous ses yeux.

Il devait agir.

Son regard balaya le sol maculé de verre et de débris. Son cœur bondit.

À moins d'un mètre de lui gisait le bras arraché du soldat qui coupait du bois. Et juste devant la main réduite en bouillie se trouvait la petite hache au manche noir et à la lame rutilante. Il jeta un nouveau coup d'œil aux deux hommes. Le Russe lui tournait le dos.

Antoine sentit sa peur l'envahir à nouveau. Mais il ne devait pas céder. Pas ici. Intérieurement, il hurla.

Maintenant.

Marcas saisit la hache et se précipita.

Quand le Russe se retourna, il était trop tard.

La lame l'atteignit juste sous le menton.

Le géant hurla et déclencha de nouveau l'apocalypse avec son PP. Antoine eut juste le temps de se jeter à terre pour se réfugier derrière un tas de gravats. Il entendit les balles ricocher sur les débris de béton.

La rafale pulvérisa les baies vitrées, déclenchant une pluie de tessons. Une bourrasque glacée s'engouffra aussitôt dans la salle éventrée. Antoine se redressa légèrement et découvrit le colosse renversé contre un mur.

Il pouvait voir ses yeux très bleus, écarquillés de rage.

Et la hache plantée dans sa gorge.

Du sang coulait en bouillons sur son cou épais.

Dans une ultime convulsion, le Russe appuya de nouveau sur la détente, canon tourné vers le haut. Une dernière rafale cisailla le plafond, qui s'effondra dans un grondement infernal.

Il s'écoula quelques secondes, puis Antoine se releva de son abri de fortune. Au-dessus de sa tête se découpait un énorme trou béant, laissant apparaître les bureaux de l'étage supérieur de l'immeuble. Le Russe était désormais coincé sous un amas de dalles de plafond, les yeux grands ouverts. Mort.

Des hurlements résonnaient derrière la porte d'entrée. Les hommes de la sécurité tambourinaient pour l'ouvrir, mais elle était obstruée par une armoire qui s'était écrasée de l'étage supérieur.

Marcas n'avait que peu de temps, il devait déguerpir rapidement. Il enjamba le cadavre pour arriver près du Français. Son corps disloqué était bloqué sous une poutrelle métallique. Sa tempe avait été percutée de plein fouet. Un lent filet de sang s'écoulait de sa bouche.

— Aidez-moi…

Antoine s'accroupit.

— Comme tu as aidé Bertils ?

— Je… Il était trop… gourmand… Je ne sens plus… rien. J'ai froid…

Le tueur était livide. Le sang se retirait de son visage, sa vie aussi.

— Tu vas aller à l'hôpital, mentit Antoine. Mais avant, je récupère ce que je suis venu chercher.

Antoine ouvrit la serviette et s'empara de la page manquante protégée par une pochette de plastique.

Le document était rempli de symboles maçonniques suivis du dessin d'un échiquier avec la pièce du cavalier, représentée plusieurs fois. Mais il n'avait pas le temps de le décrypter sur place, les gardiens allaient arriver d'un moment à l'autre.

Il le glissa dans la poche intérieure de son blouson, puis revint vers le tueur.

— Pourquoi vouloir à tout prix ce manuscrit ?

Alex grimaça un pâle sourire. Un nouveau filet de sang suinta de ses lèvres désormais violacées.

— Pas moi… Sampère… Maxime Sampère. Mon client… Ce n'était qu'un contrat.

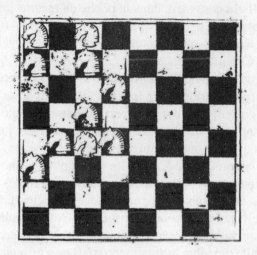

Le tueur rabattit sa main sur sa poitrine comme s'il cherchait la pulsation fuyante de son cœur. Le regard de Marcas suivit son doigt. Le tueur portait une chevalière.

Et Antoine ne reconnut que trop bien le symbole gravé dessus.

Une équerre et un compas entrelacés.

Un frère.

Marcas était écœuré. C'était pire que tout. Un assassin doublé d'un traître. La lie de l'humanité.

— Ne me dis pas que tu es maçon ?

Les yeux de Fortaine vacillaient. Il hoqueta d'un maigre rire.

— On s'en… fout. Je…

Les coups redoublèrent derrière la porte, qui commençait à s'entrouvrir. Marcas aperçut les gardes, qui passaient déjà le canon de leur arme. Il devait s'enfuir.

Vite. Il glissa sa main dans la poche du tueur et prit son portable.

— Réponds-moi. Qui est ce Sampère ?

— Client…

Le cou d'Alex se tendit comme s'il avait reçu une décharge électrique. Ses lèvres se tordirent et ses yeux s'éteignirent. Soudain un pan de béton tomba et un tireur apparut à l'étage supérieur. Antoine eut juste le temps d'éviter une première rafale.

Il était pris au piège, il ne lui restait plus qu'une seule échappatoire. Il s'élança vers ce qu'il restait des baies vitrées. Juste deux mètres en dessous se trouvait un local poubelles. Antoine sauta, priant le Grand Architecte de l'Univers que le toit tienne le choc. Il atterrit sur une dalle qui vibra longuement, mais ne s'effondra pas. Marcas s'accrocha au rebord et se laissa glisser jusque sur le trottoir. Comme il se relevait, il eut la surprise de voir de dos deux hommes armés courir vers l'entrée des archives. Un ouvrier en bleu de chauffe et un balayeur qui portait encore son gilet orange. Antoine se demanda s'il avait une hallucination, puis il aperçut le van de Vassili, à moitié recouvert d'une fine couche de neige, garé un peu plus loin dans la rue.

Il s'y précipita, manquant de glisser plusieurs fois sur le trottoir enneigé. Son cœur cognait contre sa poitrine. Sa gorge hurlait. Il ne sentait même pas le froid mordant tant son sang bouillonnait dans ses veines. Il pria pour que Vassili ait tenu parole et arriva enfin devant le véhicule.

La portière s'ouvrit. Il s'y engouffra et se faufila sur le siège pour qu'on ne le repère pas. Sa main déverrouilla la boîte à gants. Les clés étaient bien à l'intérieur.

Il se releva et vit des voitures de police qui fonçaient vers le centre des archives, toutes sirènes hurlantes. Il l'avait échappé belle, mais ce n'était qu'un sursis. Quand les policiers et Tamara s'apercevraient de sa disparition, il ne se faisait aucune illusion sur son sort. Et en plus il avait laissé son passeport au guichet. On allait rapidement le chercher comme témoin dans la fusillade des archives, ce qui réduisait à zéro ses chances de quitter le pays légalement. Quant à demander le secours de l'ambassade, il ne fallait pas rêver, même en faisant jouer certaines relations. Le frère obèse avait certes des ressources, mais pas celles de le sortir d'un pareil imbroglio diplomatique.

Antoine démarra en trombe, les pneus patinèrent sur la neige.

Il ne pouvait pas retourner à son hôtel. Son esprit volait à la vitesse de l'éclair. En dépit du danger, il réalisa qu'il ne s'était jamais senti aussi vivant. En pleine possession de ses moyens. Comme si on lui avait arraché le manteau de plomb qui pesait sur ses épaules depuis deux ans.

Il savait où trouver de l'aide.

Le frère Sergueï.

45

Paris
Le Bastion
Brigade criminelle

— Vous avez dix minutes pour me briefer sur l'avancée de votre enquête. Pas une de plus, j'ai rendez-vous rue des Saussaies pour une réunion interservices et ça me met de sale humeur.

Brassac s'était adossé à l'une des portes vitrées de la salle de réunion de la brigade. Debout devant un tableau, Alice finissait d'inscrire au marqueur les éléments clés de ses investigations tandis que son adjoint sirotait un café, assis sur la table.

La policière jeta un dernier coup d'œil à ce qui ressemblait à un organigramme, puis se retourna vers son supérieur.

— Nous savons désormais que le cambrioleur du Grand Orient est sans doute un certain Alex Fortaine, ancien militaire des forces spéciales reconverti dans la sécurité. Il n'est pas seul, il travaille avec une complice qui a bien failli avoir ma peau.

Le divisionnaire fixa les traces de strangulation autour du cou d'Alice.

— Elle vous a pas ratée…

— J'ai établi son portrait-robot avec les gars de l'identité judiciaire, mais ça n'a rien donné dans les fichiers. Dommage, j'aimerais bien terminer notre petit match.

— J'ai lu votre rapport préliminaire, grommela Brassac, vous vous êtes introduite dans un domicile privé, et seule en plus. Alors un conseil : ne recommencez plus ce petit numéro de claquettes en solo. La prochaine fois, c'est la mise à pied.

— Si j'avais laissé filer la fille, on aurait été dans l'impasse. Bref… L'ordinateur de Fortaine, que j'ai récupéré au cours de ma séance de *claquettes*, est en train d'être disséqué à Lyon. On l'a expédié par le premier TGV du matin. Mais pour l'instant je n'ai aucun retour.

C'est tout ce que vous avez…

— Je n'ai pas fini. Quand je me suis entretenue avec la complice de Fortaine, elle m'a affirmé qu'il était parti en voyage à l'étranger. J'ai fait vérifier le fichier de tous les vols au départ de Paris sur la semaine écoulée, aucun Fortaine n'a été enregistré. Mais notre suspect a commis une erreur et j'ai eu un coup de chance.

— C'est-à-dire ?

Alice sortit son passeport qu'elle déposa sur la table.

— Ça, c'est mon passeport biométrique. Grâce à lui, je peux passer les contrôles dans les aéroports en le scannant à l'entrée d'une borne dotée d'une caméra et d'un capteur d'empreintes.

— Les systèmes PARAFE, merci, commandant, je voyage aussi.

— Laissez-moi continuer. L'Union européenne a lancé depuis l'année dernière un vaste projet de collecte et d'échanges de données sur les passeports biométriques des pays membres : le SBMS, système partagé de correspondances biométriques. À terme, le fichier contiendra les portraits et les empreintes de 400 millions de citoyens européens.

— Et ça nous sert à quoi ?

— Eh bien, si l'on veut retrouver quelqu'un qui se balade avec de faux papiers mais que l'on possède sa bobine, il suffira de la soumettre au SBMS. Le logiciel de détection biométrique le comparera à tous les visages de la base de données des voyageurs en partance ou à l'arrivée dans un aéroport de l'Union. L'identification sera infaillible avec une marge d'erreur infinitésimale.

— Sauf que pour le moment ce n'est pas opérationnel…

— Pas tout à fait, et c'est là mon coup de bol. Le fichier est déjà testé en toute confidentialité dans certains aéroports, dont Roissy. J'ai récupéré la copie numérique du passeport de Fortaine et le service informatique de Lyon l'a transmis à l'organisme de pilotage du SBMS. Et bingo. Notre ami Alex s'est envolé pour Moscou par le vol Aeroflot SU2549 hier, sous une fausse identité. David Pierre Le Du. J'ai fait partir un mandat d'arrêt Interpol à son encontre. Je doute que les Russes nous aident, mais s'il remet les pieds dans l'Union européenne avec l'un de ses deux passeports, on le chopera à l'arrivée.

— David Pierre Le Du, c'est moins exotique que Gwendy Tarentula, ricana Carlin.

Brassac s'approcha des deux enquêteurs.

— Je suppose que pour le moment vous n'avez aucune idée de la raison de sa virée chez Poutine... C'est ce que vous attendez de l'analyse de son ordinateur?

— Oui, mais on a une piste sérieuse. Et c'est le commandant Marcas qui me l'a suggérée. Sur le coup, je ne l'ai pas pris au sérieux, mais le départ précipité de Fortaine confirme son intuition.

— Tiens, tiens... Le franc-maçon envoyé par Beauvau. Moi qui croyais qu'il allait se contenter de jouer les utilités.

— Eh bien non. Il a mené ses propres recherches pour finir par découvrir que Fortaine avait cambriolé le Grand Orient non pas pour se procurer des livres précieux, mais pour mettre la main sur un manuscrit du XVIIIe siècle, qui était dans le coffre du conservateur. Ce document étant incomplet, l'autre partie se trouverait à Moscou, au centre des archives de l'Armée rouge. Marcas est parti là-bas dans l'espoir de le retrouver. Et comme je ne crois pas aux coïncidences, il y a fort à parier que Fortaine s'y soit envolé pour les mêmes raisons.

Brassac se massa la tempe et secoua la tête.

— Pourquoi ce manuscrit est-il si précieux?

— Nous n'en savons rien. Même le conservateur du Grand Orient est bien incapable d'avancer une explication. En termes de valeur pécuniaire, c'est juste une pièce d'archives. À moins qu'il ne mène à un trésor. En tout cas, Marcas est le seul à pouvoir avancer là-dessus et je n'ai plus de nouvelles de lui.

— N'oubliez pas qu'il s'agit d'un document maçonnique, intervint Carlin en jetant son gobelet dans la poubelle. Il est possible que ce soit un secret qui pourrait bouleverser le cours de l'histoire.

Le divisionnaire frappa avec fracas ses deux mains sur la table. Le marqueur roula à terre.

— Un trésor... Un secret de francs-maçons..., explosa-t-il. Vous vous payez ma tête, tous les deux ! On n'est pas dans un polar ésotérique ! J'espère que vous avez une autre piste à me communiquer. Je veux dire une vraie piste, pas une hypothèse délirante.

Carlin hocha la tête.

— Je me suis intéressé à la boîte de Fortaine, Protelor. Notre suspect travaille en indépendant. Et il ne croule pas sous les contrats. Sa boîte ne déclare que trente mille euros de chiffre d'affaires. Quelque chose me dit que ce type doit facturer ses missions au black.

— C'est certain, surtout quand on a les moyens de se payer de faux papiers de premier choix, ajouta Alice. Confectionner un passeport biométrique bidon, ce n'est pas à la portée du premier faussaire venu et ça coûte très cher. Ou alors il y aurait une autre hypothèse...

— Je vous préviens, rien d'ésotérique ! Si vous prononcez les mots « templiers » ou « francs-maçons », je vous trouve sur-le-champ deux remplaçants.

Alice sourit. En dépit de son caractère soupe au lait, elle appréciait son supérieur.

— Dans sa dernière affectation, Alex Fortaine a été capitaine formateur dans une unité liée au service action de la DGSE. Il est fort possible que, passé dans le civil, il rende de temps à autre des services à son ancien employeur.

Carlin intervint :

— Et si on leur passait un coup de fil pour savoir ce

qu'ils ont sur lui ? À partir du moment où il a un mandat d'arrêt aux fesses, ils seront bien obligés de collaborer.

Les yeux de Brassac se durcirent.

— La DGSE... Si ce type est l'une de leurs barbouzes, je doute fort qu'ils nous accueillent avec un bouquet de roses à la main. Je vais m'en charger personnellement. Il va falloir que j'avertisse le directeur de la police nationale. Je n'aime pas ça du tout. Mais pas du tout.

46

Moscou

Il avait garé le van dans une rue proche de la place Rouge et il marchait en direction du lieu de rendez-vous indiqué par Sergueï. Il avait coupé son portable juste après avoir regardé s'il n'avait pas eu un message de son fils, puis il avait utilisé celui du tueur pour contacter le frère russe. Le sien avait probablement été mis sur écoute par le FSB. Comme un crétin, il avait laissé ses coordonnées à l'hôtel. De plus, le téléphone de l'assassin lui serait aussi précieux pour retrouver la trace de son commanditaire.

Quant au manuscrit du cinquième rituel, cet étrange échiquier l'intriguait au plus haut point. Les échecs n'avaient pas grand-chose à voir avec la maçonnerie, mais il n'avait jamais vu une partie jouée uniquement avec des cavaliers. Il brûlait de le déchiffrer, mais chaque chose en son temps.

Il fallait d'abord sauver sa peau.

La neige s'était calmée, mais le froid devenait plus vif. Il repéra un groupe de touristes anglais qui se dirigeait vers la célèbre place. Discrètement, il se plaça dans leur sillage. La voix monocorde d'une guide débitait un discours sans conviction que personne n'écoutait. Jusqu'au moment où elle montra sur la droite un édifice d'une blancheur immaculée, surmonté d'une forêt de bulbes dorés qui brillaient au soleil. Antoine reconnut la cathédrale de l'Assomption pour l'avoir vue en photo dans le hall de l'aéroport de Moscou. Elle n'était plus qu'à quelques centaines de mètres. Marcas résista à la tentation de se précipiter. Mieux valait qu'il passe inaperçu en restant fondu dans le groupe.

À l'entrée, les contrôles se révélèrent minimalistes. La guide donna le nombre de touristes qu'elle convoyait et aucun des gardiens ne se donna la peine de les compter. Sans qu'on lui ait posé une seule question, Antoine se retrouva dans la cathédrale. À la différence d'une église catholique où on voyait rarement une soutane, le lieu semblait le rendez-vous des popes de toute la Russie. Du prêtre vénérable, escorté d'une nuée de novices, au moine au regard halluciné, il y en avait pour tous les goûts. Beaucoup discutaient avec des *babouchkas* qui les contemplaient avec ferveur et leur glissaient une pièce pour allumer une bougie devant une icône.

Le commerce spirituel semblait en plein essor. D'ailleurs, chaque pope avait sa propre clientèle : une véritable franchise commerciale, avec ses stars autour desquelles se pressaient des fronts avides de bénédictions, et ses losers qui attendaient en vain le chaland devant une icône miteuse. *Décidément*, pensa Antoine, *les youtubeurs n'ont rien inventé.*

Lentement, il se dirigea vers l'iconostase, un mur entier tapissé d'icônes dorées qui attiraient tous les regards. Même s'il était encore sous le choc des événements, Antoine se sentit saisi par la lumière qui irradiait de ces peintures. Il n'était pas le seul, car les jacasseries des touristes cessaient comme par miracle dès qu'ils se trouvaient devant ce concentré de chefs-d'œuvre. Lui qui n'avait pas la foi sentait pourtant toute la ferveur que ces artistes avaient exprimée en peignant ces saints à la sérénité contagieuse. Le temps d'une contemplation, il en avait presque oublié l'abîme qu'il frôlait à chaque instant. Il sortit son portable comme le lui avait indiqué Serguëi et le brandit de la main gauche.

Une paume anonyme lui tapota l'épaule.

— Votre flash est trop puissant, il risque d'abîmer les œuvres d'art. Prenez plutôt cet appareil.

Antoine sentit qu'on lui glissait un nouveau portable dans la main droite. Quand il se retourna, il n'y avait derrière lui qu'un groupe de retraités italiens qui, bouleversés d'admiration, multipliaient les signes de croix.

— Tu es sorti de la cathédrale ? demanda la voix de Serguëi.

— Oui, je suis sur le parvis.

— Va sur la place Rouge. Tu vas tomber pile sur le grand magasin Goum, l'équivalent de vos Galeries Lafayette. Tu vas au store Van Lack. Ils ont un très bel assortiment de cravates. Lors de notre tenue, il m'a semblé que la tienne était un peu passée de mode. Pose le portable que tu as reçu devant la caisse 3, écran retourné. Je me réjouis de te voir, mon frère.

La communication coupa aussitôt.

Quand tu sauras dans quel guêpier je me suis fourré, pensa Antoine, *ta joie va être de courte durée.*

Cette fois, il ne se fondit pas dans les touristes, mais marcha seul, les yeux rivés sur les nombreux groupes de policiers qui stationnaient le long du mur du Kremlin. Il évita soigneusement l'impressionnant mausolée de marbre rouge où reposait Lénine, truffé de caméras. Tout autour, des manifestants brandissaient des banderoles. Décidément, le saint patron des prolétaires attirait toujours les foules. La neige avait été déblayée et la place Rouge paraissait immense à traverser. Marcas avait la désagréable sensation d'être la mire des regards et qu'on allait l'interpeller à tout moment. Il tomba sur un couple en train de prendre amoureusement un selfie. Depuis combien de temps n'avait-il pas partagé une telle complicité avec une femme ? Il secoua la tête pour chasser cette pensée de son esprit mais, à la vérité, elle ne cessait de le tarauder depuis son retour à la vie active. Une ex qui ouvrirait une bouteille de champagne s'il ne revenait pas entier de Moscou, un fils qui se cherchait sans se trouver, des amours brisées par la tragédie… La liste de ses déboires était longue, sans compter son *heureux* caractère qui l'avait trop souvent conduit à l'échec… À quel moment sa vie avait-elle commencé à déraper ?

Au moment où il se posait toutes ces questions qui risquaient fort de rester sans réponse, il se retrouva face à la façade démesurée du magasin Goum. Un monument digne du baron Haussmann, en plein cœur vibrant de Moscou. Les plus grandes marques de luxe étalaient leur nom sur la façade, devant la tombe de Lénine, marquant ainsi la victoire du capitalisme triomphant sur l'idéal communiste, devenu une illusion sanglante. Le symbole était sans appel.

Une fois entré dans le temple de la consommation, Antoine tenta de s'orienter et finit par trouver un plan qui lui indiquait la position du magasin Van Lack. Une allée à remonter et il serait arrivé. Pour la première fois, Antoine souffla. Sans raison objective, il avait l'impression qu'il ne pouvait plus rien lui arriver. Était-ce la chaleur douce, la lumière légère, la musique délicatement jazzy qui agissaient sur lui comme des sirènes et lui faisaient croire qu'il avait enfin touché à une sorte d'île paradisiaque où tout était possible, y compris d'échapper à son destin ?

Il sortit de cette torpeur bienfaisante devant la vitrine de Van Lack. Le magasin était rempli de chemises hawaïennes. À l'intérieur, de jeunes cadres faisaient leurs achats en groupe, comparant les promotions. Ils jetèrent des regards surpris à Antoine, comme s'il venait de débarquer d'une maison de retraite. Il s'avança devant la troisième caisse et posa le portable qu'on lui avait donné à la cathédrale. Un employé prit le téléphone, fixa l'écran, puis lui annonça en anglais :

— Je vois qu'il vous faut une cravate. Nous avons justement un assortiment qui sera parfait pour vous.

Il lui montra une cabine d'essayage au fond du magasin.

— Installez-vous, je vous apporte ça. Quant à ce téléphone, il reste ici.

Antoine s'exécuta en faisant la grimace. Il avait toujours détesté les magasins de vêtements, et plus encore les cabines d'essayage. Le nombre de fois où il s'était retrouvé seul homme dans une boutique féminine, à attendre un essayage qui n'en finissait pas… Il en était devenu quasi phobique. Il était face à un tabouret encombré de cintres, avec pour seule compagnie un immense miroir. Sa tête lui fit peur. Elle ressemblait à celle d'un coureur de fond après une montée de trop. Il se sentit épuisé et s'adossa au mur.

— Poussez-vous, s'il vous plaît.

Le vendeur venait d'entrer, une minuscule télécommande à la main. Le mur dont venait de s'écarter Antoine pivota en silence, révélant un escalier de béton éclairé d'une suite de veilleuses.

— Au bout de l'escalier, vous trouverez un passage souterrain. Suivez-le tout droit. Ne tournez jamais. Continuez jusqu'à la porte rouge. On viendra vous chercher.

Antoine s'engagea sur la première marche. Comme le mur se refermait, il entendit la voix du vendeur résonner :

— Bonne chance dans le royaume des morts.

Marcas comprit rapidement qu'il traversait un complexe souterrain de l'époque soviétique, qui avait été récemment réaménagé pour pouvoir faire circuler des véhicules. D'ailleurs, on voyait encore des traces récentes de pneus sur le sol. De chaque côté des murs en béton repeint, d'autres couloirs s'enfonçaient dans la pénombre, rapidement interrompus par des portes blindées. Antoine se demandait s'il s'éloignait du centre historique de Moscou ou si, au contraire, il passait sous la place Rouge. En tout cas, ce couloir souterrain n'en finissait pas et l'éclairage minimaliste – une succession de losanges clignotants – commençait à le rendre nerveux. Il se sentait comme dans une série où, derrière chaque recoin, se dissimulait un zombie prêt à l'attaquer.

L'avantage, c'était que malgré la fatigue tous ses sens étaient de nouveau en alerte, même s'il n'avait plus que ses mains nues pour se défendre. Il savait que cet état de tension ne pouvait durer, car son imagination, décuplée par le silence et la pénombre, risquait de l'induire en erreur. Désormais, le béton avait été remplacé par une carapace de fer circulaire composée de larges plaques boulonnées. Cette fois, il eut l'impression d'être dans le fût d'un canon. Marcas se sentait de plus en plus oppressé. Il en avait déjà sa claque du monde souterrain de Moscou.

Dans un silence qui devenait sinistre, il passa devant un énorme ventilateur qui ne brassait plus d'air depuis longtemps mais arborait encore, peint en rouge, le marteau et la faucille soviétiques. Antoine se demanda s'il ne s'était pas trompé de direction quand il se retrouva devant une porte d'acier flambant neuve sous l'œil de cerbère de plusieurs caméras qui pivotèrent immédiatement dans sa direction. Un capteur venait de déceler sa présence. Un écran s'alluma et Marcas vit apparaître la chevelure flamboyante de Sergueï.

— Je viens te chercher.

Lentement, la porte s'ouvrit et Sergueï apparut en blouse blanche. Antoine remarqua qu'il portait des gants en latex et des lunettes de protection. Son visage était hilare comme s'il allait sortir une plaisanterie.

— Bienvenue à l'Institut des plantes aromatiques et médicinales de Moscou.

47

Moscou

Comme il franchissait un nouveau sas, Antoine se demanda quelle était l'odeur tenace qu'il sentait depuis qu'il était entré dans le domaine de Sergueï. Les deux hommes venaient de pénétrer dans une pièce entièrement carrelée, dont le sol était régulièrement percé de grilles d'évacuation en inox.

— Nous avons un protocole d'accès très strict. Nos activités ne peuvent supporter aucune contamination bactérienne extérieure. Chaque visiteur doit donc se soumettre à une désinfection totale, sinon il ne peut être accepté à l'Institut. D'ailleurs…

Le Russe montra une série de capteurs dans le mur.

— … si la désinfection n'a pas lieu, la porte ne s'ouvre pas. Le système est automatique et personne ne peut le déverrouiller.

Marcas hocha la tête en signe d'accord. Sergueï lui tendit une paire de lunettes semblables aux siennes.

— Pour te protéger les yeux. Le vaporisateur va entrer en action.

Une buée envahit la pièce. Marcas sentit une légère démangeaison sur les mains et les joues pendant quelques secondes, puis un extracteur nettoya l'air de la pièce.

— Rapidité et efficacité maximales. Nous sommes en train de faire breveter le procédé pour l'export.

— Beaucoup de précautions pour un institut qui travaille sur des aromates et des plantes médicinales…

Ils venaient d'entrer dans une vaste salle à la lumière bleutée, qui avait tout d'un laboratoire de chimie. De nombreux chercheurs s'affairaient autour d'instruments complexes, dont l'utilité échappait totalement à Marcas.

— Le nom de l'Institut est hérité de la période soviétique. Les dirigeants communistes d'alors vivaient dans un climat de paranoïa exacerbée et ils ne voulaient absolument pas que les activités du laboratoire soient connues à l'étranger. D'où ce nom en apparence anodin. Encore que le mot « aromatiques » puisse être un indice pour qui connaît l'histoire…

Après avoir traversé la salle de recherche, ils pénétrèrent dans un bureau rangé au cordeau. Sur une photo, Antoine reconnut son hôte en compagnie du président russe.

— Nous sommes dans mon antre. Prends un fauteuil. Et maintenant, dis-moi, aurais-tu des ennuis ?

Avant même qu'Antoine réponde, il alluma un écran où passaient en boucle des photos du centre des archives, envahi par la police.

— Les médias affirment que deux groupes mafieux se sont entre-tués là-bas. Tu as quelque chose à voir avec ça ?

Marcas respira un grand coup.

— Indirectement.

Sergueï sortit une bouteille de vodka glacée de sous son bureau et tendit un verre à Antoine avant de se servir.

— Si tu me racontais ça?

— Suite à un meurtre dans mon obédience, je suis venu chercher à Moscou un document maçonnique volé par les nazis à Paris en 1940 et récupéré par les Soviétiques à la fin de la guerre. Ce document se trouvait dans les archives de l'Armée rouge. Mais quand j'ai voulu en prendre connaissance, un autre Français était là pour la même raison. Et deux Russes avec lui.

— Je suppose qu'il y a eu confrontation.

— Un peu plus.

— J'apprécie ton art de l'euphémisme, mais sois plus précis.

Les archives abritent un musée dédié à l'Armée rouge. Il était un peu désuet avant mon passage : je pense qu'ils seront obligés de le rénover désormais.

— Et tu as réussi à *prendre la poudre d'escampette*, comme vous dites en français? (Sergueï montra du doigt l'écran de télévision.) Tu es parvenu à t'échapper comment?

— J'ai récupéré la voiture de mon chauffeur qui s'était enfui et je l'ai abandonnée dans le centre.

— Les médias officiels ne parlent pas de toi, or ils adorent pouvoir mettre en cause un étranger dans nos turpitudes internes. Tu as fait d'autres dégâts aux archives?

— Si tu me demandes si j'ai laissé un cadavre derrière moi : oui. Même deux.

— Des méchants, je suppose ?

— On va dire ça comme ça.

Curieusement, Sergueï ne semblait pas troublé. Comme si des assassinats dans un musée faisaient partie du quotidien moscovite.

— Ce qui est certain, c'est que les agents du FSB t'ont mis sous surveillance dès ton arrivée. Un inconnu qui s'intéresse à des archives les intrigue forcément. La suite est facile à deviner : même s'ils ont en ce moment perdu ta trace, ils vont tout faire pour te retrouver.

Antoine reposa son verre de vodka, qu'il avait à peine entamé.

— Il faut que je quitte le pays discrètement et rapidement.

— Tout est possible en Russie si on a le temps, de l'argent... ou des frères.

Le calme affiché du Russe intriguait Marcas, comme toutes les facilités dont il disposait pour protéger son laboratoire. Et s'il s'était jeté dans la gueule du loup ? Qui, à Moscou, pouvait bénéficier d'une telle organisation capable de vous exfiltrer en quelques instants de la place Rouge ? À moins que ce ne soient les autorités elles-mêmes ?

— Et si tu me disais ce que tu fais ici ?

Sergueï se leva et posa la main sur l'épaule de son frère.

— Attends-toi à une surprise.

Un ascenseur les déposa, deux étages plus bas, dans un vestiaire où Antoine dut enfiler une combinaison de protection qui lui rappela celles que l'on voyait en Afrique lors de l'épidémie d'Ebola. Sergueï lui montra un bouton en saillie sur le bord du casque. Dès qu'il appuya, il entendit la voix du Russe.

— Nous allons pénétrer dans une unité de traitement. Les combinaisons sont stérilisées pour éviter tout intrant.

La salle, entièrement carrelée, baignait dans une lumière bleu nuit, très douce. Au centre de la pièce, une large dalle de marbre ressemblait à un autel.

— L'équipe d'intervention va arriver.

Une porte coulissa sans le moindre bruit et trois hommes, vêtus de la même combinaison, entrèrent et se placèrent autour de l'autel. Un quatrième apparut, poussant un chariot métallique dont le plateau débordait de fioles et de seringues sous sachet transparent.

— L'attirail du parfait chirurgien esthétique, ironisa Antoine que ce déploiement commençait à inquiéter.

— Regarde là-haut.

Une partie du plafond commençait à descendre. Un monte-charge apparut, supportant un objet long et massif, entièrement protégé par une bâche réfléchissante. Le plateau se posa sur la dalle de marbre et un des intervenants commença immédiatement à scanner l'objet à l'aide d'une caméra à main. Sergueï ouvrit un ordinateur portable et l'image d'un bloc rectangulaire apparut sur l'écran. À chaque passage de la caméra, une nouvelle image apparaissait, colorée en bande jaune ou verte.

— Nous vérifions qu'il n'y ait pas de fuite. Tant qu'il n'apparaît pas de zone rouge, c'est que la densité est constante.

L'imagination d'Antoine ne se contrôlait plus. Un instant, il se demanda si ce n'était pas l'Arche d'alliance qu'il avait face à lui. Et si les nazis l'avaient trouvée ? Puis les Soviétiques ? Et si…

— Vous pouvez enlever la bâche.

Antoine ferma les yeux.

— Mon frère, annonça Sergueï, je te présente Vladimir Ilitch…

Marcas eut un tressaillement.

— … plus connu sous le nom de Lénine.

Sa peau avait pris une teinte plus cuivrée, mais sa barbiche légendaire et son vaste front précocement dégarni étaient toujours les mêmes. L'homme qui avait changé le cours de l'histoire mondiale, bouleversé la vie de millions d'hommes et de femmes, était couché dans un cercueil de verre à portée de main. Un des spécialistes venait d'enfoncer dans une valve une sorte de thermomètre à écran.

— On vérifie l'atmosphère du confinement. Température, hydrométrie, niveau de gaz… C'est un instrument de mesure qui a été spécialement inventé par l'Institut.

Sergueï montra le cadavre embaumé.

— Tous les deux mois, nous vérifions les indicateurs fondamentaux et procédons aux ajustements qualificatifs. Ça fera bientôt un siècle qu'il est là…

Antoine eut un regard surpris.

— À la mort de Lénine en 1924, le régime communiste a choisi de le transformer en icône de la nouvelle URSS. Une sorte de saint rouge. Et pour ça, il fallait que son corps défie la mort. Ce sont deux médecins anatomistes qui ont embaumé le cadavre du père de la Révolution. D'abord en retirant tous ses organes intérieurs, y compris les yeux. Ensuite, ils ont plongé la dépouille dans un bain de formaldéhyde pour éviter toute contamination, puis dans une solution d'alcool afin d'arrêter la décomposition épidermique…

— Ils suivaient un processus scientifique, une démarche connue ?

— Non, c'était totalement expérimental. Tu imagines la fureur de Staline si l'opération avait échoué… Mais ça a parfaitement marché. Et depuis, c'est nous qui l'entretenons.

Antoine fixait le corps figé pour l'éternité de Lénine. Quelque chose l'intriguait.

— Et ses vêtements ?

— Ils sont en caoutchouc. Autant te dire qu'avec le temps, ce sont eux la véritable peau de Lénine.

— Et à l'intérieur ?

— Il n'y a plus qu'une soupe chimique.

Serguei s'approcha de la vitre.

— En revanche, le visage est trop rigide, malgré des ajouts répétés de glycérine. Si je pouvais te montrer le corps de Staline, lui, c'est une splendeur ! On dirait qu'il est en train de dormir.

— Staline est ici ?

Le patron de l'Institut haussa les épaules en souriant.

— Quand on a décidé que le petit père des peuples était le pire tyran de tous les temps, son corps a été retiré du mausolée où il se trouvait, près de Lénine. Officiellement, on l'a enterré au pied du Kremlin.

— Et officieusement ?

— Son corps est toujours parfaitement entretenu. Qui sait, il peut resservir un jour…

Le Russe prit Antoine par l'épaule.

— Laissons-les travailler. Je vais te montrer les autres laboratoires. Nous ne cessons de nous agrandir.

— Comment ça ?

— L'Institut a développé une véritable expertise en matière d'embaumement avec des techniques qui rendent le corps parfaitement reconnaissable et surtout totalement inaltérable.

— En fait, tu offres l'éternité ?

— Je ne l'offre pas, Antoine, je la vends.

Sergueï déverrouilla une porte et fit entrer Marcas.

— Voilà notre dernière réalisation. Une salle autonome où est surveillé à distance et en direct l'état sanitaire de tous nos clients.

Dans la pièce, qui était minuscule, il n'y avait aucune trace humaine. Sur un vaste écran incrusté dans un mur évoluait une série de graphiques semblables à ceux des cours de la Bourse, mais beaucoup plus réguliers. Sergueï se rapprocha pour les observer.

— Ce sont toutes les mesures que nous effectuons, par liaison satellite, à l'intérieur d'un module… d'un cercueil, si tu préfères. Je les vérifie par habitude, mais nous avons développé un algorithme d'alerte qui nous prévient à la moindre variation inhabituelle.

— Et il se passe quoi, dans ce cas ?

— Si nécessaire, nous pouvons envoyer une équipe d'intervention en quelques heures dans n'importe quelle région du monde.

— Un véritable service après-vente, ironisa Antoine.

— Une des nombreuses garanties que nous offrons à nos clients, répliqua Sergueï, impassible.

Fasciné, Marcas regarda les courbes évoluer sur l'écran. Quelque part dans le monde, la technologie veillait sur un cadavre comme s'il s'agissait d'un nouveau-né. Un signe des temps.

— Et qui est ton client ?

— Laisse-moi regarder son code.

Sergueï appuya sur une touche et une carte de la planète apparut, constellée de point lumineux, surtout en Afrique et en Asie.

— P 665… il s'agit de Kim Jong-il.

— Le dictateur de la Corée du Nord ? s'écria Antoine.

— Oui, le père de l'actuel dirigeant. Il est mort d'une crise cardiaque en 2011. Nous sommes intervenus immédiatement. Une de nos plus belles réalisations.

— Mais c'est un tyran absolu !

— Un de nos meilleurs clients. Sa famille nous est fidèle depuis des décennies.

— J'espère que vous leur faites un tarif préférentiel, railla Antoine.

— Ils ne le demandent même pas.

Désormais, ils longeaient de vastes blocs opératoires où, derrière des vitres teintées, officiaient des spécialistes dans des combinaisons immaculées. Sergueï montra du doigt deux silhouettes qui s'affairaient avec précaution sur un corps invisible.

— Ils sont en train d'inciser le mort pour en retirer les organes. On pratique de minuscules ouvertures dans le dos afin qu'elles soient ensuite quasi invisibles, puis avec un scanner à main, on repère la position précise de l'organe et on procède à son extraction, par réduction et aspiration. Une technique que nous sommes les seuls à maîtriser. Une véritable valeur ajoutée sur le marché.

Marcas était muet de sidération.

— Nous avons la capacité de traiter cinq corps en simultané sur un même plateau. Notre efficacité tient à notre rapidité d'intervention. Notre réputation aussi. Comme tu l'imagines, il ne peut pas vraiment y avoir de liste d'attente.

— Mais tu as combien de clients ?

— Autant qu'il y a d'hommes et de femmes de pouvoir. Depuis le début des années 2000, nous faisons un tabac en Asie, mais l'Afrique s'annonce comme un marché très prometteur.

Antoine n'en revenait pas. Le capitalisme le plus effréné avait fini par conquérir jusqu'aux sous-sols de la place Rouge.

— Et tu as commencé à exporter tes services quand ?

— Dès que les dirigeants occidentaux ont voulu eux aussi gagner l'éternité des corps.

— Tu veux dire que…

— … que l'on a fait appel à l'Institut partout en Europe pour que vos présidents soient embaumés à jamais.

Sergueï sortit un élégant classeur en cuir noir orné de lettres cyrilliques dorées.

— Jette un œil. Notre livre d'or en quelque sorte.

Antoine l'ouvrit, interloqué. Chaque double page comportait sur la gauche la photographie d'une célébrité quand elle était vivante et à droite son double mortuaire. Il tournait les pages avec une fascination morbide. Les visages lui étaient tous familiers.

— Incroyable…

Le président John Kennedy. Le pape Jean-Paul II. Mao Tsé-toung…

— Mais personne n'est au courant ! Pour les

chanteurs passe encore, ça me choque moins, mais les politiques…

— Parce que ceux qui vous gouvernent sont des hypocrites qui ont le mot «égalité» toujours à la bouche, mais ne le respectent jamais. La mort, la décomposition, l'oubli… c'est bon pour le peuple, pas pour eux. D'ailleurs, je vais te montrer quelque chose.

Ils entrèrent dans une pièce où flottait une odeur un peu lourde. Posés sur de simples tréteaux, d'imposants cercueils de métal envahissaient l'espace. Sur chacun s'ouvrait un hublot comme un œil globuleux.

— Et voici notre cimetière des éléphants. Ici reposent les corps que nous avons traités, mais dont personne n'a voulu.

— Mais pourquoi ?

— Le plus souvent à cause d'un changement de régime politique. Résultat, nous n'avons pu effectuer la livraison.

— Et tu en fais quoi ?

— C'est prévu par contrat. Nous les maintenons parfaitement embaumés pendant vingt ans. Qui sait, ils peuvent revenir à la mode… Et puis on a les cas exceptionnels. Regarde au fond à droite. Le dernier module près du mur. Un de tes compatriotes.

Antoine s'avança, pour se pencher sur le hublot. Il fut saisi comme s'il voyait un revenant. Ce visage, il l'avait vu durant toute son adolescence.

— Ce n'est pas possible ! Pas lui !

— Mais si, d'ailleurs, rappelle-toi, dans ton pays, on l'avait surnommé le Pharaon… Lui aussi a voulu se survivre. Il nous avait payé la moitié des frais avant sa mort.

Le visage sévère et marmoréen, livide, François Mitterrand avait les yeux clos. Il semblait dormir. Pour l'éternité.

— Mais j'ai vu la cérémonie de son enterrement à Jarnac, retransmis à la télévision, dit Marcas. Je m'en souviens très bien.

— C'était un simulacre. Dès sa mort, il a été transféré par avion réfrigéré à Moscou où nous sommes intervenus avec nos meilleurs spécialistes. Il faut dire qu'il avait choisi l'option *all inclusive*, la plus coûteuse. Un vrai traitement de monarque.

— Mais qu'est-ce qu'il fait là ? s'écria Marcas.

— Sa famille a refusé de payer le reste de la somme.

Antoine restait sans voix. Le tintement cristallin d'un SMS résonna dans le silence funèbre. Sergueï sortit son portable.

— Nous avons de la visite.

Il montra l'écran à Marcas. On voyait un groupe d'hommes parler dans un interphone.

— Tes amis du FSB.

— Je ne comprends pas, je n'ai passé aucun appel avec mon portable. Je l'ai coupé quand je me suis enfui du centre des archives.

— Tu l'as gardé avec toi ? Montre-le-moi.

Antoine lui tendit l'appareil. Sergueï le manipula et grimaça.

— Il est en mode avion.

— Je l'avais rallumé quand je me suis garé avant de me rendre à la cathédrale. Je voulais savoir si mon fils m'avait envoyé un message. Et je l'ai remis en mode avion.

— Non. Erreur fatale. Tu aurais dû l'éteindre ! Le

FSB a implanté un logiciel qui permet de suivre des téléphones sous surveillance via les antennes relais. Dès que tu as passé ta première communication en Russie, ils ont vérolé ton téléphone. Le logiciel te fait croire que tu es en mode avion alors que ta carte SIM est toujours active.

Sergueï se tourna vers Antoine et le regarda de haut en bas comme s'il prenait ses mesures.

— Il est temps que je m'occupe de toi.

48

Banlieue de Moscou

Marcas s'était assoupi. Quand il se réveilla dans l'obscurité, son front buta sur le matelas rembourré de collagène qui enserrait tout son corps. Subitement angoissé, il respira profondément, comme si l'air allait lui manquer, mais il ne s'étouffa pas. Le système d'aération mis en place par les techniciens de l'Institut fonctionnait parfaitement. Plus calme, il saisit son poignet et compta ses pulsations cardiaques. Elles étaient régulières. Le sédatif que lui avait donné Sergueï avait fonctionné, maintenant il fallait éviter la crise de panique à tout prix… Facile à dire quand on était enfermé vivant entre quatre parois d'acier !

Antoine n'en revenait toujours pas. Comment son voyage à Moscou avait-il pu basculer dans un tel film d'horreur ? Comment, parti pour consulter un manuscrit dans un musée, se retrouvait-il couché comme un mort vivant dans un cercueil de métal ? Cercueil qui était désormais sa seule chance d'échapper aux prisons russes.

Il repensa à son fils. À Alice aussi, curieusement. Il se dit qu'il aimerait les revoir.

Marcas leva délicatement le bras droit et déplia le tube plastique relié à une des deux bouteilles plaquées au-dessus de lui. Surtout ne pas commettre d'erreur dans l'obscurité. La première contenait de l'eau légèrement glucosée, la seconde un relaxant. Il se demandait combien de temps il avait dormi. Il n'avait plus de montre. Serguëï lui avait expliqué que le cercueil serait scanné à la douane et qu'il fallait éviter tout mouvement, même celui d'un mécanisme d'horlogerie. Il avait juste pu conserver la puce de son portable et celle du téléphone du tueur. Il en aurait besoin pour son enquête à Paris. Ce passage par un scanner l'angoissait : depuis l'invasion de l'Afghanistan et son cortège de morts à rapatrier dans la mère patrie, les Russes avaient appris à leurs dépens qu'on pouvait tout transporter dans un cercueil : de l'or, de la drogue... depuis, ils étaient d'une vigilance accrue.

Antoine ralentit sa respiration pour tenter de mieux saisir ce qui l'entourait. Il n'entendait rien, mais il sentait de légers soubresauts. Il devait encore être en route pour l'aéroport. Serguëï lui avait expliqué qu'un vol privé était prévu depuis plusieurs jours, en direction du Maghreb, pour rapatrier le corps d'une personnalité, avec une escale technique à Paris. Marcas prendrait donc la place du défunt. À ses amis de Paris de l'exfiltrer quand il aurait atterri en France. Antoine lui avait confié le numéro du frère obèse, en espérant qu'il y ait quelqu'un pour le sortir de sa tombe ambulante. Incapable de bouger ou de communiquer, Antoine commençait à se demander si la solution n'était pas pire que le problème. Un simple grain de sable dans son odyssée et il pouvait ne jamais revoir la lumière.

Institut des plantes aromatiques et médicinales
Deux heures plus tôt

Quand les sbires du FSB s'étaient présentés à la porte de l'Institut, Sergueï avait réagi très vite. Il avait d'abord ordonné aux responsables de la sécurité d'effacer toute trace numérique de la présence de Marcas, en particulier sur les enregistrements vidéo, la première chose que vérifierait le FSB. « Le temps qu'ils visionnent toutes les bandes, avait affirmé Sergueï, on va gagner des minutes précieuses. De quoi préparer ta sortie. » Le directeur de l'Institut l'avait amené dans la réserve où se trouvaient les cercueils sécurisés destinés au transport. Antoine avait tout de suite compris.

— Tu comptes m'exfiltrer dans un de ces joujous ?

— Nous allons en aménager un pour qu'il te permette de quitter le territoire. Question confort, ils sont déjà optimisés, tu seras comme un coq en pâte.

Antoine ne lui répondit pas. Il contemplait le cercueil en se demandant comment il allait survivre dans un endroit aussi exigu.

— On va installer un système d'aération et, pour que tu n'aies aucun problème de ravitaillement, surtout de l'eau…

Il regarda Antoine avec un sourire à peine dissimulé.

— Bien sûr, il faudra que tu portes une poche urinaire. L'équipe technique va installer tout ça.

— Et les types du FSB ?

— Je vais voir ce qu'ils veulent et surtout ce qu'ils savent. Mais ne t'inquiète pas, nous sommes en Russie.

— Ce qui veut dire ?

— Que je vais faire le nécessaire pour les ralentir. En attendant…

Il montra un des cercueils capitonnés de coussins d'une blancheur immaculée.

— … une petite sieste ne te ferait pas de mal.

Banlieue de Moscou

Un choc sourd ébranla le caisson. Antoine se sentit plonger vers le bas avant de se retrouver en équilibre. On venait de le sortir de la voiture. L'aéroport et ses contrôles n'allaient plus tarder. Mais ce n'est pas ce qu'il craignait le plus. Plus que d'être découvert, il avait peur de sa propre peur. Déjà, son corps se rappelait à lui. Les blessures qu'il avait accumulées ces derniers temps pulsaient comme des signaux lumineux. Il sentait sa respiration qui se creusait dans sa poitrine. Encore plus mauvais signe qu'une accélération. Pareil pour les battements de son cœur qui semblaient s'atténuer de plus en plus. Il avait l'impression de se rétracter, asséché par sa propre peur. De nouveau, une série de chocs vint battre le flanc du cercueil de métal, puis il se sentit emporté par un mouvement rapide, comme un radeau sur une rivière. Il ne lui fallut pas longtemps pour comprendre. Il était sur un tapis roulant.

Au bout était la liberté.

Mais avant, il allait devoir passer l'épreuve.

Celle qui décidait de la lumière ou des ténèbres.

Sergueï avait été un peu long à revenir.

— C'est bien toi qu'ils cherchent. Comme ils ont perdu ta trace au Goum, ils ont pensé que tu t'étais peut-être échappé par les sous-sols, ce qui les a amenés à la porte de l'Institut. Je leur ai aussitôt proposé de visionner les bandes dans mon bureau. Cigares et champagne à leur disposition. Ils ne sont pas près de ressortir. Maintenant viens avec moi.

Antoine se demandait combien l'Institut pouvait compter de salles. Dans celle où ils venaient d'entrer, deux techniciens s'affairaient autour d'un caisson.

— Ils viennent de finir d'installer l'aération, annonça Sergueï.

— Déjà ?

— En fait, ils ont modifié un système de sécurité existant, celui de l'évacuation des gaz. En principe, un cadavre bien traité n'en dégage pas, mais il y a toujours le risque d'une réaction chimique imprévisible.

— Je vois que tu prévois tout.

— Mes clients n'apprécieraient pas que leur *cher disparu* sente la pourriture à plein nez. Mauvais pour le business.

Il montra le revêtement intérieur du caisson.

— Les techniciens vont le renforcer. Tu ne sentiras quasiment rien de tout le voyage.

— Et pour la douane ?

— Ils vont faire passer le caisson au scanner. Pour vérifier qu'il n'y a pas autre chose que le cadavre.

— Le scanner est capable de distinguer un corps vivant d'un corps mort ?

Sergueï passa la main dans ses cheveux argentés.

— Je ne sais pas. Ce sont des instruments construits par l'armée. J'ignore leur degré de précision et de fiabilité.

— Bref, je suis ton cobaye.

— Un cobaye de choix. Si tu franchis les contrôles, je pourrai envisager l'extension de mes activités : l'exfiltration garantie sans risque. Et vu le climat politique en Russie, je ne manquerai pas de clients.

Antoine regardait le cercueil de métal auquel il allait confier sa vie.

— Tout sera prêt dans moins d'une heure. L'avion lui est déjà opérationnel.

— Et s'ils ouvrent le cercueil ?

— J'ai une botte secrète.

Aéroport de Moscou

Alexandre, le préposé au scanner, avait toujours détesté son prénom. Comment ses parents avaient-ils pu lui donner un prénom d'empereur ? Tout ça pour se retrouver devant un écran à vérifier des containers commerciaux. La veille, il avait scanné une cargaison entière de tampons hygiéniques. De quoi vous gâcher la journée. La nuit, il rêvait qu'il faisait des prises spectaculaires, de la drogue que personne n'avait réussi à détecter, ses chefs le félicitaient, il avait une promotion… Mais depuis trois mois qu'il était à ce poste, il n'avait même pas détecté l'ombre d'une fraude. Tout le pays était corrompu de haut en bas, mais lui était tombé sur le seul poste de contrôle où personne ne trichait. C'était à désespérer.

— Regarde ce qui nous arrive !

Son collègue venait de mettre en pause sa vidéo YouPorn pour montrer un caisson en acier brillant qui venait de surgir du tapis roulant.

— *Shlyukha*, c'est un cercueil !

Alexandre regardait le caisson, fasciné. Brusquement, il abaissa la manette qui réglait la vitesse du tapis.

— Celui-là, je ne vais pas le rater.

Le cercueil venait de s'arrêter devant l'entrée du scanner. Comme un chien de chasse qui renifle une piste, le contrôleur remarqua que le caisson était verrouillé uniquement sur sa partie supérieure. Parfait, il pourrait l'ouvrir sans problème.

— Envoie le tapis.

Sur l'écran, Alexandre fixait la forme sombre qui venait d'apparaître. Aucun doute, c'était bien un corps. On reconnaissait parfaitement la forme arrondie de la tête comme celle droite des pieds joints.

— Sans doute un étranger qui va se faire enterrer chez lui. Laisse-le passer, dit son collègue.

— Tu peux m'expliquer la présence de ces deux formes au-dessus de sa tête ?

— J'en sais rien. Des trucs pour éviter la décomposition, je suppose ? Allez, on s'en débarrasse, ça ne porte pas chance de mater un mort.

— Parle pour toi. Moi, j'ai un doute. Je vais l'ouvrir.

— Tu es fou ? C'est une profanation !

Son collègue recula, effrayé.

— Je ne te demande pas de m'aider, répliqua Alexandre en enlevant les scellés posés sur le cercueil.

À l'aide d'une puissante dévisseuse électrique, il fit sauter les boulons un à un.

— Et maintenant, on va voir ce qu'il y a dessous.

Malgré lui, le collègue d'Alexandre s'avança. Il n'avait vu un cadavre qu'une seule fois dans sa vie. Un oncle, mort au fin fond de sa province. Après l'avoir rasé et habillé, les voisins avaient posé le corps sur la table. Le collègue était jeune à l'époque, mais il se souvenait très bien de la couleur du visage, quelque chose comme de l'ivoire délavé. Il ne savait pas pourquoi, mais il voulait revoir cette couleur. Sauf qu'Alexandre ne bougeait plus.

— Qu'est-ce qu'il y a?

Le corps était toujours invisible, protégé par une plaque opaque recouverte d'un film de sécurité. Au centre, un autocollant frappé d'une tête de mort semblait préserver un papier officiel.

— Alexandre, referme ça tout de suite. On va avoir des ennuis.

— Je veux savoir.

D'un geste rageur, le préposé au scanner arracha l'autocollant.

N° A666 777
DÉCÉDÉ DU COVID
À N'OUVRIR
SOUS AUCUN PRÉTEXTE!
VARIANT INCONNU

Dans son cercueil, Antoine entendit un hurlement, puis le choc sourd d'une plaque, le bruit frénétique d'une visseuse…

Et d'un coup, le tapis roulant redémarra.

QUATRIÈME PARTIE

« La gloire se donne seulement
à ceux qui l'ont toujours rêvée. »

Charles de Gaulle.

49

Dordogne
Château de Castelrouge
Juin 1940

Les premières falaises, trouées de grottes, annonçaient la vallée de la Dordogne qui se resserrait jusqu'au plateau de Castelrouge. Paul Turenne se retourna, le visage fatigué. Il conduisait sans discontinuer depuis Paris. À l'arrière, ses enfants, Mathieu et Emma, dormaient paisiblement. L'innocence… Alors que toute la France fuyait l'arrivée des Allemands sur les routes de l'exode, eux rêvaient bouche ouverte.

Le voyage avait été comme une hallucination collective. À la sortie de Paris, les routes étaient couvertes de dizaines de milliers de fuyards à pied, en charrette, à cheval. Il avait avancé au pas durant des kilomètres. Ce n'était qu'à partir d'Orléans qu'il avait roulé plus facilement. Mais, à Vierzon, un avion allemand en maraude avait mitraillé une colonne de réfugiés. Les gens crevaient dans les fossés.

Avec l'aide d'un autre médecin, il avait improvisé des interventions en pleine campagne. Lui qui n'opérait que les clients des beaux quartiers dans sa clinique en bord de Seine, il avait recousu des chairs brûlées à vif, amputé des jambes déchiquetées, et tout ça sous les yeux de ses enfants, muets d'horreur. Heureusement, il avait pu envoyer sa femme quelques jours avant au château pour préparer leur arrivée. Elle n'aurait jamais supporté la folie d'un pareil périple.

La route qui montait vers Castelrouge avait toujours été périlleuse. C'était un chemin de piste, taillé à flanc de falaise et séparé des profondeurs de la Dordogne par un parapet rabougri. On voyait l'éclat virevoltant des feuilles des noyers plantés en rang serrés le long de la rivière. Paul ne se rappelait pas qu'il y en eût autant. Il n'était pas revenu depuis la mort de ses grands-parents, et beaucoup de choses avaient dû changer.

Le château surgit dans la lumière du couchant. À droite, le logis que des générations de Turenne avaient embelli, ajoutant échauguettes, clochetons, fenêtres à meneaux, lui donnant un véritable air de château de conte de fées. À gauche, le monolithe austère du donjon ressemblait à une écharde piquée dans le soleil. Tout autour courait l'enceinte en pierre ocre surmontée de créneaux. Ses enfants s'étaient réveillés.

— Voilà Castelrouge, dit le chirurgien fourbu.

Paul observa la tête de son fils dans le rétroviseur. Il était stupéfait.

— Mais c'est un vrai château de chevaliers !

418

— Absolument, et depuis plus de mille ans.

— Moi, je veux habiter la tour.

— On dit le *donjon*. Tu sais, c'est la partie la plus ancienne du château. Elle est en mauvais état. C'est dangereux d'y aller. D'ailleurs, ton grand-père en a condamné l'entrée.

Emma se frotta les yeux et secoua la tête.

— Quand est-ce qu'on mange ?

La voiture s'arrêta à l'entrée du domaine. Le portail de gauche était ouvert, il donnait sur la maison du gardien et un parc qui longeait la Dordogne vers le couchant. Enfant, Paul adorait jouer dans cet endroit qui était un petit paradis, entre les longs cyprès qui se balançaient au vent et les vastes pelouses bordées de buis. Quand il descendit de voiture, il comprit que sa mémoire l'avait trahi. Ce qui était pour lui un parc gigantesque où il se perdait gamin n'était qu'un étroit jardin, dont les plantes et les arbres se disputaient le peu de terre nourricière sur cette falaise aride. Il fit sortir son fils et sa fille de la voiture et frappa à la porte du gardien. En vain.

— Papa, mais il est où le château ?

Du haut de sa taille d'enfant, Emma ne parvenait à voir ni le logis ni le donjon.

— Ici, c'est le parc. Vous pourrez y jouer dans quelques jours…

Paul se dit que ses mains, qui jusque-là maniaient le scalpel, allaient devoir rapidement se convertir à la pioche et au sécateur.

— … quant au château, il est juste derrière vous. Regardez l'allée entre les buis, elle mène à un pont de pierre qui va vous conduire directement à la cour d'honneur.

Les enfants se mirent à courir en poussant des cris de joie. Ce jardin était une idée de son grand-père et le pont de pierre aussi pour le relier au château. À son tour, Paul s'engagea sur le pont. La vue était magnifique. À droite la vallée de la Dordogne se perdait dans les brumes, environnée de champs cultivés qui ressemblaient à un échiquier. À gauche, le plateau était légèrement vallonné, avec ses fermes aux toits pentus et les troupeaux meuglant dans les pâturages. Il se hâta, arriva sur le chemin de ronde et découvrit le château. Au centre de la cour, sa femme, Anne, serrait leurs enfants dans ses bras. Paul se précipita pour rejoindre sa famille.

Cette fois, ils étaient bien tous à l'abri.

— Alors que dit-on dans le pays ?

Ils pénétrèrent à l'intérieur de la demeure et Paul s'assit sur l'un de ces canapés anglais au cuir sombre dont ses grands-parents raffolaient et qui meublaient presque tous les salons du château. Anne, elle, s'était installée près de la cheminée pour fumer une cigarette dont elle jetait les cendres dans l'âtre.

— On ne dit rien, tout le monde se fait discret. Sur le marché de Sarlat, samedi, il n'y avait pratiquement personne. Les gens restent terrés chez eux à écouter la TSF.

— Quand j'ai quitté Paris, le gouvernement de Paul Reynaud était sur le point de faire une annonce.

— Le gouvernement ? ironisa Anne. Il a foutu le camp à Bordeaux. La moitié des députés se sont perdus.

— Tout n'est peut-être pas encore joué.

— Une armée en déroute, un gouvernement en fuite,

des millions de réfugiés sur les routes, il te faut quoi de plus ?

Paul montra le poste de radio placé entre deux fenêtres.

— Il marche toujours ?

— Oui, mais je ne l'écoute plus, ça me démoralise. Heureusement, tu es arrivé avec les enfants, sinon, seule ici, je crois que je serais devenue folle !

Le chirurgien prit un air faussement innocent.

— Comment ça, tu ne te plais pas ici au milieu de ces vieilles pierres chargées d'histoire ?

Anne haussa les épaules.

— Au milieu de dizaines de chambres vides, d'escaliers qui n'en finissent pas ? Si par malheur j'oublie mon paquet de cigarettes dans une pièce, il me faut deux jours pour le retrouver.

— Où est passé le couple de gardiens ?

— Ils étaient morts d'inquiétude pour leur fille restée seule à Tours. Ils voulaient la rejoindre, j'ai dit oui.

Son mari ne répondit pas. Il n'aimait pas trop l'idée d'être seul dans ce château avec femme et enfants.

— On va installer Mathieu et Emma dans la chambre de tes grands-parents. Je l'ai nettoyée, aérée, ils pourront y dormir dès ce soir. En revanche, je ne sais pas trop quoi faire de toutes les bondieuseries que ta grand-mère y a accumulées. Il y a quand même tout un mur décoré de crucifix.

— Oui, plaisanta Paul. Elle suspendait aussi des tresses d'oignons au-dessus du lit. Il paraît que ça fait fuir les vampires. Après la mort brutale de mon grand-père, elle me racontait des histoires de malédictions familiales qui avaient pour particularité de sauter une génération. Et aussi de fantôme. Mais ça, c'est plutôt ton rayon.

Paul ne put s'empêcher de sourire. À Paris, sa femme et quelques-unes de ses amies avaient pris la détestable habitude d'organiser, le premier lundi de chaque mois, une séance de table tournante. Pour communiquer avec les esprits. Au début, en bon cartésien, il n'y avait vu qu'une lubie, mais Anne s'était prise de passion pour les théories d'Alan Kardec[1] et entrait régulièrement en transe. À son grand déplaisir.

— J'y ai pensé, répondit-elle, subitement sérieuse. Cet endroit dégage quelque chose d'étrange. Je l'ai senti quand je m'y suis installée.

— Attention à ne pas réveiller certains morts. Ma grand-mère me racontait que l'une de nos ancêtres du Moyen Âge, Alix de Turenne, avait charcuté un moine dans les sous-sols.

— Pas étonnant que tu aies fini chirurgien… C'est le seul moyen que tu as trouvé pour découper les gens en morceaux légalement.

— Tu as trouvé de quoi t'occuper ?

— Oui, dans le donjon. J'y installe mon atelier. Je veux recommencer à peindre. Tu te souviens qu'avant de t'épouser, j'avais une vie…

Paul ne put que hocher la tête. Quand il avait rencontré Anne, elle était restauratrice d'art. On lui confiait de vieux tableaux que les siècles avaient noircis et elle les ramenait à la vie, aussi lumineux et chatoyants qu'au premier jour de leur création.

---

1. Fondateur du mouvement spirite en France.

— J'ai envie de restaurer les fresques qui sont très abîmées.

— Écoute, Anne, pour le donjon…

Un bruit de carillon retentit dans la cour.

— Ah, c'est Isabelle, dit Anne en se levant. La jeune fille que j'ai engagée pour s'occuper des enfants. Je n'ai pas envie de courir derrière eux toute la journée. Et puis elle me donnera un coup de main pour la cuisine. Je vais lui ouvrir.

— Tu l'as trouvée comment ?

— Elle vient du village d'en face, Turnac. Elle préparait le concours d'institutrice, mais avec les événements… Du coup, elle cherchait du travail.

Anne ouvrit la porte cochère.

Une jeune femme fit son apparition. Elle avait un visage hâlé par le premier soleil d'été et le cou orné d'une tresse qui coulait, noire et torsadée, dans son corsage. Paul fut immédiatement happé par son regard : deux prunelles pailletées d'or qui semblaient prêtes à s'enflammer. La voix de sa femme le ramena sur terre.

— Voici Isabelle. Isabelle Taillefeu.

Une semaine plus tard

Paul s'épongea le front. Ces maudits buis le rendaient fous. Deux heures qu'il essayait de tailler un massif en boule. Et deux heures que le buis, à force d'erreurs de coupe, s'était réduit jusqu'à avoir l'apparence d'un ballon de football dégonflé. Le soleil tapait fort et la sueur ruisselait sous sa chemise. Il décida de l'enlever. Anne peignait dans le donjon et les enfants étaient en promenade avec Isabelle.

— Monsieur Turenne ?

Isabelle venait de surgir de derrière un bosquet de buis. Quand elle le vit torse nu, elle s'empourpra.

— Je suis désolée, je ne savais pas que…

Gêné, Paul saisit sa chemise qu'il renfila en un tour de main.

— Veuillez m'excuser, Isabelle. Je croyais être seul. Où sont Emma et Mathieu ?

— Dans la cuisine, je leur ai préparé leur déjeuner en avance pour qu'ils aillent plut tôt à la sieste. Ils ont du mal à trouver le sommeil. Ils font des cauchemars.

Paul sourit. La jeune femme s'était vraiment attachée aux enfants. Elle avait noué un lien fort, qui l'avait lui-même surpris. Mathieu et Emma étaient toujours fourrés avec elle et la réclamaient quand elle n'était pas là.

— Pour des petits Parisiens, dormir dans un château, ça doit être impressionnant. Vous vouliez quelque chose ?

— Votre femme aimerait que vous montiez tout de suite au donjon.

C'était bien Anne, ça ! impatiente, impérieuse… Paul abandonna à regret sa cisaille. Depuis qu'il était arrivé au château, il goûtait de plus en plus ce lieu hors du temps et protégé de la fureur des hommes. Pour lui, c'était un véritable retour aux sources.

Il n'était pas monté jusqu'en haut du donjon depuis des années mais, dans l'escalier à vis, il retrouvait instinctivement où poser ses pas, comme s'il n'avait jamais quitté les lieux. Il faut dire que sa famille était là depuis… Il fit un calcul rapide : pas moins de onze siècles. Même si, après la Révolution, ses aïeux avaient jugé plus prudent d'abandonner leur particule nobiliaire. La prise du château et son pillage par les émeutiers, et l'assassinat d'une partie de la famille… Tous ces événements étaient restés gravés comme une cicatrice toujours vive dans la mémoire familiale. Les Turenne avaient récupéré le château sous la Restauration, mais s'étaient bien gardés de reprendre leur titre.

Tout en gravissant les marches, il se demandait si, au fin fond du cerveau, comme un animal en hibernation, il y avait une mémoire héréditaire capable de se réveiller.

— Enfin, tu es là !

Anne venait de surgir devant lui, les cheveux poudrés de plâtre et la chemise maculée de taches. La salle était encombrée comme un chantier. Chevalets à terre, pots de peinture, draps noués en boule… Il enjamba ce capharnaüm pour la suivre.

— Regarde !

Elle lui indiqua un échiquier de pierre entouré de deux bancs.

— Oui, je le connais bien, dit Paul. Il est aussi ancien que le château. Des générations de Turenne se sont assises là

— Tu y as joué, toi aussi ?

Paul secoua la tête.

— On n'avait pas le droit de monter dans le donjon. Il avait mauvaise réputation.

Dans le mur face à la fenêtre, sa femme montra une large ouverture surmontée d'un linteau de pierre.

— Tu crois qu'elle fonctionne ?

— L'ancienne cheminée ? Ça fait des décennies que personne ne s'en est servi. Il paraît qu'une de mes ancêtres a été tuée là par un révolutionnaire qui voulait piller le château. On racontait même qu'il lui avait arraché le cœur.

Anne le conduisit devant la fresque, dont certaines parties étaient couvertes d'un voile protecteur.

— Ma trouvaille. Le jardin du paradis ! La peinture est très dégradée. Adam a disparu par exemple, comme le serpent. En revanche, on reconnaît l'arbre du paradis, même si, bizarrement, il n'a pas de fruits. Mais ce qui est plus étonnant...

Avec beaucoup de précaution, elle ôta une des pièces de toile qui protégeaient le bas de la fresque. Paul reconnut aussitôt une femme de dos, habillée comme à l'époque médiévale. Anne prit un chiffon mouillé et commença à frotter délicatement le bas du dessin.

— Regarde, tu vois ces lignes qui apparaissent ? C'est la preuve qu'il y a une autre peinture en dessous mais, avant de la dégager, je voulais t'en parler. Après tout, on est dans *ton* château !

— Mais pourquoi avoir recouvert des peintures ?

— C'est courant : quand une image était passée de mode, on blanchissait le tout et on repeignait dessus.

— Donc, la peinture que tu as découverte est plus ancienne ?

Anne fit la moue.

— En fait, je n'en suis pas certaine. Parfois, on voulait aussi effacer des choses gênantes. Par exemple, la représentation d'un membre de la famille qui avait mal tourné.

— Alors dégage-la. Si c'est un ancêtre qui a fait des frasques, j'ai bien envie de le voir.

Anne reprit son mouchoir humide et lentement dilua la couche de peinture blanche. Peu à peu un visage se révéla, légèrement fané, mais avec des orbites vides et un sourire décharné.

— Si c'est ça, la tête d'un ancêtre..., ironisa Paul en souriant. On dirait un vampire.

— C'est une femme, regarde les cheveux.

Soudain, un bruit de pas précipités retentit dans l'escalier. Isabelle apparut, le visage rougi par son ascension.

— C'est Emma... elle s'est évanouie.

50

Paris
Aéroport Roissy-Charles-de-Gaulle

— Antoine ! Réveille-toi.

Un visage flottait dans l'air au-dessus de lui. Nimbé par une lumière aveuglante. C'était bien un visage. Ça, il en était sûr, à la forme arrondie… puis ce qui ressemblait à un cou et à des épaules… enfin une voix. Pour le reste, c'était le néant. Marcas ne parvenait pas à identifier l'homme qui lui parlait. Il y avait pourtant dix minutes que l'on avait ouvert son cercueil. En dépit des coussins installés obligeamment par le frère Sergueï, Antoine, en plus d'être dans les choux, éprouvait la désagréable sensation de s'être réveillé dans le coffre d'une voiture. En pole position sur les dunes du Paris-Dakar.

Il sentit des mains le happer par les épaules et par les jambes, sans qu'il ait donné son accord.

— Bon sang, faites attention ! Je ne suis pas un cadavre, grommela-t-il quand on le fit s'asseoir sans ménagement sur une chaise.

— Content de voir que ce voyage en soute première classe n'a pas entamé ton joyeux caractère, mon frère.

Il cligna des yeux. Lentement, très lentement, ses pupilles se rétrécirent, sa vision finit par s'accommoder et il reconnut le visage du frère obèse.

— Bienvenue en France. C'est la première fois que je viens dans un aéroport récupérer… un mort.

Antoine se massa la nuque et fit des moulinets avec ses bras endoloris.

— Et moi, la dernière fois que je voyage dans un cercueil, même en version XXL.

Haudecourt l'aida à se relever. Marcas voulut tenter quelques flexions, mais un voile noir commença à obscurcir son champ de vision. Par prudence, il se rassit.

— Heureusement que j'ai eu des échos de tes prouesses par les médias russes. Ils n'ont pas arrêté de diffuser une excitante histoire de fusillade sanglante dans le centre des archives de l'Armée rouge. Deux morts, une partie du musée pulvérisée, le FSB dans tous ses états… Pas mal. Quand Serguéï m'a appelé pour me prévenir de ton retour, il m'a narré la suite de tes péripéties moscovites.

— Ils ont diffusé mon nom et ma photo ?

— Non. Je te rassure. Nous avons réglé ce détail en haut lieu.

— Les Russes n'ont rien exigé en retour ?

— Comment dire les choses… Tu as été échangé contre un oligarque tchétchène en froid avec Poutine, qui se la coulait douce sur la Côte d'Azur. De toute façon, on voulait s'en débarrasser. En revanche, je te conseille de ne plus remettre les pieds dans la Sainte Russie pendant un bon bout de temps.

Antoine finit par se redresser. Cette fois, il se sentait un peu mieux.

— Je n'en avais pas l'intention. Maintenant, j'aimerais bien rentrer chez moi.

— Avec plaisir. On papotera dans la voiture.

Dix minutes plus tard ils filaient sur l'autoroute A1, dans une Ford banalisée, en direction de Paris.

— La mort d'Alex Fortaine arrange tout le monde. Les Russes et nous. Ils ont un coupable idéal et son complice, un mafieux russe notoire, abattus par les valeureux gardes du musée. Pour la France, le tueur du Grand Orient étant identifié, l'affaire sera close. Toi et le commandant Grier allez recevoir de chaudes félicitations du directeur de la police nationale.

— Tu vas un peu trop vite en besogne, se cabra Antoine. Fortaine n'a pas agi seul. Quand j'étais aux archives, j'ai reçu un message d'Alice. Elle a été agressée. Elle pensait que c'était en lien avec l'enquête.

Haudecourt hocha la tête, tout en observant avec intérêt la silhouette massive du Stade de France qui se profilait sur la gauche de l'autoroute.

— J'ai pris connaissance de son rapport. Ta collègue a failli être tuée par une inconnue alors qu'elle fouillait la boîte de Fortaine. Selon toutes probabilités il s'agissait de sa complice. Mais…

— Mais ?

— Jusqu'à preuve du contraire, Fortaine reste l'unique responsable du cambriolage et de l'assassinat de notre regretté frère Bertils. Pour tout le monde, il vaut mieux en rester là.

Antoine n'en revenait pas.

— Tu ne peux pas stopper l'enquête comme ça ! Je

n'ai pas risqué ma peau à Moscou pour que tu me renvoies comme un brave toutou à la niche !

— Alors je vais être plus clair. Ça vient de plus haut. Je ne peux pas t'en donner la raison. Il y a des moments dans la vie où l'on ferme sa gueule.

— Non.

— Tu m'emmerdes et tu deviens stupide, répliqua Haudecourt d'un ton sec. À ton avis, pourquoi notre gouvernement a-t-il agi aussi rapidement pour livrer le Tchétchène aux Russes ? Tu crois vraiment que le petit commandant Antoine Marcas vaut le même prix qu'un oligarque qui pèse un milliard de dollars ?

Antoine ne décolérait pas. Cette affaire puait depuis le début. Et les effluves nauséabonds ne cessaient d'empuantir l'atmosphère. Son esprit essayait de ne pas s'emballer. Pour l'heure, il était en vie et allait rentrer chez lui. Et il devait retrouver son fils. C'était ce qui comptait.

La Ford avait dépassé le périphérique et prenait la porte de Clignancourt pour entrer dans le 18e.

Haudecourt posa la main sur l'avant-bras d'Antoine et choisit un ton conciliant.

— Crois-moi, ça ne me fait pas plus plaisir qu'à toi. Je pense aussi que Fortaine n'était pas seul. Mais, au fait, j'allais oublier le fameux cinquième rituel. Tu as fini par mettre la main dessus dans les archives russes ?

— Non, mentit Antoine, agacé par les réponses sibyllines de son frère. J'allais commencer quand je suis tombé sur Fortaine et son sbire.

— Lui non plus n'a rien trouvé ?

— Je ne sais pas. Tout est allé si vite. Je n'avais qu'une hâte, c'était de m'enfuir.

Haudecourt le scruta avec méfiance.

— Tu ne me caches rien ?

— Putain, c'est pas vrai. Fouille-moi si tu n'as pas confiance ! explosa Antoine en écartant les pans de son blouson. Avec un toucher rectal si le cœur t'en dit.

— C'est bien dommage parce que j'ai récolté quelques rumeurs intéressantes sur ce cinquième rituel...

Son regard luisait. Antoine feignit de poser la question sans s'y intéresser vraiment.

— Lesquelles ?

— Quel intérêt puisque tu n'as rien découvert ? Parfois, certains secrets doivent rester à jamais enfouis.

— Maintenant c'est toi qui m'emmerdes avec tes airs mystérieux et ton refus de me répondre. Il est temps de se séparer avant que je ne m'énerve vraiment.

Le chauffeur jetait des coups d'œil inquiets dans le rétroviseur et mis la main sur l'arme posée sur le siège du passager avant. Le frère obèse aperçut son geste et secoua la tête.

— Tout va bien, Auguste. Notre ami se sent un peu secoué par son voyage. De toute façon nous arrivons.

La voiture ralentit pour s'arrêter à un feu rouge à quelques encablures de l'immeuble d'Antoine.

— Déposez-moi ici. Ça ira très bien comme ça.

Les portes de la Ford se verrouillèrent. Marcas croisa le regard méfiant du chauffeur.

— Dis-lui d'ouvrir cette putain de portière, jeta-t-il d'une voix sourde.

Le frère obèse fit un signe au conducteur. Un claquement retentit à l'oreille d'Antoine.

— Tu as besoin d'une bonne nuit de sommeil, ajouta

Haudecourt. On reparlera de tout ça plus tard. On ne sait jamais, peut-être te souviendras-tu d'un détail.

— Je ne pense pas.

— Comment vas-tu faire pour entrer chez toi ? Je suppose que tu ne t'es pas baladé avec tes clés durant ton périple à Moscou ?

Antoine sortit et se pencha vers Haudecourt.

— Il existe encore des syndicats de copropriétaires qui respectent la tradition séculaire de la concierge. Et tu diras au directeur de la police qu'il se les mette où je pense, ses félicitations. Bonne soirée.

Il claqua la porte et se dirigea vers son immeuble. La voiture démarra doucement derrière lui. Antoine se retourna et aperçut dans la pénombre le visage du frère obèse qui le fixait.

L'air était frais et vigoureux, mais c'était presque un vent saharien comparé à ce qu'il avait enduré à Moscou. Il respira profondément.

Il sentait le contact du manuscrit codé coincé dans sa chaussette droite. Il se pencha comme pour nouer ses lacets, vérifia que le frère obèse avait disparu et récupéra la pochette de plastique qui contenait le cinquième rituel. Il inséra le document dans son blouson et se releva.

Haudecourt aurait très bien pu le fouiller, mais il avait marché à son bluff. Antoine s'étonna de sa nouvelle capacité de dissimulation et se promit de prendre des cours de poker un jour prochain.

Pour l'heure, il avait trois envies pressantes. La première était de prendre une bonne douche chaude. La deuxième de passer un coup de fil à son fils depuis son téléphone fixe. La troisième d'appeler Alice et de décrypter la pièce d'archives en sa compagnie. Il avait tant de choses à lui raconter.

Le secret du cinquième rituel était peut-être à portée de main.

La fenêtre de la loge qui donnait sur la rue était allumée. Antoine tapa d'un index impatient. Le visage souriant d'une femme âgée apparut dans l'encadrement de la fenêtre. Elle l'ouvrit à la volée.

— Monsieur Marcas !

— Bonjour, madame Gonsalves, pourriez-vous me donner le double de mes clés ? J'ai perdu les miennes.

Il s'abstint de lui dire qu'elles devaient être dans sa valise, sur la table d'un bureau du FSB à Moscou.

La concierge s'absenta quelques secondes et revint avec un trousseau.

— Au fait, deux de vos collègues sont venus il y a une heure. Ils ont demandé que vous les rappeliez en urgence.

— Je vois très bien, merci pour la commission, répondit Antoine.

Ça lui faisait plaisir qu'Alice et son adjoint soient venus, même s'il se demandait comment ils étaient au courant de son retour. Sûrement le frère obèse. Il avait vraiment hâte de revoir la jeune femme.

Au moment où il allait quitter sa concierge, il aperçut un homme sortir d'une voiture, suivi par un deuxième. Ils se dirigeaient dans sa direction. Le cœur de Marcas fit un bond. Le frère obèse ne l'avait pas cru. Antoine se pencha précipitamment dans la loge et donna la pochette de plastique à la concierge.

— Gardez-moi ça et n'en parlez à personne. Je double vos honoraires pour le ménage du mois.

Quand il se redressa, les deux hommes étaient pratiquement face à lui. L'un des deux brandit sa carte d'identification.

— Commandant Marcas. Veuillez nous suivre.

— Je suppose que le commissaire Haudecourt ne veut pas se salir les mains…

— Je ne vois pas de qui vous parlez, dit l'un des hommes en brandissant sa plaque. Je suis envoyé par le capitaine Thibaudeau de l'IGPN. Il a des questions à vous poser.

51

Dordogne
Château de Castelrouge
Juin 1940

Paul serrait le poignet de sa fille et comptait les pulsations. Autour de lui, Anne se retenait pour ne pas se précipiter sur son paquet de cigarettes, Isabelle tenait Mathieu par la main, qui était stupéfié par ce qui venait d'arriver à sa sœur.

— Elle est tombée juste quand on sortait de table. Heureusement Isabelle l'a rattrapée, sinon elle se fracassait la tête sur…

— C'est bon, on a compris, le coupa sa mère, exaspérée d'entendre le même récit pour la dixième fois.

Paul passa la main sur le front de sa fille.

— Plus de peur que de mal. Elle n'a pas de fièvre. Le rythme cardiaque est normal…

— Mais alors qu'est-ce qu'elle a eu ?

Cette manie qu'avait Anne de tout le temps couper la parole ! Paul soupira discrètement, puis montra la table encombrée des reliefs du déjeuner des enfants.

— Isabelle va devoir arrêter de faire une aussi bonne cuisine. Emma s'est empiffrée et a fait un petit malaise digestif. Rien de grave. Une bonne sieste et tout sera oublié.

— Non ! Pas la sieste ! glapit la gamine.

— Pourquoi ne veux-tu pas dormir, ma chérie ?

Emma baissa la tête et se mura dans un silence têtu.

— Parce qu'elle a peur de la dame blanche.

Tous les adultes se tournèrent vers Mathieu, qui rougit d'être ainsi devenu le centre de l'attention. Aussitôt, il vida son sac :

— Depuis qu'on est au château, il y a une dame qui vient nous voir dans la chambre. Elle est toute blanche et elle veut toujours nous prendre avec elle.

Paul saisit la main de son fils.

— Cette dame, elle entre comment dans votre chambre ?

— Elle a pas besoin de rentrer, elle apparaît d'un coup, comme ça !

Isabelle intervint :

— Ce sont les cauchemars dont je vous ai parlé.

— Ce n'est pas un cauchemar, cria Emma, c'est un fantôme ! D'ailleurs, on voit à travers. Et la *dame*, elle veut qu'on aille au donjon avec elle. Elle me fait peur.

La voix étonnamment calme, Anne interrogea sa fille :

— Cette dame, vous l'entendez parler ?

— Oui, dans notre tête.

437

— Et vous avez vu ses yeux ?

Emma se mit à hurler.

— Des yeux, elle en a pas, expliqua Mathieu.

Le spectre d'une femme... Paul fronça les sourcils. Des bribes de récits de sa grand-mère remontaient à la surface. Il se tourna vers Isabelle.

— Vous qui êtes née dans le village à côté, vous avez entendu parler de cette histoire de fantôme ?

— Non... Enfin si. Quand j'étais petite, on racontait que si on s'approchait trop de la Dordogne, on pouvait être enlevé par une femme qui vivait au fond de la rivière. Ce ne sont que des légendes...

— Je ne crois pas.

Chacun se retourna vers Anne qui reprit, à l'intention de son mari :

— Emma vient de parler du donjon. Rappelle-toi la femme sur la fresque.

— Allons, c'est juste un dessin. Ça n'a aucun rapport.

Sa femme se tourna vers Isabelle.

— Vous pouvez amener les enfants dans la cour. Le grand air et le soleil vont leur faire du bien.

Quand ils furent sortis, elle se planta devant Paul.

— *Aucun rapport* entre la femme sans yeux que voient les enfants et celle qui était cachée dans la fresque, c'est ça ? Et si on vérifiait ?

— Mais comment ?

— En invoquant les morts !

— Ah non ! Tu ne vas pas recommencer avec tes séances de spiritisme. De toute façon il faut être au moins trois. C'est ce que tu m'as toujours affirmé.

— Isabelle sera ravie de participer. Nous en avons déjà discuté pendant que tu n'étais pas là.

438

— C'est-à-dire?

— Elle m'a raconté que sa famille entretenait une histoire particulière avec la tienne. L'un de ses ancêtres, un Taillefeu, a fait partie des émeutiers qui ont pris d'assaut le château. Il en est même devenu propriétaire durant la Révolution. Elle a des visions parfois. Je pense qu'elle est médium.

Paul leva les yeux au ciel.

— Vu ce que sa famille nous a fait subir, ça me la rend déjà moins sympathique. Et si en plus elle a des visions… Ça va être gratiné ta séance. Tu sais bien que je ne crois pas à toutes ces balivernes.

— Alors que risques-tu? De perdre du temps? On n'a pas grand-chose à faire. En échange, je promets de te donner un coup de main pour le jardin. Tout le temps que durera cette guerre…

Il était dix heures passées quand Paul, sa femme et Isabelle s'installèrent dans la haute salle du donjon. Une nuit d'encre imbibait le château et la vallée. Ils s'assirent autour de l'échiquier et posèrent leurs mains sur la pierre. Des bougies avaient été placées tout autour. Une lumière chaude et orangée éclairait leurs visages.

— Esprits des lieux, nous venons en paix, articula Anne d'une voix douce. Si vous êtes parmi nous, envoyez un signe.

Un silence pesant lui répondit. Paul prenait son mal en patience, il avait négocié une séance d'une demi-heure maximum. Il remarqua qu'Isabelle Taillefeu était agitée de tics qui trahissaient son inquiétude.

— Ça va?

— C'est un peu angoissant, mais je l'avoue, ça me fascine, répondit la jeune femme.

— Esprits des lieux, je vous invoque au nom des anges Shamael, Michael et Gabriel. Manifestez-vous ! Je vous l'ordonne.

La voix d'Anne se faisait plus forte. Soudain un coup retentit contre la porte. Tous se retournèrent, surpris. Anne ferma les yeux.

— Je sens votre présence. Nous voulons juste parler avec vous.

Une brise fraîche parcourut la salle. Curieusement, elle ne provenait pas de la fenêtre.

— Je sens quelque chose, murmura Anne les yeux toujours clos. Une présence. C'est une femme. Une femme en grande souffrance. Elle appelle à l'aide.

Paul se promit de faire examiner son épouse quand ils reviendraient à Paris.

— Elle vient !

Isabelle se leva d'un bond et tendit l'index en direction de la fresque, le visage déformé par la peur.

Paul écarquillait les yeux. Il ne voyait rien.

Soudain les bougies s'éteignirent comme si une bouche invisible les avait soufflées. La salle plongea dans les ténèbres.

Anne était en transe, son front était trempé de sueur.

— Quelque chose ne va pas... De la haine... Cette femme veut... Non...

Au même moment, la porte d'entrée grinça. Paul vit apparaître une forme indistincte dans l'encadrement. Brusquement, son cœur s'accéléra.

— Papa, maman ?

La voix de la petite Emma était transie de peur.

440

— Sors d'ici immédiatement ! cria le chirurgien en se levant.

Il n'arrivait plus à distinguer les contours de la salle. Il se précipita vers sa fille, mais trébucha et sa tempe heurta une pierre.

Anne, elle, semblait tétanisée.

— Pourquoi faites-vous ça… Notre… fille. Elle n'a rien fait.

Isabelle s'était précipitée vers Emma pour la prendre dans ses bras.

— Ne la touchez pas ! C'est une enfant.

Paul tenta de se redresser, mais sa tête tournait. Il entendit distinctement les gémissements de sa femme. Il fallait stopper cette folie. Il tenta de se lever et tituba pendant qu'Isabelle entraînait la gamine en agitant son bras, comme pour repousser un assaut invisible.

Pas la petite… Prenez-moi !

Comme il se tenait enfin debout, il aperçut la silhouette vacillante d'Isabelle dans l'encadrement de la fenêtre.

Elle poussa un hurlement affreux.

Paul se précipita sur Emma. Elle avait lâché la main d'Isabelle, qui bascula par la fenêtre.

Un long silence suivit, entrecoupé de la respiration haletante d'Anne, qui tentait de reprendre ses esprits.

— Elle a eu son sacrifice… Elle a eu son sacrifice…, lança-t-elle en s'écroulant sur le banc.

Paul serrait sa fille de toutes ses forces.

— Surtout, n'aie pas peur.

Emma répondit d'une voix extrêmement calme :

— C'est la dame sans yeux ! Elle a emporté Isabelle avec elle. Elle ne reviendra plus.

52

Paris

Le parc des Batignolles était un îlot de verdure perdu dans l'océan de béton du nord du 17e arrondissement et de la frontière avec Clichy. Proche du nouveau Palais de Justice et du siège de la direction régionale de la police judiciaire, on pouvait y croiser, aux beaux jours, un nombre élevé de policiers, juges et avocats venus s'oxygéner et avaler un sandwich. Mais, en cette soirée d'automne pluvieux, le parc était désert.

Alice ferma son parapluie et s'assit sur le banc juste à côté de son supérieur, qui terminait un cigare.

— Merci de m'avoir retrouvé ici, dit Brassac, je voulais prendre le frais.

— Ce n'est pas dans vos habitudes.

— J'ai mes raisons. Félicitations pour votre enquête. Nous touchons au but. Un travail remarquable.

— Merci, mais cette enquête n'est pas terminée : j'ai reçu de Lyon le rapport d'analyse de l'ordinateur de Fortaine. Tout est sur ma tablette. Jetez un œil. Ça vaut le détour.

Le divisionnaire prit la tablette comme s'il s'agissait d'un cactus, pendant qu'Alice commentait.

— Les techniciens ont épluché tous les dossiers de sa bécane. En vain. Excepté quelques vidéos porno assez romantiques : genre gang-bang de routiers dans une station-service... Bref, au moment où ils allaient laisser tomber, un des techniciens a passé au crible le contenu des fichiers Word et OpenOffice en utilisant un logiciel d'indexation chronologique.

— Pardon ?

— C'est un algorithme qui engloutit n'importe quel texte et ressort la chronologie des modifications successives en identifiant les ajouts incohérents avec le contenu général du texte. Un truc genre *Cherchez l'intrus*. Comme un numéro de téléphone au milieu d'un poème de Baudelaire. Et ils ont trouvé ! Une pépite d'or dans le limon ! Cachée, je vous le donne en mille, dans une planche maçonnique sur la symbolique de la pierre taillée. Eh oui, notre ami Fortaine était aussi franc-maçon...

— Et le nombre de carats de cette pépite ?

— Un compte dans le cloud et son mot de passe. Et là, on débarque sur l'île aux trésors. Fortaine a fait une copie de toutes les missions qu'il a effectuées pour la DGSE. Vous avez sous les yeux le résumé de neuf opérations homo[1] qu'il a conduites en France pour le compte des services. Croyez-moi, c'est plus explosif qu'une tonne de Semtex.

Brassac jeta son cigare et l'écrasa avec force sous son talon.

---

1. Exécutions de personnes.

— Vous savez que ces éliminations sont interdites sur le territoire national ?

— Oui, illégalité totale. Sans doute la raison pour laquelle les donneurs d'ordre font appel à Fortaine. Ni vu ni connu. Vous avez son tableau de chasse sous les yeux. Quatre islamistes morts dans des accidents de la route ou des rixes en banlieues parisienne et lilloise, deux trafiquants d'armes victimes de crise cardiaque et deux espions travaillant pour les Chinois, noyés dans une calanque de Marseille.

— Ces meurtres sont certes choquants, mais c'est une affaire de sécurité nationale. Cela ne concerne pas votre enquête ou je me trompe ?

— Continuez votre lecture et vous aurez la réponse. Le commanditaire du cambriolage et du meurtre au Grand Orient est un certain Sampère. Or Fortaine l'a rencontré via un officier de la DGSE que nous sommes en train d'identifier.

Brassac resta silencieux quelques secondes puis rendit la tablette à Alice.

— Vous n'en ferez rien. L'enquête désormais n'a plus qu'un but : Fortaine a agi avec une complice. Nous allons la retrouver.

— Mais...

— Il n'y a pas de mais. Vous me remettrez demain tous les éléments sans faire de copie. C'est un ordre strict. Je les transmettrai moi-même à la DGSE.

Alice se leva, rouge de colère.

— De quel droit ?

— Ça s'appelle la raison d'État. Et je vous conseille pour la suite de votre carrière d'oublier toute cette histoire.

— Vous n'avez aucune morale…

— Ce n'est pas si simple. Je quitte le Bastion dans deux mois, quand le titulaire en poste sera sur pied. Direction place Beauvau, pour prendre de nouvelles fonctions auprès du ministre. Il serait très mal vu que j'arrive sans avoir réglé ce dossier sensible. Je vais faire comme certains de mes prédécesseurs, jeter un voile pudique sur les arrière-cuisines pas très propres de la République.

Alice était anéantie. Elle avait entendu parler de barbouzeries étouffées, mais ça remontait à des décennies. Sous de Gaulle, Mitterrand… Brassac se leva.

— Alice… Entre nous, il n'y a pas non plus de quoi se réveiller la nuit, le cœur rongé par les remords. Fortaine a buté de vrais salopards pour le bien du pays et Bertils, le frère assassiné au Grand Orient, était un vrai corrompu. Comme vous me l'avez dit : même sa femme ne le regrette pas.

— Mais la justice…

— Vous ne savez pas qu'elle est aveugle ?

Il s'éloigna d'un pas lourd sans se retourner. Alice eut soudain l'envie irrésistible d'enfiler ses gants et visualisa son supérieur enfermé dans son sac de trappe.

Paris
Rue Cambacérès

Quand Antoine arriva dans le bureau du capitaine Thibaudeau, il fut surpris de le trouver seul. En règle générale, les interrogatoires se conduisaient en présence d'un duo d'inquisiteurs, histoire de maintenir la pression sur le suspect.

— Merci d'être venu, commandant Marcas. Asseyez-vous.

— Je n'avais pas le choix. Que puis-je pour vous ?

Thibaudeau ouvrit son ordinateur, puis le tourna vers Antoine.

— J'ai ici la déposition d'un certain André Figuier. Retraité de la police nationale, qui vous accuse d'avoir laissé filer l'agresseur d'un collègue. Ça vous dit quelque chose ?

— Ne vous fatiguez pas. Je suis au courant et je nie en bloc. C'est ma parole contre la sienne.

— C'est votre droit, commandant. L'analyse de la vidéo qu'il a tournée avec son portable depuis son balcon nous sera communiquée bientôt. Vous avez conscience que si elle corrobore ses accusations la sanction peut être lourde ? Vous risquez la radiation de la police.

— C'est tout ce que vous aviez à me dire ?

— Rien d'autre pour le moment. Vous êtes libre. Mais sachez que je ne vous crois pas.

Thibaudeau laissa Antoine se lever.

— Je ne vous comprends pas, Marcas. Vous avez d'excellents états de service. Pourquoi avoir laissé s'échapper ce black bloc ? Il vous a fait pitié ? Vous le connaissiez ? Je peux comprendre vos raisons si vous me les exposez en toute franchise. Ça pourra même atténuer les conclusions de mon rapport.

— Bien tenté le coup du flic sympa, mais je n'ai rien d'autre à ajouter. Vos questions sans réponse sont comme des graines infertiles : elles ne donneront aucune moisson.

Au moment où Marcas poussait la porte du bureau, la voix du capitaine de l'IGPN résonna derrière lui.

— Bonne nuit, commandant. Je ne suis pas paysan, mais policier. Je ne moissonne pas, je vise et je tire. Toujours au but.

Marcas claqua la porte et traversa le long couloir du service, les épaules rentrées, le regard dur. Il avait juste gagné du temps. Une journée tout au plus. À quoi tenait son destin ? À une vidéo de quelques minutes. À des images stockées sous forme de paquets d'octets. Il y avait sûrement quelque chose de symbolique, sur le plan maçonnique, à gratter, mais il n'était pas en état.

Il salua le planton devant l'entrée et avala une bonne bouffée d'air frais et humide. Il était complètement démuni. Lui qui s'était posé la question de quitter la police, voilà qu'il était mis au pied du mur. Mais se faire virer à grands coups de pied aux fesses. Non.

Écœuré, il ne voulait même pas appeler le frère obèse pour lui demander son aide. À l'évidence ça n'avait pas marché. Et puis il ne digérait toujours pas son attitude sur l'enquête à propos de Fortaine : un enterrement en formule VIP. Comment avait réagi Alice quand son supérieur lui avait fait le même numéro ? Vu son heureux caractère, elle avait dû ruer dans les brancards.

Soudain, une idée folle germa dans sa tête. Machinalement, il chercha son portable, puis se rappela qu'il l'avait laissé chez sa concierge.

Une pluie lourde se déversait copieusement dans la rue. Il héla un taxi et s'y engouffra.

— Où va-t-on, monsieur ?

— Nulle part, je peux vous emprunter votre portable ? Je dois passer un coup de fil urgent.

— Et puis quoi encore ? Je ne suis pas loueur de téléphones. Soit on part, soit vous sortez de mon taxi.

Marcas brandit sa carte d'un geste las.

— Police. Je repose ma question gentiment. Et ce sera la dernière fois. Je peux utiliser votre portable ?

Le chauffeur lui tendit son smartphone taille XXL. Marcas ne se souvenait pas du numéro d'Alice, mais composa celui du standard interne de la police nationale.

— Bonjour, commandant Antoine Marcas, code 45B. Je voudrais être mis en contact avec Alice Grier de la brigade criminelle.

Le standard interne de la police fonctionnait jour et nuit. En moins d'une minute, il fut mis en relation. Il pria le Grand Architecte de l'Univers pour qu'elle décroche. Il reconnut sa voix familière.

— Antoine ! Où êtes-vous ?

Elle avait prononcé son prénom. Il apprécia.

— Je viens de rentrer à Paris.

— Pourquoi avoir cessé brutalement de me donner des nouvelles ?

— Je vous expliquerai. Ce serait jouable de se voir rapidement ? Je crois que nous avons chacun des pièces complémentaires du même puzzle.

— Jetez la boîte à la poubelle. L'enquête va être clôturée. Fortaine a été identifié. Il est mort. Procédure terminée.

Marcas frappa la portière avec son poing. Il devait la convaincre.

— Je le sais ! C'est moi qui l'ai tué à Moscou. Mais j'ai trouvé quelque chose... Je suis persuadé qu'il bossait pour un commanditaire, sans doute haut placé.

— Je n'en doute pas. C'est vous le franc-maçon expert en piston et en relations en tout genre.

— Arrêtez vos conneries ! On m'a mis sur la touche !

Il y a eu des pressions et ça me reste en travers de la gorge. Pas vous ?

Il s'écoula quelques secondes qui semblèrent une éternité, puis la voix d'Alice résonna dans le combiné.

— Venez chez moi. Je vous envoie l'adresse.

— Prévoyez des litres de café : je rapporte un souvenir de Moscou.

53

France
16 juin 1940
Quelque part dans le ciel

Le De Havilland Flamingo piqua une deuxième fois du nez. L'avion tremblait de toute son armure de tôle et de boulons.

— Accrochez-vous, ça va encore tanguer, cria le capitaine qui essayait d'échapper aux rafales du Messerschmitt Bf 111, qui les harcelait depuis un quart d'heure.

Les moteurs Pegasus Perseus hurlèrent dans la nuit. À l'intérieur, les deux passagers observaient par les hublots le chasseur allemand qui tournoyait comme un prédateur autour du gros avion anglais. C'était un appareil de la Royal Air Force, mais deux des hommes assis à l'intérieur étaient revêtus de l'uniforme militaire français.

— Il faudrait mettre votre ceinture, mon général, demanda le plus jeune qui portait des insignes de capitaine.

— Je me fous de votre ceinture. Où sommes-nous ? répliqua l'officier supérieur qui avait du mal à installer sa grande carcasse dans le siège inconfortable.

— Nous étions au-dessus des Charentes, mais je ne vois plus l'océan Atlantique. L'avion ne continue plus en ligne droite vers Bordeaux. Le pilote a dû obliquer vers le sud-ouest. Je pense qu'il veut échapper aux Allemands qui ont lancé une offensive aérienne vers la Gironde. Ils sont partout, c'est comme si la Luftwaffe occupait tout le ciel de France.

— Ce n'est pas faute d'avoir alerté nos gouvernants, maugréa le général. Exactement comme pour les chars. Si on m'avait écouté à l'état-major, nous n'en serions pas là. De toute façon, c'est trop tard. Tout est foutu.

Le sous-secrétaire d'État à la Défense nationale et à la guerre, Charles de Gaulle, ne décolérait pas depuis le décollage de l'aérodrome de Plymouth. Le matin même, il avait obtenu, à Londres, l'aval de Churchill pour un accord historique, la fusion de la France et de l'Angleterre pour poursuivre le combat contre l'Allemagne[1]. Même si les nazis avaient culbuté l'armée française, chassé les Anglais de Dunkerque et occupaient Paris depuis deux jours, un sursaut était encore possible. Il restait des troupes intactes et toute la flotte était encore opérationnelle. Le président du Conseil, Paul Reynaud, s'était replié sur Bordeaux avec son gouvernement et il l'avait missionné pour obtenir l'aide de Churchill.

---

1. Authentique.

Et tout avait basculé. Dans la folie.

Une heure avant son décollage pour rentrer à Bordeaux, Reynaud l'avait rappelé en urgence pour lui signifier que son gouvernement avait changé d'avis à 180 degrés. Dès le lendemain, le président du Conseil allait démissionner pour confier les pleins pouvoirs au maréchal Pétain afin de négocier un armistice avec Hitler.

La France était vaincue.

De Gaulle, tout juste nommé général, avait passé tout le voyage prostré sur son siège. Ivre de colère et de honte. Il avait quitté son pays en guerre, il allait le retrouver à genoux. Et quant à lui, il ne se faisait aucune illusion sur son avenir. Il avait fait partie des jusqu'au-boutistes de la guerre totale, il ne serait pas le bienvenu chez le maréchal. Le général n'avait aucun réseau et ses rares appuis seraient limogés eux aussi. Il n'était pas grand-chose avant, il n'était désormais plus personne.

La providence l'avait cocufié pour se donner à Pétain. Voilà tout.

Au fur et à mesure que le Flamingo survolait sa France martyrisée, la rage s'était muée en abattement profond.

— Que comptez-vous faire, mon général, quand nous serons à Bordeaux ?

— Mon cher Lenief, je présenterai ma démission pour rejoindre ma femme et mes enfants. À quoi peut servir un général de cinquante ans dans une armée vaincue ? À rien. Je vais peut-être me reconvertir dans l'agriculture. Je…

Des sifflements assourdissants l'interrompirent. Une

volée de balles avait traversé de part en part le flanc métallique du bimoteur.

— Couchez-vous ! lança le pilote.

Les secondes s'écoulèrent avec cruauté, le Flamingo oscillait comme un oiseau qui avait perdu sa boussole magnétique. De Gaulle, qui n'était pas attaché, percuta la carlingue sur le côté et tenta de boucler sa ceinture. Les deux passagers scrutaient le ciel avec appréhension, s'attendant à tout moment à être mitraillés définitivement.

Puis, tout doucement, l'avion se redressa et revint à l'horizontale. Des pointillés de lumière zébraient l'intérieur du fuselage.

— On dirait que le Boche abandonne sa chasse, commenta le capitaine français, le nez collé au hublot. On est sains et saufs.

— Ne criez pas victoire, répliqua le général avec une grimace de douleur. Je crois que je me suis luxé l'épaule. J'aurais dû vous écouter et mettre ma ceinture.

L'aide de camp se leva de son siège d'un bond, s'assit à côté de son supérieur et appuya sur l'omoplate. De Gaulle poussa un grondement de réprobation.

— Laissez tomber, Lenief, vous n'êtes pas médecin. J'irai en voir un quand nous atterrirons.

Une fumée épaisse s'éleva soudain du moteur accroché à l'aile droite. Le copilote passa une tête hors du cockpit.

— Nous allons faire un atterrissage d'urgence. Le moteur a été touché par ce salopard de nazi. On est au-dessus de la Dordogne, il y a un aérodrome dans le coin. Priez qui vous voulez, notre Flamingo va en avoir besoin.

La Traction Avant filait sur la départementale, qui avait connu des jours meilleurs. Le soleil n'en finissait pas de tomber, les derniers rayons teintaient d'or les parois rocheuses qui couraient le long de la route.

— Rassurez-vous général, votre aterrissage périlleux ne sera bientôt plus qu'un mauvais souvenir, nous arriverons à Castelrouge dans quelques minutes, dit le chauffeur, un homme au visage marqué au racloir des travaux des champs. Pour sûr, c'est la plus belle bicoque du coin.

— Tant mieux, cette foutue épaule demande elle aussi l'armistice.

— Vous avez de la chance que le docteur Turenne soit dans son château. Il est arrivé de Paris il y a deux semaines avec sa famille. On l'a prévenu de votre arrivée.

La Citroën longea la Dordogne, qui s'écoulait paresseusement comme tous les étés, puis grimpa sur une colline qui surplombait le fleuve. De Gaulle apercevait au loin les lumières de l'aérodrome de Domme. Il était le seul passager de la voiture, son aide de camp était resté avec les pilotes pour leur donner un coup de main. Avec un peu de chance, le moteur pourrait être réparé pour le lendemain, ou même pour le milieu de la nuit. Quant à lui, il serrait les dents à chaque virage. La douleur était lancinante. Heureusement que le gardien de l'aérodrome s'était souvenu de la présence de Paul Turenne dans son château.

Ils traversèrent un village assoupi pour bifurquer en

direction d'un château de belle allure, perché sur une colline en surplomb de la Dordogne.

— Quelle belle demeure, remarqua de Gaulle. Dans mon infortune, j'ai plutôt de la chance.

— Ça m'étonnerait. Elle porte malheur. La fille Taillefeu qui gardait les enfants Turenne s'est jetée par la fenêtre de la tour la semaine dernière, répondit le chauffeur, le visage chiffonné.

La Citroën s'engagea dans une allée arborée qui menait directement à l'entrée du château. Un homme de haute stature attendait sur le perron. La voiture s'arrêta. Paul Turenne ouvrit la portière de la voiture et aida de Gaulle à descendre.

— Mon général, c'est un honneur de recevoir un membre du gouvernement à Castelrouge. Je vous emmène dans mon cabinet pour examiner cette épaule. Et ensuite nous dînerons. J'ai fait préparer une chambre à votre intention.

— Merci, et pour l'honneur on repassera, répliqua de Gaulle d'une voix sèche. Ce gouvernement n'est qu'un ramassis de pleutres. J'espère que vous serez meilleur médecin qu'eux serviteurs de la France.

Paul Turenne jaugea le militaire à l'allure dégingandée qu'il avait devant lui. Son ton cassant et sa mine hautaine ne laissaient pas présager un dîner des plus agréables. Il mit ça sur le compte de la douleur.

Il se serait bien passé d'inviter ce type chez lui. Il était aussi d'une humeur massacrante. La mort tragique d'Isabelle avait totalement perturbé sa famille. Anne et les enfants étaient partis chez des cousins à Sarlat pour tenter de se remettre. Avant de le quitter, son épouse lui avait lancé une phrase énigmatique : « Une Taillefeu a sauvé une Turenne. La malédiction est rompue. Un nouvel esprit a remplacé l'autre. Il sera plus bienveillant. »

Ça l'avait mis hors de lui. Le soir de la tragédie, il n'avait vu aucun fantôme. Isabelle Taillefeu, cette pauvre fille, avait dû avoir une crise de folie. Dieu merci, elle n'avait pas entraîné Emma dans sa chute. Il avait fait jurer à Anne de ne jamais reparler de ce drame avec les enfants.

Le chirurgien venait de remettre en place l'épaule du général et d'injecter une bonne dose de morphine pour apaiser la douleur. Désormais, de Gaulle était assis dans la vénérable salle à manger et entamait un succulent poulet, préparé par la cuisinière. Après avoir remercié le chirurgien pour ses soins, le général lui conta le retournement de situation du gouvernement Reynaud et révéla sa volonté de mandater Pétain pour signer un armistice avec les Allemands au plus tôt.

— Je suis désolé de ne pas être un convive plus agréable, ajouta-t-il. Mais vous en comprenez la raison.

— Moi aussi, rassurez-vous. Mais pour d'autres raisons.

— Il y a eu un suicide ici, m'a-t-on dit.

— En quelque sorte, répondit Paul. Une brave fille un peu perturbée. Mais pour revenir à la France. Quelle tristesse ! Tout patriote aura le cœur meurtri à l'annonce de cette décision. Mais je suis content que ce soit le maréchal Pétain qui reprenne les rênes. Il faudra toute la force morale du glorieux vainqueur de Verdun pour mettre un genou à terre devant Hitler afin d'épargner de nouvelles vies.

De Gaulle leva la main d'un geste agacé. Ses yeux brillaient de colère.

— Ah, ça suffit avec le glorieux maréchal! Vous êtes comme tous les Français, en pâmoison devant ce vieillard retors. Je l'ai bien connu en d'autres temps. Vous verrez qu'il nous conduira au déshonneur.

Le chirurgien battit en retraite, mais n'en pensait pas moins. Qui était cet obscur général, même pas ministre, pour critiquer le plus illustre des Français?

— Je m'échauffe, excusez-moi, ajouta de Gaulle en voyant la mine surprise de son interlocuteur. Parlons un peu de ce château. Le chauffeur m'a laissé entendre que son histoire fut mouvementée.

— Je ne vais pas abuser, vous devez être fatigué, répondit le chirurgien, le visage fermé. Mais oui, il s'est déroulé des événements bien étranges au cours des derniers siècles.

— J'adore l'histoire de France. Un pays sans passé est un pays sans avenir. Je vous écoute.

Le chirurgien se versa un verre d'armagnac et conta l'histoire sanglante de Castelrouge et la légende de la dame blanche. Il se garda bien de narrer la séance de spiritisme. De Gaulle écoutait avec un intérêt marqué.

— Voilà la terrible histoire de ce château, conclut Paul. Je me doute qu'en tant que militaire, vous ne prendrez pas au sérieux ce récit quelque peu fantastique.

Le général secoua la tête et plongea son regard dans le grand miroir ouvragé qui trônait sur l'un des murs de la salle à manger. Ses yeux avaient changé d'expression, comme s'il discernait quelque chose. Le chirurgien se retourna pour voir s'il n'y avait personne derrière lui.

— Ne croyez pas cela, répondit de Gaulle d'une voix

lente. Votre légende m'en rappelle une autre. Voyez-vous, j'ai forgé mon destin à cause d'un château hanté.

54

Paris
11e arrondissement

Antoine et Alice étaient assis sur le sofa gris perle qui mangeait la moitié du salon. Elle avait débouché une bouteille de Bandol frais. Son truc à elle pour prolonger l'été à Paris quand l'automne prenait ses quartiers. Un sac de chips et une pizza décongelée en express complétaient la table. La jeune femme servit un verre à Antoine pendant qu'il l'observait du coin de l'œil. Elle portait un pull blanc, près du corps, et s'était mis un peu de rouge discret sur les lèvres. Ses cheveux ramenés en arrière dégageaient sa nuque fine. Il la trouvait vraiment séduisante, mais n'en laissa rien paraître.

Alice reposa la bouteille sur la table.

— Je suis désolée, mais en ce moment je n'ai pas le temps de faire les courses. Heureusement que super Nanny a fait dîner les enfants avant de partir.

— Super Nanny ?

— La baby-sitter trouvée par mon patron pour la durée des investigations. Pour vous la faire courte, j'étais en congé quand il m'a demandé de m'occuper de l'affaire du Grand Orient. Maintenant que l'enquête est clôturée, ça m'ennuie de la perdre. Je ne sais pas ce qu'elle leur fait, mais Roxanne et Grégoire lui obéissent au doigt et à l'œil. J'en suis presque jalouse.

Antoine intercepta le regard étonné d'une petite fille dans l'encadrement de la porte, mais elle disparut en un éclair.

— Roxanne n'a pas l'habitude de voir un homme à la maison à cette heure tardive. Vous l'intriguez depuis votre arrivée. Elle voulait même connaître votre nom.

— C'est si adorable à cet âge. Profitez-en, on ne retrouve plus ces moments. L'innocence disparaît plus vite qu'on ne le croit.

— Vous avez des enfants ?

— Oui. Un fils, Pierre, vingt-quatre ans. Ce que nous avons réussi de meilleur avec mon ex-femme, mais il me complique la vie en ce moment.

Roxanne était réapparue comme par enchantement et s'approcha de lui. Elle tenait à la main un malabar à la fraise. La petite fille tendit le chewing-gum à Antoine, dans un franc sourire.

— C'est pour toi, monsieur Carmas.

— Il s'appelle Marcas…

— Merci, petite princesse, répondit Antoine, désarçonné par tant de gentillesse.

— Il est magique, tu sais. Quand tu souffles dedans, ça fait une grosse bulle. Ma maman m'a dit que c'était parce qu'ils sont fabriqués par des fées bulles. Tu crois aux fées, toi aussi ?

— Oui, bien sûr, mentit-il. Et aussi aux sorcières et aux dragons.

— Va te coucher maintenant, ma puce, ordonna sa mère d'une voix douce. Nous devons travailler.

— D'accord, répondit la petite en serrant sa mère dans ses bras. Bonsoir, monsieur Carmas.

Antoine lui renvoya son plus chaleureux sourire.

— Fais de beaux rêves, petite princesse Bulle.

Elle jeta un dernier regard à Antoine et s'éclipsa.

— Roxanne vous aime bien, dit Alice. C'est rare qu'elle offre ses malabars à un inconnu.

— Elle a deviné que j'étais un magicien moi aussi. Ne suis-je pas franc-maçon ? Tout le monde sait que nous pratiquons d'étranges rituels.

Alice esquissa un sourire. Si en plus ce type avait de l'humour, il devenait dangereux. Elle avait failli lui avouer qu'elle s'était fait du souci quand elle n'avait plus eu de ses nouvelles, mais elle s'était abstenue.

Antoine, lui, dissimulait son trouble. Depuis combien de temps n'avait-il pas connu ces petites joies familiales ? Une éternité. Des années à vivre seul, sans femme ni enfants, sans quelqu'un pour l'attendre le soir à la maison.

Avec son foutu cadeau, cette gamine lui avait un peu écorché le cœur. Lui, le célibataire endurci, se sentait comme un crétin en contemplant le malabar rose dans la paume de sa main. Comme si ce bonbon insignifiant possédait les vertus du Graal.

Il contempla le salon et sentit une sérénité l'envahir. Pour la première fois depuis longtemps, il se sentit bien.

— Un malabar magique..., murmura-t-il en se servant un autre verre. On devrait tous croire au merveilleux. Si l'on pouvait seulement conserver en nous cette petite lumière dans le cerveau, le monde irait beaucoup mieux.

— Oui... Donnez-moi quelques minutes, je vais coucher la petite, répondit Alice en se dirigeant vers le couloir.

— Remerciez-la encore pour son cadeau. Dites-lui qu'il y a longtemps que je n'en ai pas reçu d'aussi beau.

La voix d'Antoine résonna dans le couloir. Alice était troublée. Elle avait perdu l'habitude d'entendre un homme chez elle. Pas désagréable, en fait. Au bout de quelques minutes, après un coup d'œil furtif dans le miroir du couloir, elle revint dans le salon et brancha la radio. Un solo de saxo de Paul Desmond envahit doucement la pièce. Elle s'assit et sirota son rosé en lui jetant des regards en coin. Marcas était debout devant la fenêtre et contemplait les toits luisants des immeubles de l'autre côté du boulevard. La pluie avait redoublé de méchanceté.

— Je suis admiratif, Alice, dit-il sans se retourner. Ça ne doit pas être évident de concilier votre métier de flic et cette vie de maman surbookée. Ça fait longtemps que vous avez divorcé ?

— Pas suffisamment...

Il y avait quelque chose de touchant chez cet homme. Plus elle le regardait, plus elle le trouvait craquant.

Ça suffit.

Elle reposa brutalement le verre sur la table.

C'est pas le moment.

Il était venu pour résoudre une affaire criminelle, pas pour la séduire.

— Expliquez-moi ce qu'il s'est passé à Moscou.

Antoine raconta son périple russe. Quand il eut terminé, elle parla à son tour de ses investigations sur l'ordinateur de Fortaine, de son agression et du dernier entretien avec son supérieur.

— La DGSE…, lança Marcas. Voilà qui explique la volte-face d'Haudecourt. Le gouvernement sous-traite à des officines privées l'élimination d'ennemis sur notre territoire… À quelques mois des élections, ça peut faire sauter le président.

— Ça vous choque vous aussi !

— Oui et non. D'un point de vue légal, on est d'accord, c'est inacceptable. La loi est la loi. Et sur un plan politique, c'est gravissime. Mais d'un autre côté je ne vais pas pleurer sur l'élimination de poseurs de bombes et de vendeurs d'armes pourris. Du coup, j'en viendrais presque à trouver Alex Fortaine sympathique.

— On n'a pas les mêmes valeurs. Personne n'a le droit de faire la justice lui-même. Encore moins le gouvernement, qui se doit de donner l'exemple.

— Je suis un peu schizo, je l'admets. Vous comptez rendre les dossiers à votre hiérarchie ?

— Oui, mais j'ai effectué une copie. Une sorte de police d'assurance. Et si vous me montriez ce que vous avez trouvé à Moscou ?

Tout en bas, sur le boulevard Richard-Lenoir, une Toyota noire était stationnée à un pâté d'immeubles de celui d'Alice. Un passant un peu curieux aurait remarqué que le conducteur, en l'occurrence une femme, n'avait pas quitté le véhicule depuis son arrivée. Mais, à cette heure déjà avancée de la soirée, sous une pluie battante, personne ne se souciait de ce qui se passait à l'intérieur des voitures.

Violaine modula le son de ses écouteurs. À l'évidence, la fille avait bien fait une copie des dossiers d'Alex. Quelle crétine, incapable de comprendre l'intérêt supérieur de la nation. Un ennemi reste un ennemi : qu'il soit né ici ou ailleurs. L'hypocrisie de cette imbécile de bobo la mettait hors d'elle : il fallait bien que quelqu'un se salisse les mains pour que des gens comme eux, bardés de principes dépassés, vivent en paix. Elle frappa du poing le tableau de bord. Ils devraient élever une statue funéraire à Alex au lieu de salir sa mémoire ! Quant à ce maudit Marcas qui l'avait éliminé, elle saurait s'en souvenir le moment venu.

Agacée, elle prit le paquet de cigarettes mentholées de contrebande dans la boîte à gants et s'en alluma une avec délice. Une bouffée blanche se répandit dans l'habitacle, elle ouvrait la vitre pour aérer. Violaine réfléchissait dans l'obscurité. Quand elle avait appelé Sampère pour lui rapporter son combat avec la fliquette, il avait réagi immédiatement. Deux heures plus tard, il avait obtenu son nom, son poste à la brigade criminelle et son adresse personnelle. Plutôt que de la filer et risquer d'être reconnue, Violaine avait eu l'idée de *sonoriser* son appartement. Des micros miniatures étaient logés dans des endroits aussi imprévus que la poignée du frigidaire et le bouton du radiateur du salon. Leur rendu était excellent.

Et maintenant elle venait d'apprendre que Marcas avait rapporté le précieux manuscrit de Moscou. Elle sourit, comme si elle tenait sa proie au bout du viseur. Terminé les *princesse Bulle* et toutes ces niaiseries

sur la vie de famille. On arrivait enfin aux choses
sérieuses.

Antoine sortit la feuille codée et la posa sur la table.
— Voilà le fameux cinquième rituel.
— Toute cette énergie dépensée pour un vieux bout
de papier, glissa Alice d'un air perplexe. J'ai encore du
mal à le croire. Tuer pour si peu… Si encore ça valait
quelque chose, comme le manuscrit d'un écrivain
célèbre… Mais vous me dites que, comme les premières
pages qui sont au Grand Orient, c'est une sorte de texte
mystico-maçonnique ?
— En quelque sorte.
— Je vois mal feu le capitaine Alex Fortaine, ex-
gros bras des paras, se faire carboniser le cerveau pour
un parchemin, tout franc-maçon qu'il était. Et puis je
ne comprends pas un traître mot des symboles fumeux
que je vois sur cette feuille. Vous êtes capable de les
déchiffrer ?
— Disons que j'ai une certaine expérience dans
ce domaine. Ces symboles appartiennent à l'alphabet maçonnique Pigpen, un code utilisé depuis le
XVIIIe siècle par les francs-maçons pour faire passer des
messages. Chaque symbole correspond à une lettre de
notre alphabet.
— J'avoue, je suis bluffée. Vous voulez un calepin
avec un stylo pour retranscrire la traduction ?
— Je préfère un ordinateur portable si vous en avez
un. Ça ira plus vite.
— Je ne comprends pas.
— J'aimerais vous en mettre plein la vue, sourit-il,
mais déchiffrer ce message est à la portée de n'importe

qui. Il suffit d'aller sur Internet, choisir un moteur de traduction de codes et on obtient le message. C'est le b.a.-ba pour le premier apprenti maçon venu. On le trouve même dans des jeux vidéo et des escape games.

Elle ouvrit un tiroir de la table basse et en sortit un portable anthracite qu'elle posa à côté du feuillet. Antoine pianota aussitôt sur le clavier.

— Voilà le site. Il n'y a plus qu'à transcrire les phrases codées dans leur totalité. Ça ne devrait pas être trop long. Le tout est de ne pas se tromper de symbole.

— Avec cette histoire de code secret, j'ai l'impression d'être dans un film. Ça vous arrive souvent de jouer les Indiana Jones ?

— Si je vous racontais certaines de mes enquêtes hors des sentiers battus, vous me prendriez pour un fou doublé d'un mythomane.

Alice lui posa la main sur l'épaule.

— Je ne pense pas, non…

Antoine sourit, pour ne pas rougir.

— Laissez-moi me concentrer.

Dordogne
Château de Castelrouge
16 juin 1940

La pendule murale à balancier tinta onze fois. Le général de Gaulle s'alluma une cigarette et posa son coude sur la table en regardant Paul.

— En 1907, mes parents m'ont envoyé suivre mes études chez les jésuites, au château d'Antoing, en Belgique. J'avais quinze ans à l'époque et, comme tous les garçons de mon âge, je rêvais de batailles, de chevaliers en armure... L'endroit s'y prêtait : de style néogothique, il avait toutes les apparences d'un château de conte de fées. La rumeur courait qu'un fantôme hantait les lieux. Un baron du Moyen Âge, seigneur des lieux, mort assassiné et qui apparaissait dans une chambre. Plus exactement, dans un miroir. Personne ne voulait y dormir sauf moi. J'ai réussi à convaincre le père supérieur de me laisser y passer la nuit.

— Et alors ?

— Vers une heure du matin, alors que je commençais à m'endormir, j'ai vu une ombre apparaître dans le miroir. L'ombre d'un homme avec une épée. J'ai perdu connaissance, mais j'ai fait un rêve étrange cette nuit-là. Je me voyais devenir général et sauver la France d'un grand péril.

— Vraiment ?

— Ce songe était si fort, si puissant, que j'y voyais un signe du destin. Le lendemain, je me suis lancé dans l'écriture d'un récit dans lequel je m'imaginais réellement conduire cette mission salvatrice[1]. C'est pour cette raison que j'ai choisi le métier des armes. Ne me demandez pas si le fantôme existait ou pas, mais une chose est sûre, j'ai compris que j'avais un destin hors du commun.

Il martyrisa rageusement sa cigarette dans le cendrier et reprit d'une voix acerbe :

— Quelle illusion ! Quelle plaisanterie amère ! J'arrive au demi-siècle alors que la France est vaincue et moi je ne suis plus rien... Je me voyais en César, je ne suis que Pompée[2]. Je n'ai désormais qu'une hâte, rejoindre ma femme et mes enfants et replonger dans l'oubli.

Paul scrutait ce curieux général tombé du ciel. Froid, arrogant, survolté puis abattu. À l'évidence ce de Gaulle sortait du lot des officiers supérieurs qu'il avait croisés

---

1. Authentique. De Gaulle en parle dans ses *Mémoires*.
2. Adversaire politique que vainquit César.

dans sa vie. Il se demanda aussi si le militaire ne faisait pas une réaction à la morphine. L'analgésique puissant provoquait chez certains des troubles de l'humeur et du comportement.

— Notre pays aura besoin plus que jamais d'hommes de valeur, tempéra le médecin. Peut-être que votre séjour à Castelrouge va vous faire changer d'avis et que la dame blanche vous parlera cette nuit.

Le général se raidit. Il écrasa définitivement sa cigarette dans le cendrier, déplia sa longue carcasse et se leva brusquement.

— Docteur… Je ne suis pas Jeanne d'Arc, je n'ai pas l'habitude d'entendre des voix, dit-il d'une voix cassante. J'aimerais me reposer avant mon départ.

— Pardon, je ne voulais pas vous offenser, s'excusa le chirurgien. Je vous accompagne à votre chambre.

Les deux hommes montèrent l'escalier en silence.

— Bonne nuit, mon général, je vous préviendrai quand l'aérodrome appellera.

— À vous aussi. Et merci de tenir votre langue sur ce que je vous ai raconté.

Il lui claqua la porte au nez. Et la verrouilla.

Et en plus il est susceptible, songea Paul qui s'éloigna dans le couloir, pas mécontent de quitter ce personnage exalté.

Une onde de chaleur étouffante réveilla le général. Il était en nage, sa gorge sèche le tiraillait, comme après une longue marche en plein été. Il cligna des yeux pour s'accoutumer à l'obscurité. Tout était sombre autour de lui, les volets fermés laissaient filtrer trois rayons de lune qui hachuraient le sol.

Un signal d'alarme se déclencha dans sa tête.

Il n'était pas seul. Il sentait une présence dans la chambre.

Instinctivement, il chercha son ceinturon avec le pistolet de service, mais se souvint qu'il l'avait posé sur un fauteuil à l'entrée.

Le rituel… Il est ton salut.

De Gaulle se figea. Il avait entendu distinctement une voix de femme. Une voix étrange, comme dans un écho. Il se redressa dans son lit.

Et il la vit.

Une jeune femme brune se tenait au pied de son lit, avec une tresse enroulée autour de son cou. Ses yeux étaient couleur or.

Une folle, la femme du chirurgien ou l'une de ses filles, songea-t-il, les yeux écarquillés.

— Qui… Qui êtes-vous ?

La jeune femme baissa la tête sur le côté, comme pour le jauger.

Suis-moi et tu connaîtras le secret.

De Gaulle s'épongea le front avec la pointe du drap. À la fois fasciné et angoissé.

Il se sentit redevenir l'adolescent qu'il était au château d'Antoing, fasciné et terrorisé par l'apparition du spectre. Cette fois encore, c'était comme dans un rêve. Elle lui tourna le dos et sortit lentement par la porte grande ouverte.

Te ferais-je peur, guerrier au nom prédestiné ?

Piqué au vif, de Gaulle se leva. Quand il arriva dans le couloir, elle était déjà au niveau de l'escalier. Sa silhouette se découpait dans la pénombre. Il avait conscience de l'absurdité de la situation, mais une force surnaturelle le

470

poussait à la suivre. Il se vit descendre un autre escalier, plus ancien. Les pierres suintaient d'humidité et de salpêtre. Ils arrivèrent dans une sorte de cave voûtée, faiblement éclairée. La femme à la tresse était plaquée, dos au mur. À ses côtés, il y avait un homme vêtu d'un curieux habit noir. De ceux que l'on portait au XVIIIe siècle. Son visage tendu et émacié luisait presque dans l'obscurité.

Tu es l'élu... Le rituel... Lis le rituel... Le destin t'a choisi...

De Gaulle était comme hypnotisé. Il crut voir la silhouette d'un moine, juste à côté de la jeune femme.

Alors qu'il avançait vers eux, leurs contours devinrent flous, comme s'ils se fondaient dans la pierre.

Il s'approcha. Un curieux petit tube était posé sur le rebord d'un muret.

Nous, les Taillefeu, avons terminé notre mission.

Il les vit disparaître dans le néant.

De Gaulle prit l'étrange objet et l'examina sous toutes les coutures. À l'intérieur, on pouvait distinguer un rouleau. Intrigué, il ouvrit le tube et déroula une sorte de parchemin.

Le cinquième rituel
Ou la clé de la porte
des merveilles

Un texte suivait en dessous et courait sur toute la page ainsi qu'au verso. De Gaulle entama sa lecture.

Nous, frères de la loge Athanor, avons découvert le cinquième élément fondamental. Il est le cinquième rituel.

Il est la clé qui ouvre la porte des merveilles.

Le général marqua une pause. Le mot *loge* faisait référence aux francs-maçons, il en avait rencontré. Pas assez pour être intrigué. Suffisamment pour s'en méfier. Que venaient faire les frères dans cette histoire? Il continua.

Que celui qui découvre ce texte entende cet avertissement.
Ne lis pas le rituel si tu n'es pas pur.
Ne lis pas le rituel si tu ne connais pas l'humilité.
Ne lis pas le rituel si tu n'as pas l'âge mûr.
Mais si tu t'obstines dans ta folie,
Le rituel t'ouvrira la porte des merveilles,
Il purifiera ton esprit et donnera la plus grande des forces,
À moins qu'il ne t'ôte pire que la vie.

Un frisson glacé parcourut de Gaulle. N'était-il pas sur le point de commettre une folie en continuant sa lecture? N'était-ce pas un piège tendu par ces spectres? N'était-ce pas un tour de son imagination?

Sa tête tournait. Il rêvait. Aucune autre explication n'était possible.

Il n'avait rien à perdre. Puisqu'il avait déjà tout perdu. Comme la France.

Il replongea son regard dans le parchemin et poursuivit la lecture.

Voici le secret du cinquième rituel... Contemple ce qui va suivre...

Au fur et à mesure de sa lecture, le général blêmit. Son cœur se mit à accélérer si fort qu'il le sentait cogner.

Et quand il eut terminé, il s'évanouit.

Quatre heures plus tard. À l'aube.

Quand le général reprit conscience, tout était noir autour de lui. Une senteur atroce lui vrilla les narines. Il voulut l'expulser, mais une main serrait sa nuque et l'autre tenait une ampoule brisée. Il toussa avec force.

— À la bonne heure, mon général. Ravi de vous revoir parmi les vivants.

Lentement, très lentement, de Gaulle ouvrit les yeux. Il était hagard. Paul l'aida à se redresser.

— Que vous est-il arrivé ?

— J'ai fait un rêve incroyable. Je suivais une femme étrange dans une grotte. Elle était apparue dans ma chambre.

Le chirurgien blêmit. Ça n'allait pas recommencer avec ces absurdités. Même ce général !

— Une sorcière décharnée, livide, malfaisante ?

— Non, pas du tout, une jeune femme bienveillante. Et ensuite un homme jeune et brun qui portait des vêtements plus anciens. Et ce n'est pas tout : j'ai aussi lu un ancien parchemin, le cinquième rituel. Et une voix m'a parlé. Elle m'a dit que j'avais une mission. Sauver la France. Vous comprenez. J'ai vu des choses incroyables. J'étais comme un enfant devant tant de splendeur !

Paul était stupéfait.

— Mais qu'y avait-il d'aussi extraordinaire dans ce cinquième rituel ?

Le général saisit le chirurgien par les épaules.

— Du diable si je m'en souviens ! Des symboles étranges, des incantations… Peu importe, j'ai eu la révélation. La France va se relever et vaincre l'Allemagne. Et le vieux Pétain rendra des comptes à la Nation. Ça prendra des années, mais le chemin est tracé. Vous m'entendez ! On va les vaincre !

De Gaulle basculait à nouveau dans l'exaltation, un sourire de triomphe sur le visage.

— C'est comme si j'avais rajeuni d'un coup ! Je me sens plus fort. Prêt à réaliser l'impossible !

Le chirurgien se contorsionnait de gêne, il en était certain désormais, il avait abusé avec la dose de morphine. Des cas d'hallucinations avaient été rapportés par plusieurs collègues médecins.

— Remontons, mon général, j'ai reçu un appel, votre avion est prêt à décoller pour Bordeaux.

De Gaulle continuait à lui serrer les épaules.

— Bordeaux ! Non. Ce n'est qu'une étape. Je sais quelle est ma véritable destination. Une grande cité d'où va renaître l'honneur de la France libre. D'où jaillira la reconquête. Et la victoire.

— Où ? demanda le chirurgien, effaré par ces propos de plus en plus incohérents.

— Londres ! Je me suis vu lancer un appel à la radio. Un appel aux Français pour continuer la lutte. Cette nuit, j'ai retrouvé le chemin de mon destin. Je serai celui qui incarne la France libre aux yeux du monde ! Grâce à ce château. Et ce n'est pas tout…

— Vous ne faites pas que sauver la France ?

— Non, je vais aussi la transformer de fond en comble. J'en ferai une république puissante dont je deviendrai le président. Je me suis vu accomplir tous ces prodiges.

Le chirurgien le dévisagea avec compassion. Ce de Gaulle avait perdu l'esprit... Il se prenait pour Jeanne d'Arc. Alors que le seul sauveur attendu par les Français était le prestigieux maréchal Pétain, un véritable héros vénéré par des millions de patriotes. Paul prit le général par le bras. Plus vite il s'en débarrasserait, mieux ça vaudrait. Si ce fou tenait ce discours délirant en public et clamait avoir eu la révélation à Castelrouge, lui, Paul Turenne, allait avoir des ennuis avec les nouvelles autorités. Et les Allemands.

— C'est magnifique. Je suis si heureux pour vous et pour la France. Mais, par pitié, ne dites rien sur le château. Tout le monde voudra retrouver votre... comment déjà... rituel. Imaginez, si Hitler l'apprend.

Le général hocha la tête, réfléchit quelques secondes, puis répondit en claquant l'épaule du chirurgien :

— Sages paroles, mon ami. Gardez le secret du cinquième rituel précieusement. Il est temps de partir. Ma légende a rendez-vous avec l'histoire.

— Si vous le dites..., murmura Paul, impatient de le voir quitter Castelrouge.

Ces histoires de visions et de fantômes commençaient vraiment à l'horripiler. Il en avait déjà assez avec sa femme.

— J'allais oublier un détail étonnant, reprit de Gaulle, ce rêve était si précis... Les fantômes semblaient appartenir à la même famille.

— Vraiment ?

— Oui. La fille à la tresse noire comme le plumage d'un corbeau m'a donné son nom : Taillefeu. Ça vous dit quelque chose ?

Paul devint livide.

56

Paris
11ᵉ arrondissement

Les yeux d'Antoine brillaient devant le manuscrit codé. *Presque comme un gamin*, songea Alice. On sentait de la passion dans la façon dont il prenait plaisir à en décrypter le sens. Quel contraste avec leur première rencontre au Grand Orient, où elle l'avait senti hautain et sûr de lui.

— Avant de tout vous expliquer, dit Marcas, il faut que je plante le décor. Ce feuillet fait partie d'une série de six pages. Les cinq premières se trouvent dans les archives du Grand Orient. Quant à celle-ci, qui avait été séparée du reste, elle dormait dans un carton à Moscou. Jusque-là tout va ?

— Je bois vos paroles.

— Bien. La première page donnait un résumé des suivantes, dont chacune dissertait sur l'un des quatre éléments fondamentaux. Le feu, l'air, la terre et l'eau. Des symboles classiques en franc-maçonnerie. Rien d'étonnant donc à ce que des frères aient réfléchi sur ces questions. Sauf que le dernier feuillet que nous avons sous les yeux est censé dévoiler la nature d'un mystérieux cinquième élément, totalement inconnu.

— *Un cinquième élément...* Ça m'évoque un vieux film de science-fiction avec Bruce Willis.

— Exact, et c'était la copine de Bruce le cinquième élément ! Bon, passons maintenant au message codé. Voici sa retranscription.

Nous frères libres et égaux de la loge Athanor connaissons le secret du cinquième rituel.

Le rituel est un feu pour l'esprit. Il est léger comme l'air. Il est dur comme la terre. Il remonte à la source, à l'eau de la Création.

Mais il est bénédiction et malédiction.

Pour le retrouver, abandonne la lumière, mon frère.

Reviens dans les ténèbres et remets le bandeau sur tes yeux.

Les quatre éléments guideront à nouveau tes pas en loge...

Le texte s'interrompait brutalement et une autre écriture, plus hachée, prenait le relais.

Moi, Guillaume Taillefeu, dernier dépositaire du secret du rituel, je l'ai confié à la garde d'une forteresse de pierre dont seuls les cœurs purs devineront le lieu. À mon tour, j'ai obturé la voie qui descend au secret, mais les esprits subtils sauront l'ouvrir à nouveau.

Juste dessous se trouvait un carré quadrillé où était placé à plusieurs endroits le symbole du cheval.

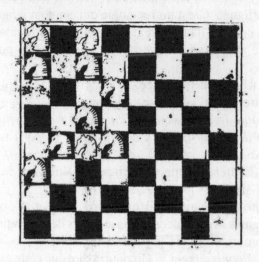

Antoine en compta dix avant de découvrir une autre phrase énigmatique. Il lut à haute voix.

Écoute le hennissement du cheval sur les vingt-six cases des vingt-huit, sa cavalcade te mènera vers le château.

Alice se pencha sur le dessin.

— Pas de doute, c'est un échiquier.

— Oui, un échiquier où on retrouve partout le symbole du cavalier, ou cheval… Une des pièces majeures du jeu, comme le Fou, la Tour et la Reine… J'imagine que la disposition de ces figures permet d'identifier le lieu où est caché le cinquième rituel… Sauf que son sens m'échappe complètement.

Alice tapota le bord supérieur du dessin, puis répéta son geste le long du côté vertical.

— Regardez, une partie de l'intérieur de l'échiquier est surlignée. C'est un rectangle qui contient vingt-huit cases comme dans le texte. Une ligne horizontale de quatre cases sur une verticale de sept. Mais pour le reste…

— Un peu de patience.

Marcas relut la phrase énigmatique.

Écoute le hennissement du cheval sur les vingt-six cases des vingt-huit, sa cavalcade te mènera vers le château.

— Le hennissement du cheval… Vingt-six cases… Vingt-six…

Antoine savait qu'il était près du but. Combien d'énigmes avait-il décryptées au cours de ses enquêtes ? Le nombre vingt-six tournait dans sa tête.

— *Hennissement*… On pourra dire que cette énigme sort de la bouche du cheval, lança Alice sur un ton ironique.

Antoine se tourna vers elle. Une étincelle avait jailli.

— La bouche du cheval… Vingt-six ! Génial ! Merci, Alice.

— De rien… Mais pourquoi ?

— Le cheval hennit, c'est sa façon à lui de s'exprimer ! Pour parler, il faut les vingt-six lettres de l'alphabet. Vous me suivez ?

— Pas tout à fait.

— Imaginons que chaque case représente une lettre de l'alphabet. Chacun des dix cavaliers indique une lettre ! Il suffit de plaquer l'alphabet sur le rectangle des vingt-huit cases délimitées par le surlignage. Essayons avec un alphabet standard en mettant les quatre premières lettres sur la première ligne et ainsi de suite.

— Et maintenant, il n'y a plus qu'à superposer les lettres avec les cavaliers.

Marcas nota aussitôt les lettres sélectionnées.

— Et on obtient : A C E G L O R S T U... Ça ne veut rien dire.

— Sauf si c'est une anagramme. À mon tour de vous montrer quelque chose.

Alice s'empara de l'ordinateur, tapa les lettres.

— C'est un site dédié aux anagrammes. Il analyse toutes les combinaisons possibles. Il y en a un paquet.

Antoine sourit.

— On avance… On galope même. *Sa cavalcade te mènera vers le château.* Et si on sélectionnait les propositions qui commencent par « castel », qui veut dire *château* en ancien français.

Un mot apparut : CASTELROUG.

— *Castel*, c'est un château, et *roug*, ça signifie *rouge* en occitan. C'est sans doute la couleur. Nous avons donc Castel rouge. Essayons de trouver un château qui porterait ce nom dans le Sud-Ouest.

Alice était déjà sur Google Maps.

— Il y en a un au-dessus de la Dordogne. Castelrouge. Dans le Périgord, pas loin de Sarlat.

Antoine regarda les photos.

— Voilà à quoi ressemble le château du secret.

Alice contemplait la somptueuse demeure perchée au-dessus de la rivière. Un donjon, pareil à un monolithe, montait à l'assaut des nuages, protégé par de hauts remparts qui semblaient imprenables. Surmontant une falaise vertigineuse, il ressemblait à une pierre précieuse enserrée dans un diadème de roche. Plus qu'un château, c'était un sanctuaire. Alice était impressionnée.

— J'en ferais bien ma résidence secondaire. Vos frères avaient du goût.

— Il ne nous reste plus qu'à nous y rendre. Le plus vite possible.

— Et comment ? J'appelle mon supérieur et je lui dis : en fait, je m'assois sur vos ordres et je pars jouer les Benjamin Gates. Et puis je fais quoi de mes enfants ? On les emmène en balade, à la recherche du cinquième rituel.

Antoine désigna la tablette du doigt.

— N'oubliez pas que vous détenez un secret d'État… Je suis sûr que si vous demandez quelques jours de congé, il sera ravi de vous les accorder. Et il vous laissera la nounou en prime pour s'occuper de vos bambins. On en a pour deux jours au maximum. Je viens de repérer le trajet.

Il paraissait excité. Ses yeux brillaient, son enthousiasme était communicatif.

— Je ne sais pas…

Alice était écartelée. Laisser ses enfants et partir avec cet inconnu à la recherche d'un secret perdu, ça n'avait pas de sens. En même temps, elle avait tellement besoin de se sentir revivre…

Marcas se leva.

— J'ai deux bonnes raisons d'y aller : la première, c'est de découvrir ce secret. Je replonge enfin dans ma vie précédente. J'ai l'impression de me réveiller d'un long sommeil. La seconde…

— La seconde ?

— Je déteste les pressions. On veut nous interdire de poursuivre cette enquête. Ça me rend furieux. Pas vous ?

— Oui…

— Alice, je veux aller jusqu'au bout. J'aimerais mieux que ce soit avec vous. Mais je ne veux pas non plus perturber votre vie et vous éloigner de vos enfants.

Antoine s'abstint d'ajouter une troisième raison. Il voulait s'éloigner de Paris et stopper le sablier du temps. L'IGPN recevrait demain la vidéo du téléphone du témoin. Si l'analyse était positive, c'en était fini de sa vie de policier. Et de sa liberté. Il serait suspendu et assigné à résidence le temps que l'enquête soit bouclée. Ce château de Castelrouge lui apparaissait comme une planche de salut. Il gagnait deux jours de répit. Peut-être les deux derniers de sa vie de flic. Sûrement son ultime enquête. Pour le reste, il aurait tout le temps de faire face à ses responsabilités quand il rentrerait.

— Ça marche, je vous suis, murmura Alice, sauf que…

Elle venait de retourner la feuille manuscrite sous la lampe de travail.

— Regardez, il y a un texte effacé. L'encre a pâli, mais on devine encore certains mots. … *la racine… Du feu… découvre… rends-toi… l'ombre… Du cinq, tu connaîtras…*

Alice intervint :

— Demain matin à la première heure, je vais passer à la Crim et faire un scan. Je connais quelqu'un qui saura être discret. Avec un traitement d'image performant, on devrait pouvoir reconstituer le texte dans son entier.

Antoine se levait, la fatigue accumulée à son retour de Moscou lui tombait dessus comme un manteau de fonte. Il bâilla.

— Je vais y aller.

— Vous ne voulez pas rester dormir ici ? Je veux dire sur le canapé.

Elle avait ajouté la précision un peu rapidement. Marcas sourit intérieurement.

— C'est gentil, mais je préfère rentrer chez moi.

— Votre fils ?

— Non, je ne me fais pas d'illusions et j'en ai assez d'attendre que monsieur daigne me recontacter. J'ai juste besoin de prendre une bonne douche et de me changer. Je traîne ces frusques depuis Moscou. J'en profiterai pour louer une voiture demain matin quand vous irez scanner le parchemin. Je vous appellerai pour venir vous chercher ensuite.

— À une condition, dit-elle en le raccompagnant sur le pas de la porte.

— Laquelle ?

— On va se tutoyer… Ce vouvoiement me rend dingue, dit-elle en l'embrassant doucement sur les joues.

Ses yeux gris plongèrent dans les siens. Antoine hésita à se rapprocher d'elle et à poser la main sur sa nuque. Il résista quelques secondes, puis renonça à passer à l'offensive et tourna les talons sous le regard amusé d'Alice.

— Je te souhaite une belle nuit, lança Antoine en disparaissant dans l'escalier.

Le plafonnier de la Toyota noire s'alluma d'un coup. Violaine avait retiré ses écouteurs pour les poser sur le siège voisin.

Ils ne vont même pas baiser, les crétins…

La suite de la conversation n'avait plus aucun intérêt. Elle composa le numéro de son client. Il allait être ravi de ce qu'elle allait lui annoncer. Il décrocha immédiatement.

— Marcas a bien retrouvé le manuscrit manquant à Moscou, dit-elle d'une voix triomphante. Il y avait un message codé qui mène à un château dans le Périgord. Ils comptent s'y rendre dès demain.

— Excellent. Rendez-vous sur place. Une fois qu'ils auront trouvé le cinquième rituel, récupérez-le. En fin de compte, ce Marcas se révèle être un bien meilleur limier qu'Alex Fortaine.

— Et ensuite, je fais quoi des deux flics ?

Quelques secondes s'écoulèrent avant que son interlocuteur ne réponde.

— Je vous laisse seule juge des détails.

57

Dordogne
De nos jours

Antoine regarda les diodes lumineuses qui indiquaient l'heure. 15:16. Il réprima un bâillement. Six heures qu'ils avaient quitté Paris et ils s'approchaient de leur but. Lovée sur le siège passager, Alice s'était endormie alors qu'ils traversaient de hautes collines sombres et touffues. Ses cheveux dénoués tombaient sur l'épaule de Marcas. Il n'avait pu résister à la tentation de les effleurer. Un geste tendre qui l'avait fait sourire. Il avait suffi du sourire d'une femme, d'un corps endormi en confiance à ses côtés, d'une mèche vagabonde, et il retrouvait sens et plaisir à la vie. D'ailleurs, la nature semblait aussi prendre part à son allégresse. Le ciel avait viré au bleu intense, tandis que la lumière du soleil inondaient les falaises. À gauche, une rivière serpentait sous une légère nappe de brouillard. *La Vézère*, avait-il lu sur un panneau. Comme il amorçait un virage un peu sec, la voiture se mit à tanguer. Alice leva la tête.

— On est où ?

— En Périgord. Regarde.

Devant eux s'ouvrait une large vallée environnée de falaises étincelantes de lumière.

— C'est magnifique, murmura Alice.

— Un avis partagé depuis des millénaires.

Un village venait d'apparaître, lové sous la roche.

— Voilà Les Eyzies. La capitale mondiale de la préhistoire. Il y a autant de grottes au mètre carré que de…

Il cherchait une comparaison, mais rien ne lui vint à l'esprit. Alice éclata de rire.

— Garde tes neurones intacts pour résoudre le mystère qui nous attend. On est loin de Castelrouge ?

Antoine consulta la carte qui défilait sur l'écran de contrôle.

— Une petite heure. À propos de neurones, histoire de les réveiller, si tu me relisais le texte en rimes que tes collègues ont reconstitué ?

Alice saisit son portable.

— *De la colonne d'air devine la racine / Du feu descend à l'origine / De l'eau découvre la ravine / De la terre rends-toi digne / Et si tu te délivres de l'ombre assassine / Du cinq, tu connaîtras l'âme divine.*

— J'ai l'impression qu'il y a une progression : on part de l'air, on traverse le feu et on atteint la terre.

— Tu penses que c'est un rituel, genre francmaçon ?

Marcas secoua la tête.

— Non, je crois que c'est une allégorie qui se sert de symboles maçonniques, et chaque élément – air, feu, eau, terre – doit correspondre à quelque chose de

488

réel. Regarde le troisième vers : *De l'eau découvre la ravine*. Ça pourrait très bien être une excavation creusée par une rivière.

Il montra les panneaux sur le côté de la route. *Grotte de Font-de-Gaume. Grotte des Combarelles. Grotte de Bernifal.*

— Il y a des centaines de grottes, dans la région, et toutes ont été créées par le ruissellement des eaux souterraines.

Alice avait l'air rêveuse.

— Un parchemin codé, un secret, un château perdu, une balade dans ce coin enchanteur… C'est surréaliste.

— C'est-à-dire ?

— Ça me change tellement de mon boulot à la Crim. Je n'en peux plus de tous ces morts. Je les ramène souvent avec moi quand je rentre le soir. Jamais je n'aurais cru l'être humain capable de tant de saloperies. Et là, maintenant, je suis avec toi, dans ce cadre merveilleux, peut-être à la recherche d'un trésor oublié.

— Je ne voudrais pas te gâcher ce moment, mais cette région a connu tant de drames : la tragédie cathare, les horreurs de la guerre de Cent Ans, sans compter les turpitudes de l'Occupation.

Alice le regarda, intriguée.

— Dis donc, tu as l'air de bien connaître le coin ?

— Mon père disait toujours qu'on avait des ancêtres dans le Périgord[1]. Résultat, c'est une région qui m'a toujours fasciné. Des grottes préhistoriques innombrables, des châteaux du Moyen Âge à foison…

Alice étouffa un bâillement.

---

1. Voir *Le Règne des Illuminati,* Fleuve noir, 2014.

— Je crois que je vais rejoindre de nouveau le pays des rêves. Il y a peut-être des diamants qui m'attendent… Ça ne te dérange pas si je dors sur ton épaule ?

Antoine ne répondit pas. Il avait trop peur qu'elle ne change d'avis.

Noire et luisante comme un gros scarabée, la Toyota noire filait sur la route sinueuse. À deux kilomètres de distance de sa proie. Violaine n'avait eu aucun mal à poser une balise GPS aimantée sous la carrosserie de la voiture louée par Marcas. Elle les avait suivis depuis Paris, veillant à ne jamais se faire repérer. Elle connaissait leur destination finale, ce qui simplifiait sa mission. Posée sur le siège passager, il y avait une petite mallette métallique anthracite dissimulée sous son blouson. À l'intérieur se trouvait un Beretta M9A3 Black Aqua, son arme favorite, puissant et précis. Ainsi que le top du top en matière de silencieux, un Brügger & Thomet, le dernier modèle Impuls II A.

De quoi éliminer ses cibles dans un murmure.

Ils venaient de dépasser la ville de Sarlat, apercevant la silhouette grise d'un clocher qui ressemblait au grand mât d'un navire perdu dans la brume. Antoine avait l'impression que cette région regorgeait de mystère. Tout en s'enfonçant dans une petite vallée plantée de noyers, il vit sur sa gauche un hameau blotti sous un bois de chênes verts. Quelques maisons à peine, mais dont on sentait qu'elles avaient traversé des siècles d'histoire. Derrière les volets clos, elles étaient comme des témoins muets du temps passé… Mais il suffisait peut-être qu'on prenne le temps de les écouter, et elles révéleraient bien des secrets… Brusquement, Antoine eut envie de se poser là quelques jours, quelques semaines, à écouter le vent dans les arbres, à regarder l'eau de la Dordogne couler vers la mer. Une terrasse sous la treille d'une vigne, une cave avec quelques bouteilles au frais, et peut-être le monde reprendrait-il des couleurs à ses yeux. Surtout si Alice restait avec lui… Il se mit à sourire tout seul.

Ça ne lui était pas arrivé depuis longtemps.

La route s'élargit et arriva sur un terre-plein. Devant lui s'élevait une petite colline boisée, contournée par deux routes. Il prit celle de droite qui serpentait à travers un village. Comme il ralentissait, il aperçut sur la gauche une haute maison à la façade ocre que ceinturait une vigne. Les fenêtres, qui donnaient plein sud, ruisselaient de lumière. D'un coup, il eut l'impression d'avoir découvert le lieu qu'il cherchait, là où enfin il allait cesser de se désirer ailleurs.

Mais sa révélation fut brève.

Brusquement le soleil disparut.

Une masse de pierre venait de surgir du sol.

Comme un cauchemar.

Un enchevêtrement hérissé de murailles, de créneaux et de tourelles de guet.

Ils venaient d'arriver à Castelrouge.

— Je ne pensais pas que ce château était aussi impressionnant, dit Alice.

Ils longeaient le haut mur d'enceinte dont la bordure crénelée était envahie d'épaisses frondaisons.

— J'ai l'impression que le parc manque d'un jardinier. J'ai effectué une recherche sur le cadastre. Le château appartient à une fratrie, Emma et Mathieu Turenne.

— Tu as retrouvé leur trace sur les réseaux sociaux ?

— Je ne crois pas qu'ils sachent qu'Internet existe. Mathieu a quatre-vingt-deux ans, il vit dans une maison de retraite à Neuilly. Quant à Emma, elle est un peu plus jeune, mais atteinte d'Alzheimer. Elle est soignée dans un établissement spécialisé, près de Menton.

— Tu as contacté leurs descendants ?

— Aucun d'eux n'a eu d'enfants.

Antoine ralentit la voiture et ils descendirent. La muraille s'arrêtait sur un précipice qui dévalait jusqu'à la rivière. Au-dessus d'eux, un pont de pierre reliait le parc au château. Sur le côté, une vaste porte cochère semblait fermée depuis une éternité.

— Regarde, il y a une cloche, remarqua Alice.

Marcas extirpa la chaîne d'un clou rouillé et fit tinter le battant. Un son fêlé rebondit entre les murailles.

— Je suis certain qu'il n'y a personne. C'est à l'abandon depuis des années. Les propriétaires n'ont pas dû venir depuis…

Un grincement surgit de derrière la porte, comme une lourde barre rouillée coulissant entre des crampons de fer. Un pan s'ouvrit sur un homme, l'air aussi surpris qu'eux. Alice brandit aussitôt sa carte de police.

— Commandants Grier et Marcas, nous souhaiterions…

— Ils sont morts, c'est ça ?

— Comment ça ? répondit Alice, décontenancée.

— Les propriétaires, ils sont morts ? Surtout ne me dites pas comment !

— Pas du tout. Nous sommes là dans le cadre d'une enquête officielle, le nom de ce château est sorti plusieurs fois durant la procédure et nous voulons…

— Une enquête ? Vous venez avec quelques siècles de retard, ricana l'homme. Mais je vous en prie, entrez. Je m'appelle Gilles Pastor. Je suis le gardien.

Ils remontèrent une allée dallée qui menait à une maison basse. Tout autour, le parc était revenu à l'état sauvage.

— Écoutez, je ne veux pas savoir pourquoi vous êtes ici. Moins j'en sais, mieux je me porte. Dites-moi juste ce que vous voulez.

— Voir le château.

Gilles sortit un trousseau de clés.

— La première ouvre la porte devant le pont, la deuxième, le château, la troisième… je ne vous conseille pas de vous en servir.

— Vous pouvez au moins nous dire ce qu'elle ouvre.

— Le donjon, mais personne n'y est entré depuis des décennies.

— Parce qu'il est en ruine ? suggéra Alice.

— Parce qu'il est maudit.

58

Dordogne
Château de Castelrouge

Alice et Antoine venaient d'arriver au milieu de la cour. Des herbes folles poussaient à travers les pavés disjoints, tandis que les branches des tilleuls s'étendaient jusqu'à la lisière des toitures couvertes de mousse. Tout respirait l'abandon. De hauts lauriers que plus personne ne coupait laissaient à peine deviner la porte d'entrée. Derrière des volets à la peinture écaillée, tout le logis était clos, enfoncé dans l'oubli.

— On dirait le château de la Belle au bois dormant ! s'exclama Alice.

— Sauf que je doute qu'il y ait une princesse à réveiller.

— Une princesse, non, mais une dame blanche, oui ! Le gardien venait de surgir derrière eux.

— Écoutez, je vous ai laissés entrer parce que vous êtes de la police. Mais, je vous en conjure, ne pénétrez pas là-dedans.

— Mais enfin, il se passe quoi ici ? explosa Marcas. C'est quoi ces histoires de malédiction et de dame blanche ?

— À votre avis, pourquoi les propriétaires ne viennent plus ? Ils n'ont pas mis les pieds ici depuis la mort de leurs parents.

Alice s'approcha. Visiblement, le gardien voulait parler. C'était quoi son prénom, déjà ?

— Dites-moi, Gilles, ils sont morts quand les parents ?

— En juillet 1944. Juste après le Débarquement. Des SS qui remontaient en Normandie se sont emparés du château qu'ils soupçonnaient d'abriter des résistants. Mais il n'y avait que les époux Turenne.

Il montra le haut du donjon que le soleil, qui montait au-dessus de la Dordogne, peinait à dépasser.

— Ils s'étaient réfugiés au dernier étage. La mère, Anne, y avait son atelier de peinture. Elle restaurait une fresque ancienne, paraît-il. Les Allemands sont montés et…

Gilles détourna le regard.

— Quand on les a enterrés dans la chapelle juste derrière, ils tenaient à peine dans une boîte. Les Allemands les avaient tellement torturés… Vous comprenez pourquoi il ne faut pas entrer dans le donjon.

— C'est une tragédie, pas une malédiction, répliqua Marcas.

— Vous vous trompez. Toutes les deux générations, les propriétaires sont frappés par un drame. Et c'est comme ça depuis 1214.

Antoine sortit le trousseau de clés de sa poche. Il s'impatientait. Depuis son séjour forcé dans un cercueil, il supportait mal d'être réduit à l'inactivité. D'un geste discret, Alice lui fit signe d'attendre.

— 1214 ? Ça fait plus de huit cents ans…

— Oui, l'époque de la croisade contre les cathares. Une femme est morte avec son enfant, tuée par la propriétaire du château, une Turenne. Depuis, la famille est maudite.

— Et c'est cette femme assassinée, la dame blanche ?

— Oui, et elle hante le donjon.

— Et vous l'avez vue ? demanda Antoine d'un ton railleur.

Le gardien eut un sourire amer.

— Vous ne me croyez pas, c'est ça ?

— Disons que la dame blanche, en France, il y en a quasiment une par village. Une superstition devenue une tradition.

— Alors, montez au dernier étage et vous verrez.

L'escalier à vis était aussi raide que glacial. Antoine avait allumé la lampe de son portable pour éviter de glisser sur les fientes de pigeon qui envahissaient les marches.

— Je trouve que tu as été dur avec le gardien. Tu n'avais pas besoin de le contredire à ce point.

— Je l'ai fait exprès. Il a tellement peur de ces histoires que je craignais qu'il nous empêche d'entrer dans le donjon. En le provoquant, j'étais sûr qu'il aurait la réaction contraire.

— Tu ne serais pas un peu manipulateur, toi ?

— Je suis aussi immaculé que la dame qui hante ces murs.

Ils venaient d'arriver sur un palier, éclairé par une étroite meurtrière. Alice se pencha. La Dordogne battait le flanc des falaises d'un grondement sourd. Juste au-dessus, à travers les branches, on voyait les toits d'un village.

— Encore quelques marches et on est au dernier étage, annonça Antoine en reprenant son souffle.

Il fallait vraiment qu'il arrête de fumer.

Un coup de vent pénétra par la meurtrière et, d'un coup, glaça le palier.

— *De la colonne d'air devine la racine...* c'est la première phrase de l'énigme, ça pourrait être le donjon dont il faut trouver la base, annonça Alice, frigorifiée.

La porte de la dernière salle était ouverte. Antoine s'avança vers la fenêtre à colonnettes. La vue était vertigineuse. Il recula, posant la main sur le banc de pierre. Il sentit comme des encoches ou des creux. Il se pencha, souffla...

— Un échiquier! Comme sur le dernier feuillet! Viens voir.

Mais Alice ne bougeait pas. Elle était fascinée par la fresque à demi effacée qui se déployait sur un pan de mur.

— C'est une représentation du paradis, mais l'arbre d'Éden, il est sans feuilles, haut et massif... si c'était une représentation du donjon? *De la colonne d'air devine la racine...* ça voudrait dire que, de cette salle, il faut aller sous le donjon?

— Peut-être, mais comment?

— Sans doute en s'aidant de la deuxième phrase de l'énigme: *Du feu descend à l'origine,* répondit Alice.

Antoine se retourna.

— Le seul endroit où on allume du feu, dans une salle médiévale, c'est la cheminée.

497

Face à la fenêtre, on voyait un large linteau où était gravé un blason. En dessous se devinait encore l'âtre barré par un haut mur de pierre rougie. Alice s'approcha, inspecta les parois.

— Je ne vois aucun passage.

— Et la suite du texte ne nous aide pas : *De l'eau découvre la ravine / De la terre rends-toi digne*... Rien n'indique comment descendre dans les tréfonds du donjon.

Alice se concentra. Si près du but, il n'était pas question d'échouer. Elle avait déjà dû ravaler sa fierté en abandonnant l'enquête sous la pression de son patron, maintenant qu'elle la menait pour son propre compte, elle irait jusqu'au bout.

— *De l'eau découvre la ravine*, reprit Marcas, ça veut dire quoi ? que c'est l'eau qui permet d'aller sous le donjon ? Et la *ravine*, ce serait alors un passage secret. Mais je ne vois rien ici qui puisse correspondre à de l'eau.

— Dites-moi, monsieur le franc-maçon, et si c'était un symbole ? demanda Alice. L'eau est bien un des quatre éléments de l'initiation, non ? D'ailleurs, on la représente comment ?

— Sous la forme d'un triangle inversé, mais je ne vois toujours pas...

Ils étaient face à la cheminée. Alice sourit.

— Regarde mieux. Sur le linteau.

— Le blason !

Au centre se trouvait un triangle.

Pointe vers le bas.

Antoine leva la main et appuya de toutes ses forces au centre.

498

Marcas venait de quitter le dernier crampon et de poser le pied sur le sol sablonneux. Il avait refusé qu'Alice l'accompagne dans le boyau vertical apparu derrière la cheminée. Elle n'avait pas insisté : le trou étroit qui s'enfonçait dans l'obscurité n'avait rien d'engageant.

La grotte, qu'éclairait la torche du portable, avait dû être creusée par la Dordogne. Antoine s'avança prudemment. Le plafond était très bas. Il devait avancer courbé. Le faisceau éclaira des reflets brillants. Il s'approcha. C'étaient des os recouverts de calcite, ce qui donnait cet aspect luisant surprenant.

De la terre rends-toi digne.

Instinctivement, Antoine releva le torse. Devant lui, sur un rebord en pierre, recouvert de minuscules débris de pierre, se trouvait une sorte de tube. Un étui en cuir. Antoine l'ouvrit délicatement et aperçut le bord effrangé d'un parchemin ancien.

Il avait réussi.

Antoine enfouit le tube dans la poche de son blouson, il aurait tout le temps de regarder ce qu'il contenait dans la salle du donjon. Il monta à l'assaut du boyau, l'esprit en feu. Il retrouvait cette émotion incomparable. La découverte d'un objet, d'un secret, d'un trésor. Ce qui lui avait tant manqué depuis son agression. Il avait le souffle court en grimpant, mais ça allait revenir après un peu d'entraînement. Au fur et à mesure de sa montée, il se rendait compte qu'il n'avait aucune envie de rentrer chez lui. Il voulait prolonger ce moment hors du temps. Loin de Paris et des hommes. Surtout ceux de l'IGPN. Il aurait presque souhaité que cette quête du cinquième rituel s'éternise en compagnie d'Alice, dans ce coin sublime du Périgord.

Il atteignit enfin l'ouverture béante qui donnait sur la salle du donjon, agrippa la pierre d'angle et passa à plat ventre sur le rebord.

— Dis-moi, Alice, ça ne te dirait pas de rester encore une nuit de plus dans le coin ? Personne ne nous attend.

— Si, moi !

La voix féminine qui avait claqué n'était pas celle d'Alice. Il bascula dans la salle, leva la tête et aperçut une femme aux cheveux courts et en veste de treillis noir. Elle braquait un pistolet avec silencieux. Alice gisait à terre et essayait de se relever. Son Glock de service était à plus de deux mètres. Trop loin.

— Elle m'a… frappée… J'ai voulu tirer…

— J'aurais pu te coller une balle entre les deux yeux, ma belle. Alors ne t'avise pas de faire un centimètre vers ce joujou. (Puis se tournant vers Marcas :) Toi, donne-moi ce que tu as trouvé en bas. Ce foutu rituel.

— Qui êtes-vous ? demanda Antoine en se redressant.

— Question stupide. Tu te crois en train d'interroger une racaille dans un commissariat ? Ma carte d'identité aussi ?

Elle tira en direction de ses pieds. Antoine sentit des éclats de pierre contre le bout de ses chaussures.

— Les prochaines iront se loger dans vos deux petites cervelles de flic. Le rituel, pour la dernière fois.

De nouveau Antoine jaugea la distance qui le séparait du pistolet d'Alice. Impossible. Il sortit le tube et le fit rouler à mi-chemin de la tueuse. Violaine s'approcha lentement tout en le maintenant en joue.

— N'essaye même pas de faire un pas…

— Comme vous allez forcément nous exécuter, vous pouvez au moins nous dire qui vous a embauchée.

— Vous pensez que je ne m'intéresse pas aux manuscrits maçonniques du XVIIIe siècle ? C'est plutôt machiste comme remarque…

Elle se baissa lentement et ramassa le tube en secouant la tête.

— Tout ça pour ça ! Notre client ? Il s'appelle Sampère. Un nom bidon, évidemment. Alex Fortaine en savait plus, mais tu l'as buté. Déplorable initiative, commandant Marcas, j'aimais travailler avec lui. Et c'était un grand serviteur de la France. Je lui dois bien ton exécution.

Alice se releva d'un bond, mais la tueuse fut plus rapide et la renvoya au sol d'un coup de pied dans les côtes.

Toi, ne bouge plus si tu veux revoir tes mômes.

Elle se retourna vers Antoine.

— Une dernière volonté ?

Perdu pour perdu, Antoine n'avait plus qu'une option. Suicidaire… Il n'allait pas se faire tuer sans avoir revu son fils.

La tueuse recula vers la fenêtre pour mieux surveiller Alice, puis fléchit les genoux afin d'ajuster son tir.

— Adieu, commandant…

Soudain un coup de feu assourdissant résonna à l'extérieur du donjon. Violaine poussa un hurlement de douleur et roula à terre. Antoine se rua sur le Glock, mais trop tard. La tueuse s'était déjà ressaisie. Son bras gauche était ensanglanté, mais elle réussit à tirer en direction d'Antoine.

— Putain, de la chevrotine ! hurla-t-elle.

Marcas évita de justesse la balle qui alla percuter la fresque du jardin d'Éden, décapitant l'arbre du Bien et du Mal. Il réussit enfin à saisir le Glock, mais Violaine avait déjà disparu dans l'escalier.

— Vite, elle s'enfuit.

Alice se précipitait vers les premières marches quand un tir nourri de balles ricochantes la stoppa net.

— Elle a l'avantage ! Les marches sont trop étroites. On va faire des cibles parfaites.

— Et merde, mais qui lui a tiré dessus ? s'écria Antoine.

Alice se pencha à la fenêtre et aperçut le gardien en bas du donjon, un fusil à la main.

— Ça va là-haut ? cria-t-il. Quand j'ai vu cette fille monter avec un pistolet, je suis revenu avec mon compagnon de chasse. Je l'ai eue ?

Il agitait sa pétoire.

— Non ! Planquez-vous ! Elle est très dangereuse. Elle va vous tuer.

Deux coups de feu tirés en bas du donjon ponctuèrent son avertissement. Le gardien détala comme un lapin, sans demander son reste.

Aussitôt, Alice et Antoine se précipitèrent comme s'ils avaient tous les fantômes de Castelrouge à leurs trousses. Arrivé dans la cour, Marcas montra le pont qui menait à l'extérieur du château.

— Par là !

Quand ils arrivèrent au pied du château, une Toyota noire démarrait en trombe dans un nuage de poussière. Alice braqua son arme, mais la poussière l'empêcha d'ajuster son tir.

— On la suit, cria Antoine.

Ils se ruèrent sur leur SUV de location. Alice s'arrêta net devant le véhicule.

— C'est mort. Regarde.

Les quatre pneus reposaient à plat comme des flans écrasés.

— Et merde !

Antoine vit la Toyota filer comme un bolide sur la route étroite qui dévalait la colline.

— Le cinquième rituel a définitivement disparu, murmura-t-il.

59

Paris

L'appartement d'Antoine était plongé dans la pénombre. Alice avait tenu à monter pour boire un dernier verre. Ses enfants étaient encore sous bonne garde, elle n'était pas pressée de rentrer chez elle. Et puis ils avaient tous les deux besoin de faire le point après l'échec de leur mission commando. Appuyés sur le balcon, une coupe de champagne à la main, ils contemplaient Paris plongé dans sa nuit scintillante.

— Les recherches sont en cours pour identifier la fille, dit Alice sur un ton désabusé. Mais je ne me fais aucune illusion, c'est une professionnelle. La salope s'est sûrement envolée à l'autre bout du monde. Quant à son commanditaire, personne ne veut le retrouver. Échec sur toute la ligne. Je ne sais pas si j'aurais le courage de remuer ciel et terre pour faire redémarrer l'enquête. Et toi ?

— Moi ? J'ai l'habitude de ce genre d'enquêtes disons… atypiques. Et ce n'est pas la première fois que j'échoue. Ne pas savoir ce qu'était vraiment le secret du cinquième rituel me laisse bien sûr une certaine amertume, mais je vais essayer de continuer les recherches avec Jolier, le conservateur du musée. Peut-être qu'il aura d'autres pistes quand je lui raconterai notre expédition à Castelrouge.

— Tu n'as pas l'air si frustré que ça.

— Disons que je vois le bon côté de cette affaire. Quand je l'ai commencée, je n'étais vraiment pas au mieux. Je pensais même démissionner de la police. Je doutais de moi, de tout. Si je n'ai pas découvert ce fameux secret, j'ai retrouvé un trésor que je croyais perdu. Le plus précieux.

— Lequel?

— Moi.

Alice éclata de rire et avala d'un trait sa coupe.

— Prétentieux avec ça...

— Et maintenant? demanda Antoine en se rapprochant.

— Et maintenant quoi, commandant? Vous voulez repartir avec moi?

Il posa sa coupe sur le parapet et saisit Alice par la nuque.

— Pas en enquête...

Il l'embrassa. Elle lui rendit son baiser avec beaucoup de tendresse. Leurs mains se frôlaient pour mieux se reprendre. Antoine ne put s'empêcher de sourire en retirant ses lèvres.

— Je te fais rire? dit Alice.

— Non, pas du tout. Simplement, tes baisers sont très doux.

— C'est si original?

— Comme tu m'as avoué pratiquer la boxe thaïe, je pensais que tu allais me dévorer les lèvres.

Alice éclata de rire et prit le visage d'Antoine entre ses mains.

— Moi aussi, je te ressens plus tendre que tu ne le laisses paraître.

Elle l'embrassa encore une fois. Antoine se laissa enlacer. Au moment où il allait se montrer plus entreprenant, son téléphone fixe sonna.

— Excuse-moi, mais je dois répondre. Peu de gens connaissent mon fixe.

— Je t'en prie.

Il passa dans le salon et décrocha.

— Papa, c'est moi…

Le cœur d'Antoine bondit.

— Pierre !

— J'ai essayé plusieurs fois de t'appeler sur ton portable, mais ça ne répondait pas.

— Je l'ai perdu. Où es-tu ?

— Chez maman. Elle m'a dit que tu avais beaucoup d'ennuis. Par ma faute. Alors, j'ai pris une décision : je vais me rendre au commissariat et leur expliquer ce qui s'est passé… Je suis désolé. Vraiment.

À son tour, Alice était rentrée dans le salon. Elle referma doucement la porte-fenêtre derrière elle.

— Je te remercie, répliqua Antoine avec soulagement. Mais je pense m'en sortir. Ne fais rien pour le moment.

— Mais je croyais que…

— Je n'ai pas le temps de t'expliquer, mais si la vidéo prise par le vieux n'est pas utilisable, ça devrait nous éviter des soucis à tous les deux.

— Je ne comprends pas.

— Peu importe. Avec un peu de chance, la plainte contre moi tombera à l'eau et l'enquête de l'IGPN sera classée. Mais ensuite il faut que l'on se voie. En tête à tête. Je veux comprendre ce qu'il t'est arrivé. On ne devient pas un casseur du jour au lendemain.

— C'est long à expliquer…

— J'ai tout mon temps pour toi, mon fils.

— Donne-moi encore quelques jours et après on se voit, d'accord ?

— Ça marche. Je t'embrasse.

— Moi aussi.

Antoine raccrocha, ému par le geste de son fils.

— J'ai l'impression que ça va mieux, non ? dit Alice.

— Oui. Un poids en moins… Où en étions-nous ?

Au moment où il allait la reprendre dans ses bras, le téléphone sonna de nouveau. Alice décrocha le combiné et le lui tendit.

— Sans doute ton fils. Il a dû oublier de te dire qu'il t'aimait… Prends l'appel.

Antoine la serra contre lui avant de répondre.

— Pierre ? Cette fois, c'est moi qui te demande un peu de temps.

Une voix cassante mais familière jaillit dans l'écouteur.

— Marcas ? Capitaine Thibaudeau de l'IGPN, je souhaite vous voir. Tout de suite.

Marcas pâlit.

— Sinon vous envoyez vos hommes pour me récupérer par le col de la chemise, comme d'habitude ?

— Si vous ne répondez pas à ma convocation, je serai obligé de saisir ma hiérarchie, vous le savez. Je compte donc sur votre volonté de coopérer. Nous avons reçu la vidéo du témoin traitée par notre laboratoire. Je serai ravi de vous la montrer.

— Ce changement de ton me rend optimiste.

— Il n'y a pas de quoi. Les images confirment les accusations du témoin. On vous voit clairement laisser le manifestant s'échapper. Je vous attends à mon bureau dans deux heures, maximum.

Quand il raccrocha, Antoine se dégagea d'Alice qui l'étreignait toujours. Il fuyait son regard comme s'il avait honte.

— Ça ne va pas ? demanda-t-elle en lui prenant l'avant-bras.

— Les bœuf-carottes ont réussi à me coincer. Ils ont la preuve qui leur manquait. Jusqu'à présent je m'en suis toujours sorti. Mais là, il faut croire que c'est terminé. Putain de Jinx.

— De quoi ?

— Le Jinx, le mauvais œil, la poisse, une expression anglaise. J'aurais dû m'en douter, avec notre fiasco à Castelrouge.

— Et ton ami haut placé qui avait promis de faire retirer la plainte ?

— Haudecourt ? Plus de nouvelles. Il m'a laissé tomber en rase campagne.

Antoine s'alluma une cigarette et esquissa un maigre sourire.

— Dommage pour nous, dit-il d'une voix atone.

— Comment ça ?

— Ça va pas le faire de sortir avec un commandant de police fraîchement radié.

508

— Je m'en fous. Tu dois te battre ! Dis-leur la vérité pour ton fils, ils passeront peut-être l'éponge.

— Ça m'étonnerait, ce capitaine est un pitbull testostéroné. Et pour Pierre, ils l'enverront en correctionnelle. Et ça, il n'en est pas question.

— Tu vas devoir choisir entre ton métier et ton fils.

— Exactement. Et c'est déjà tranché. Comme ma tête qui va sauter dans le panier d'osier de l'IGPN. Je dois y aller.

— Tu veux que je t'accompagne ?

— Non, pas vraiment. Les exécutions publiques, c'est pas mon truc.

Rue Cambacérès

Antoine entra dans le bâtiment de l'IGPN avec une boule au ventre. Il se fit annoncer dans le service de Thibaudeau et monta directement à son bureau. Le capitaine était là, assis à la même place que la fois précédente. Il avait l'air content. De l'index, il désigna un écran plat rivé au mur. On y voyait une vidéo qui tournait en boucle : Antoine et son fils y jouaient les premiers rôles.

— Vous reconnaissez les faits ? demanda le capitaine.

Antoine afficha un air désabusé.

— Et si je refuse ?

— C'est votre droit, mais votre coopération pleine et entière serait appréciée. Sinon, vous aggraveriez votre cas.

Le capitaine se tourna vers son ordinateur.

— Je vais enregistrer votre déposition. Puis vous la signerez.

— Si je le fais, je suppose que je signe aussi ma révocation de la police.

— Je le crains. Mais vous éviterez une action en justice.

Rive droite

Comme le reste de la capitale, le quartier de la Madeleine grelottait de froid, mais le temps exécrable n'avait pas empêché Violaine de faire une razzia dans une boutique de maillots de bain de luxe. Trois bikinis, un maillot une pièce, deux paréos, plus deux robes d'été assorties s'entassaient dans son sac. Il fallait au moins ça pour se prélasser enfin au soleil. En l'occurrence aux Seychelles, dans un sublime cinq étoiles niché sur la plage de l'Anse Louis. Deux semaines de repos intégral, amplement méritées. Son commanditaire lui avait versé sa deuxième part d'honoraires. La troisième, la plus importante, serait créditée sur un compte offshore dès son retour.

Sur le trottoir d'en face, Violaine avisa un magasin de bagages. Avec un peu de chance, elle trouverait un modèle adapté à son nouvel environnement. Elle ne pouvait pas décemment débarquer dans un hôtel à neuf cents euros la nuit avec une valise achetée dans un bazar de Barbès. Elle s'alluma une cigarette et aspira une longue bouffée en attendant que le feu passe au rouge. Au moment où elle allait traverser la rue, une femme d'une quarantaine d'années s'approcha d'elle. Rousse et très souriante.

— Excusez-moi, vous auriez du feu ?

— Oui, bien sûr, répondit Violaine. Attendez, je l'ai remis dans mon sac.

— Quel temps pourri, n'est-ce pas ? dit la femme en regardant autour d'elle.

— Ça ne va pas me concerner très longtemps.

Au moment où elle tendait son briquet, une silhouette la bouscula, un parapluie à la main.

— Crétin !

Elle sentit une douleur à son mollet.

— Les gens sont si impolis de nos jours, commenta la femme aux cheveux roux.

— Et comment, si ça ne tenait qu'à moi, je…

Violaine s'arrêta net. Quelque chose venait de faire irruption dans son corps. Comme un engourdissement qui montait en elle. Déjà, ses jambes ne lui obéissaient plus.

— Non…

Elle se tourna vers la jeune femme qui venait de jeter sa cigarette.

— C'est vous… vous m'avez fait quoi ?

— Rien… vous êtes juste en train de mourir. Ne vous inquiétez pas, on s'occupe de tout.

Sirène éteinte, une ambulance s'arrêta à leur niveau et deux brancardiers emportèrent Violaine pour l'éternité. Le contrat s'était déroulé à la perfection. Le Cyanurex ne décevait jamais quand il était injecté en dose suffisante.

La fausse rousse prit le sac laissé par Violaine et l'emporta sans états d'âme. Elle devait faire la même taille que sa victime et ces maillots étaient vraiment superbes. Et puis la DGSE ne risquait pas de les réclamer.

60

Paris
Siège de l'IGPN

Antoine sortit sa carte de légitimation[1] de son porte-feuille avec lenteur et la posa sur la table. Thibaudeau la rangea dans un tiroir qu'il ferma à clé.

Marcas pâlit.

Cette fois, il n'était plus flic.

— Je vous écoute, commandant, reprit Thibaudeau. N'omettez aucun détail, j'aime les rapports précis. Nous allons reprendre à partir du moment où vous courez après le casseur.

— On dirait que ça vous rend heureux de faire tomber un collègue.

— Non. Ne croyez pas ça. Je sais que vous n'êtes pas un corrompu ni un policier violent, mais notre institution est attaquée de toutes parts. On se doit d'être exemplaires. Et pour tout vous dire…

_____

1. Carte d'identification des policiers en exercice.

— Me dire quoi ?

— D'habitude, lors des manifestations qui tournent mal, j'ai affaire à des collègues qui ont la main lourde. Avec vous, c'est le contraire. Pour une fois que j'ai un cas de laxisme… Je vous écoute.

Antoine se cala contre son dossier.

— Avant de tout balancer, je veux avoir l'assurance qu'il n'arrivera rien à la personne que j'ai laissée filer.

Les yeux du capitaine brillèrent d'un coup.

— Je le savais… Vous le connaissiez donc ?

— Oui. Bien sûr. J'ai votre parole ?

— Vous n'êtes pas en position de force, Marcas. On verra plus tard.

Antoine le regarda longuement, puis secoua la tête.

— Pas question. À prendre ou à laisser si vous voulez que je fasse tomber ma tête dans un grand élan de générosité.

— OK. Je vous donne ma parole. Donc ?

Antoine hocha la tête. D'ici quelques minutes, il ne serait plus rien. Adieu le commandant Marcas.

— Voilà, j'étais en train de…

Des coups frappés à la porte l'interrompirent. Un homme aux cheveux gris fer pénétra dans le bureau sans y être invité. Thibaudeau se leva.

— J'allais prendre la déposition du commandant Marcas, il reconnaît les faits et…

— Vous arrêtez tout.

— Comment ça ?

L'homme, qui devait être son supérieur, se pencha pour lui murmurer quelque chose tout en observant Antoine d'un œil noir. Le visage de Thibaudeau se décomposait d'indignation.

— Mais c'est impossible… mon enquête…

— Affaire classée, dit le gradé. (Puis se tournant vers Marcas :) Quant à vous, foutez-moi le camp !

Antoine était stupéfait. Il n'arrivait pas à croire ce qui lui arrivait. Il se leva comme dans un rêve éveillé.

— Je dois signer quelque chose ?

— Rien ! Dégagez d'ici avant que je change d'avis !

Marcas sortit du bureau, incapable de comprendre ce qui s'était déroulé sous ses yeux. Il se retint de dévaler l'escalier quatre à quatre.

Arrivé sur le trottoir, deux personnes l'attendaient adossées à une voiture.

Alice et le frère obèse.

— Ravi de voir un innocent libéré, ironisa Haudecourt.

— C'est toi ?

— En partie. Tu peux aussi remercier le commandant Grier. Elle a eu la présence d'esprit de me contacter pour m'expliquer toute l'affaire. Votre petite virée à Castelrouge en particulier. Et d'autres choses encore…

Antoine se tourna vers Alice.

— Mais comment as-tu fait ?

— Je me suis souvenue de son nom. Ça n'a pas été difficile de le retrouver à Beauvau. Je lui ai dit que je possédais une copie des dossiers noirs de Fortaine sur ses missions pour la DGSE. Il a paru très intéressé.

Le frère obèse eut un sourire carnassier.

— Passionnant à tous points de vue, ces opérations spéciales. Mais ça doit rester discret. J'en ai donc fait part en haut lieu. Bref, le directeur de cabinet du ministre de l'Intérieur a appelé lui-même le patron de l'IGPN. Je peux te dire qu'ils n'étaient pas contents du tout. Mais que veux-tu… Ils se sont fait une raison.

— La raison d'État.

Haudecourt ouvrit la porte de sa voiture et s'y engouffra.

— Oui. Faites-vous oublier quelque temps. Prenez des vacances. À bientôt.

Antoine se pencha sur la vitre.

— Et le cinquième rituel, on ne saura jamais qui s'en est emparé ?

Le frère obèse sourit et leva l'index vers le toit de la voiture.

— Tu me sous-estimes, mon cher Antoine. J'ai quelques éléments qui me font penser que ça vient de très haut. Encore plus haut que tu ne le penses. L'Olympe… Mais ça ne te concerne plus. Salut.

Alice regarda la voiture s'éloigner.

— Qu'a-t-il voulu dire ?

Elle le prit par le bras.

— On s'en fout maintenant.

— Ça m'étonne que tu ne veuilles pas continuer ! Savoir ce qu'est vraiment ce cinquième rituel.

Antoine la fixa longuement.

— L'essentiel est ailleurs. Cette affaire où j'ai été entraîné malgré moi m'a redonné goût à la vie. Goût au merveilleux. Le plus important dans la recherche d'un secret, ce n'est peut-être pas de le trouver, mais le chemin que l'on parcourt. Et qui nous transforme. Toute quête est initiatique. Comme celle des chevaliers de la Table ronde. Une fois que le Graal a été trouvé, la légende perd de son mystère. C'est amusant. Et ce qui est fascinant…

— Quoi?

— Désormais je comprends ce qu'est vraiment un franc-maçon. Seul le travail en loge compte, humble, tenace, et la lassitude, l'ennui font vraiment partie du parcours initiatique… On peut être déçu de soi, de ses sœurs, de ses frères, on ne peut pas l'être du chemin maçonnique. Désormais, j'ai hâte de revenir chez moi, en loge.

Alice se serra contre lui. Son visage avait pris une expression ironique.

— Dis-moi grand initié, avant d'arpenter à nouveau ton chemin, tu ne voudrais pas m'emmener dîner, moi, l'humble profane ?

— Avec plaisir.

— Et ensuite, j'ai envie de…

Elle finit sa phrase dans son oreille.

Antoine sourit et l'embrassa.

61

Paris
Palais de l'Élysée

Le ballon de foot, dédicacé par les joueurs de l'équipe de France, montait et descendait avec la cadence d'un métronome devant la photographie du général de Gaulle. Dans son cadre en aluminium, l'homme du 18 Juin observait son lointain successeur jouer avec la balle pour calmer sa nervosité. S'il avait pu émettre une opinion, nul doute qu'il aurait manifesté une vigoureuse réprobation. Mais le commandeur de Colombey-les-Deux-Églises était mort depuis plus d'un demi-siècle et les morts restent désespérément muets.

L'actuel chef de l'État laissa tomber le ballon à terre et shoota en direction de la cheminée à l'autre bout du salon doré.

But !

Il consulta une nouvelle fois sa montre pour attiser son impatience. Non pas en raison de l'allocution télévisée prévue dans une vingtaine de minutes, mais parce qu'il allait enfin découvrir le mystérieux cinquième rituel. Il allait tenir entre les mains ce qu'aucun de ses prédécesseurs, excepté de Gaulle, n'avait eu le privilège de découvrir.

Le secret des présidents de la Ve République.

On frappa à la porte à moitié entrouverte. Il se retourna et découvrit, agacé, un de ses conseillers, l'air aussi préoccupé qu'obséquieux.

— Les techniciens sont prêts, monsieur le Président, votre allocution commencera à vingt heures précises. Puis-je jeter un dernier coup d'œil aux corrections que vous avez apportées ?

Le conseiller chargé des discours, l'un des soixante membres du secrétariat de la présidence, détestait les changements de dernière minute dans les allocutions. Une phrase, une virgule, un mot modifiés et ça pouvait être la fausse note dans la partition présidentielle.

— Ne faites pas cette tête-là, Émilien, lança le président. Je n'ai pas ajouté grand-chose dans le texte. Prenez-le, il est sur la table. Maintenant, veillez à ce que l'on ne me dérange pas.

— Je viens vous chercher dans dix minutes.

La plume du président se retira alors que la secrétaire générale de l'Élysée arrivait en trombe dans le salon, une serviette de cuir noir à la main. Elle jeta un œil amusé au conseiller qui refermait délicatement la porte derrière lui.

— Le pauvre, commenta-t-elle, il passe un temps inimaginable à concocter tes discours dans le moindre détail et ensuite, au dernier moment, tu lui changes tout.

— Il est payé pour ça. Et bien payé. Peu importe. Passons à l'essentiel. Le rituel. Montre-le-moi !

Léa sortit de la serviette une pochette de cuir noir et or, à en-tête de la présidence de la République. Elle avait été apportée un quart d'heure plus tôt par l'un des gardes du corps.

— Voilà…, dit-elle en la déposant avec précaution sur le bureau du président. Il aura fallu beaucoup d'*énergie* pour te le procurer.

— Je ne veux pas savoir comment tu as réussi à retrouver ce document, répondit le chef de l'État en s'asseyant au bureau présidentiel.

— Tu te doutes bien que j'ai été aidée par des membres de certains services.

— Dans le respect strict de la légalité ?

— Mieux vaut que tu ne le saches pas.

— Il n'y a pas eu mort d'hommes ? Et cette officine dont tu m'avais parlé et qui voulait mettre la main dessus ?

— Je m'en suis occupée, j'ai été plus rapide qu'eux, mentit-elle avec aplomb.

Le président ouvrit la pochette avec impatience, presque comme un enfant qui déballe un cadeau. Il en extirpa le manuscrit jauni pour le déposer sur la table.

— C'est donc ça le cinquième rituel, fit-il d'un ton monocorde. Une simple feuille rédigée à la plume d'oie. Tu l'as lu ?

— Quelques lignes du début, mais je me suis arrêtée rapidement.

— Ça m'étonne de toi. Ta curiosité est insatiable et, en plus, tu es une sœur. Ce rituel a bien été écrit par des francs-maçons, non ?

— Oui, mais j'ai justement tenu compte de l'avertissement écrit par les frères. Je préfère m'abstenir. Ce privilège te revient de droit. C'est toi le président.

— Tu as raison.

Il commença la lecture.

Le cinquième rituel
Ou la clé de la porte
des merveilles

— La porte des merveilles, j'aime bien, murmura le président. On dirait un conte de fées.

— Ça ne m'étonne pas de toi.

Il s'arrêta sur une ligne de l'avertissement et fixa Léa.

— Être trop jeune serait-il un danger pour lire ce secret ?

— À l'époque on mourait à quarante ans…

Le président continua sa lecture lentement. Posément. Son esprit affûté comme un diamant prenait soin d'articuler chaque mot dans son esprit comme pour mieux s'en imprégner.

Léa l'observait avec attention. À l'évidence il prenait l'exercice au sérieux. Ses yeux couraient le long de la feuille puis revenaient en arrière. Elle le voyait froncer les sourcils, s'arrêter par endroits, fermer les yeux comme pour une prière, puis les ouvrir de nouveau. Il tourna la page pour en découvrir le verso, recouvert de quelques lignes, quand, soudain, il porta les mains à ses tempes. Son visage se tendit brusquement, ses traits frémirent, comme s'il était parcouru par un courant électrique. Il lâcha le manuscrit.

— Tout va bien ? demanda Léa, inquiète de son brusque changement de comportement.

— Oui… Juste un vertige. Je vais me reprendre.

— Il y a quoi dans ce texte ?

Il leva les yeux avec un demi-sourire inquiétant. Son visage était étrange. Plus énigmatique.

— Je ne peux pas… te le dire. C'est…

Il tenta de se lever, mais son corps semblait ne plus lui obéir.

Cette fois, elle s'inquiétait.

— Attends, je vais t'aider.

— Non !

Une voix jaillit derrière la porte.

— Monsieur le Président ! Il est l'heure de passer à l'antenne.

— J'arrive !

Le chef de l'État semblait s'être ressaisi. Il remit le manuscrit dans la pochette et la garda dans sa main. Ses yeux brillaient d'une intensité que Léa avait rarement observée chez lui.

— Tu es sûr que ça va ? On peut annuler.

— Et puis quoi encore ? Je me sens en pleine forme. Tu crois que je suis pas cap ?

— Pardon ?

— Cap ou pas cap ? Ha ha ha.

— Je ne comprends pas. Tu m'expliques ?

— Et si j'étais cap de dire toute la vérité aux Français. Vérité ou action ! Trop drôle !

Il éclata d'un rire qui semblait surjoué. Subitement le locataire de l'Élysée aperçut le ballon qui traînait et shoota de nouveau. Cette fois avec violence. La balle pulvérisa un vase en céramique de Sèvres.

— But! Je ne me suis jamais senti aussi en forme, hurla le président qui traversa le bureau d'un pas conquérant.

— Quelle énergie... N'en fais pas trop quand même. Ce pauvre vase n'en méritait pas tant.

— Non! Ce que j'ai lu m'a... électrocuté le cerveau. Voilà. Je comprends mieux pourquoi le vieux de Gaulle avait la pêche quand il est devenu président! Alors moi, imagine, avec trente ans de moins aux commandes, je vais accomplir des miracles. Des prodiges!

— Quelle humilité... Tu veux que je t'accompagne?

— Non, interdiction formelle ou je te vire! Regarde-moi ici devant l'écran, sers-toi de l'armagnac présidentiel et tu vas découvrir la prestation du siècle! Dès que j'ai fini je reviens te voir. Action ou vérité. Action ou vérité!

Un ado, songea Léa.

Il claqua la porte derrière lui, son ballon sous le bras et la pochette du rituel dans sa veste, avec une force telle que le cadre du général vibra d'indignation.

Léa prit son portable et appela Émilien.

— Émilien? Le président est survolté. Essaye de le calmer avant son allocution. Il est un peu sur les nerfs en ce moment.

— Je vais essayer. Mais entre nous, c'est pas nouveau, ça fait plusieurs mois qu'il se la joue en mode bipolaire sous ligne à haute tension. Tout le monde s'en aperçoit.

— Je sais. C'est pour ça que nous devons le protéger. De ses ennemis et parfois de lui-même.

— Dommage qu'il n'ait pas ton sang-froid, Léa.

Avec toi au moins tout est carré. Il te nomme quand Première ministre?

— Je vais faire comme si je n'avais rien entendu. Veille sur lui et appelle-moi s'il y a un problème.

Elle raccrocha et emporta la bouteille d'armagnac pour s'asseoir dans le fauteuil du bureau présidentiel. Une fois son verre servi, elle le dégusta à petites lampées.

Qu'avait-il pu lire dans ce cinquième rituel pour qu'il se transforme de façon aussi subite?

Une onde d'inquiétude la parcourut. Comme une prémonition. Quelque chose clochait. Elle réprima néanmoins ses émotions, prit son portable sécurisé et appela son contact.

— Sampère? Où en est-on?

— L'associée de M. Fortaine a eu un malencontreux arrêt cardiaque du côté de la Madeleine. Malheureusement, elle n'a pu être réanimée par l'équipe médicale.

— Quel dommage. Autre chose?

— Oui. Selon mes informations, le commandant Marcas nous cause un nouveau souci.

— Encore? Cet homme est pire qu'un vol de sauterelles.

— Comme vous le savez, il était sous le coup d'une enquête de l'IGPN. Il semble que l'un de ses amis, le commissaire Haudecourt, ait réussi à l'en sortir. En échange des dossiers Fortaine sur la DGSE. C'est l'Intérieur qui est intervenu.

Léa ne répondit pas. Ça faisait quelque temps qu'elle voulait se débarrasser du Premier ministre. Sa cote de popularité était trop haute. S'il n'était pas capable de tenir ses ministres, elle avait peut-être un moyen.

— Dois-je neutraliser Marcas, madame ?

— Non. Du moins, tant qu'il ne se montre pas trop curieux sur ce qui est arrivé au cinquième rituel. Mais gardez-les à l'œil, lui et son amie de la Crim.

Elle raccrocha et savoura le verre d'armagnac. Quand elle songeait à tout le chemin parcouru, elle se disait qu'elle avait bien mené sa barque depuis la précédente élection. Le secrétariat général de l'Élysée lui avait octroyé un pouvoir immense. Et elle ne comptait pas s'arrêter là. Si tout se passait bien lors de la prochaine élection, et c'était bien parti vu l'effet du cinquième rituel sur le président, elle deviendrait la prochaine Première ministre. Il le lui avait promis. Se salir les mains depuis des années méritait bien une récompense.

Elle alluma l'écran plat juste au moment où débutait le générique de l'allocution présidentielle. *Marseillaise* en fanfare et frontispice du palais de l'Élysée scintillant de mille feux.

Le président de la République apparut avec les drapeaux français et européens. Il se tenait derrière un pupitre sur lequel trônait le ballon de football.

— Mes chers compatriotes, je sais que vous en avez assez de ce cérémonial vieillot, de me voir apparaître raide comme un ballet turc, engoncé dans mon costume-cravate. Vous avez raison, ça suffit.

Léa manqua de s'étrangler. *Putain, ce n'est pas le discours d'Émilien !*

D'un geste brusque, le président dénoua sa cravate et retira sa veste anthracite qu'il lança à l'autre bout de la pièce.

— Je vous le dis, aujourd'hui restera comme le nouvel appel du 18 Juin pour la France !

Il leva les bras en l'air et cria tout sourire.

— Je vous pose la question : action ou vérité ?

L'image se coupa net. Et la façade de l'Élysée remplaça son occupant.

Léa se leva d'un bond alors que son téléphone sonnait.

— Émilien ! Que s'est-il passé ?

— On a coupé. Il n'est pas dans son état normal. Viens. Vite.

Léa se précipita dans le salon des ambassadeurs où était filmée l'allocution. Les officiers de sécurité évacuaient l'équipe de tournage. Elle aperçut Émilien qui se tenait accroupi, à côté du pupitre. Derrière lui, on distinguait la silhouette du président assis, les jambes écartées, serrant son ballon entre les mains. Il secouait la tête comme un enfant boudeur.

Léa l'observa, puis comprit.

L'avertissement du cinquième rituel.

Le président n'aurait jamais dû le lire en entier. Il ne faisait pas partie des élus.

Elle repéra la pochette noire qui avait glissé à terre et s'en saisit.

— On a appelé le médecin, il arrive, dit piteusement Émilien.

Léa hocha la tête avec compassion. Elle comprit en un éclair le changement de comportement du président. Il était retombé en enfance. Au sens propre du terme. Dégât collatéral du cinquième rituel. *N'est pas de Gaulle qui veut.* Elle se promit de ranger ce foutu document dans un coffre-fort, à l'abri des regards. Il n'y aurait plus de consignes sur le cinquième rituel à transmettre entre présidents… Le secret serait enfoui une bonne fois pour toutes. Son esprit était ailleurs.

Elle pensait déjà aux élections anticipées.

Elle avait eu tort de viser l'hôtel Matignon.

Le palais de l'Élysée ferait beaucoup mieux l'affaire.

Épilogue

Paris
Cimetière du Père-Lachaise

Un manteau scintillant de givre recouvrait les dalles tout autour d'eux. Antoine et Pierre étaient sortis ravis de leur déjeuner de réconciliation. Le père avait proposé au fils de lui montrer quelque chose qui lui tenait à cœur.

Ils gravissaient un chemin sinueux, chaotique, encombré de tombes échouées au sol comme des navires sur le sable après une tempête. Pierre avait longuement expliqué sa descente aux abîmes. Son flot de paroles était intarissable. Antoine s'en voulait de n'avoir pas été plus tôt à l'écoute.

— On va voir quelle tombe exactement, papa ?

— On ne va pas en voir une, mais deux. Nous arrivons.

Antoine connaissait le chemin par cœur, même s'il n'était pas venu depuis des années. Ils longèrent le caveau de la comtesse Anna de Noailles, dont la légende noire disait qu'elle hantait encore le cimetière, puis ils bifurquèrent sur leur droite, sur un minuscule chemin pavé. Les sépultures étaient plus récentes, elles dataient sans doute du siècle dernier.

— C'est là, dit Antoine en s'arrêtant devant deux plaques jumelles de marbre gris, presque entièrement recouvertes de feuilles mortes.

— Et donc ? demanda Pierre.

— Nettoie-les et tu vas comprendre.

Son fils se pencha et chassa les feuilles avec le revers de son blouson. Il écarquilla les yeux.

— C'est dingue !

Antoine sourit et s'inclina à son tour.

— Ça fait longtemps que je voulais te parler de ces deux personnes. Ça remonte à la Seconde Guerre mondiale…

Chaque dalle portait un nom.

Le même.

LAURE MARCAS
TRISTAN MARCAS

FIN

REMERCIEMENTS

À toute l'équipe des éditions Lattès. C'est toujours un plaisir de travailler avec des gens qui ont la passion de leur métier. Paul, Véronique, Vincent, Constance, Sophie... Et bien sûr, les représentants qui font toujours un boulot formidable sur le terrain.

Toujours chez notre éditeur, un remerciement encore plus appuyé à Laurence, qui fait des miracles.

Un remerciement particulier à notre ami Pierre Mollier, directeur de la bibliothèque du Grand Orient et conservateur, qui a ouvert à Éric les portes du Grand Orient pour y faire des repérages et commettre le meurtre décrit dans l'ouvrage. La ressemblance avec Jolier est tout sauf fortuite.

Et plus spécialement de la part d'Éric.

Remerciements en ordre dispersé à celles et ceux qui m'ont fait partager leurs lumières sur Facebook. Myriam, Régis, Gwenaelle Bajart, David le Dû, Guillaume, Bruno, Sylvie,

Sylvie Testard, Alain, Patrick Lacroix, Pierre et Marc. Si j'ai oublié des noms ne m'en veuillez pas, je me rattraperai au prochain tome.

Un coup de chapeau à l'Alchimiste de Tours! Patrick, le patron de la librairie Savoir et son adorable femme, Marie. Ce diable de libraire est devenu le champion des dédicaces au fil des ans...

Et, à nouveau, un clin d'œil à Nicolas Guiselin, pour la résidence d'auteur...

Giacometti & Ravenne
au Livre de Poche

LA SAGA DU SOLEIL NOIR

Le Triomphe des ténèbres n° 35387

1938. Dans une Europe au bord de l'abîme, une organisation nazie, l'Ahnenerbe, pille des lieux sacrés à travers le monde. Elle cherche des trésors aux pouvoirs obscurs destinés à établir le règne millénaire du Troisième Reich. Son maître, Himmler, envoie des SS fouiller un sanctuaire tibétain dans une vallée oubliée de l'Himalaya. Il se rend lui-même en Espagne, dans un monastère, pour trouver un tableau énigmatique. De quelle puissance ancienne les nazis croient-ils détenir la clé ? À Londres, Churchill découvre que la guerre contre l'Allemagne sera aussi celle, spirituelle, de la lumière contre les ténèbres. Tristan, le trafiquant d'art au passé trouble ; Erika, une archéologue allemande ; Laure, l'héritière des cathares… : dans le premier tome de cette saga, l'histoire occulte fait se rencontrer des personnages aux destins d'exception avec les acteurs majeurs de la Seconde Guerre mondiale.

Novembre 1941. L'Allemagne est sur le point de gagner la guerre. L'armée du Troisième Reich est aux portes de Moscou. Pour Himmler, le chef des SS, la victoire sera définitive s'il parvient à s'emparer d'une swastika sacrée disparue en Europe. Pour Churchill, il faut absolument retrouver cette relique avant les nazis. Chacun compte sur Tristan Marcas, agent double au passé obscur.

Au cœur de cette guerre occulte entre les forces du Bien et du Mal, Laure, la résistante française, et Erika, l'archéologue allemande, vont s'affronter dans une lutte sans merci. De Berlin à Londres, de la Crète mystérieuse à l'Italie de Mussolini, qui l'emportera dans ce duel entre l'ombre et la lumière ? Et si la vérité se trouvait dans la jeunesse aux secrets interdits d'un certain Adolf Hitler ?

Juillet 1942. Jamais l'issue du conflit n'a semblé aussi incertaine. Si l'Angleterre a écarté tout risque d'invasion, la Russie de Staline plie sous les coups de boutoir des armées d'Hitler. L'Europe est sur le point de basculer. À travers la quête des swastikas, la guerre occulte se déchaîne pour tenter de faire pencher la balance. Celui qui s'emparera de l'objet sacré remportera la victoire. Tristan Marcas

part à la recherche du trésor des Romanov, qui cache, selon le dernier des tsars, l'ultime relique. À Berlin, Moscou et

Londres, la course contre la montre est lancée, entraînant dans une spirale vertigineuse Erika, l'archéologue allemande, et Laure, la jeune résistante française.

Résurrection n° 36548

1291, Terre sainte. Un groupe de templiers, chargé d'une mission secrète, est massacré au milieu du désert. Un seul chevalier en réchappe, miraculeusement. 1943. Des ténébreux châteaux allemands aux couloirs troubles du Vatican, Tristan Marcas s'engage malgré lui dans une nouvelle quête, à la recherche d'un mystère qui le conduira jusqu'aux portes de l'enfer.

Un thriller vertigineux, qui explore les arcanes oubliés de l'Histoire.

Nouvelle :

In nomine, Pocket, 2010.

Essai :

Le Symbole retrouvé : Dan Brown et le Mystère maçonnique, Fleuve noir, 2009.

Série adaptée en bande dessinée :

Marcas, maître franc-maçon. Le Rituel de l'ombre (volume 1), Delcourt, 2012.

Marcas, maître franc-maçon. Le Rituel de l'ombre (volume 2), Delcourt, 2013.

Marcas, maître franc-maçon. Le Frère de sang (volume 1), Delcourt, 2015.

Marcas, maître franc-maçon. Le Frère de sang (volume 2), Delcourt, 2016.

Marcas, maître franc-maçon. Le Frère de sang (volume 3), Delcourt, 2016.

Le Livre de Poche s'engage pour l'environnement en réduisant l'empreinte carbone de ses livres. Celle de cet exemplaire est de :

350 g éq. CO$_2$

Rendez-vous sur www.livredepoche-durable.fr

PAPIER À BASE DE FIBRES CERTIFIÉES

Composition réalisée par Soft Office

Achevé d'imprimer en février 2023 en France par
Maury Imprimeur – 45330 Malesherbes
Dépôt légal 1re publication : octobre 2022
N° d'impression : 268181
Edition 03 - février 2023
LIBRAIRIE GÉNÉRALE FRANÇAISE
21, rue du Montparnasse – 75298 Paris Cedex 06